二哈和他的白猫師尊

바보 허스키와 그의 흰 고양이 사존

二哈和他的白猫師尊

바보 허스키와 그의 흰 고양이 사존

육포부홀육 장편소설

4권

BLab

二哈和他的白猫師尊

목차

87장 본좌와 너의 옛일 7
88장 본좌의 사자성어 풀이는 틀리지 않았다 17
89장 본좌의 사존은 천신이다 31
90장 본좌는 다시 채접진으로 갔다 43
91장 본좌의 스승을 누가 감히 건드리느냐 55
92장 본좌는 천열을 또 보았다 67
93장 본좌가 전생에서 겪은 재앙 81
94장 본좌의 현세의 한 95
95장 본좌는…… 113
96장 사존, 제발 저 좀 봐 주세요 133
97장 사존의 세 번째 무기 149
98장 사존의 마지막 말 159
99장 사존은 세상의 마지막 불꽃이다 173
100장 사존의 사존 187
101장 사존, 제가 찾으러 왔어요 203
102장 사존의 물만두 225
103장 사존의 인혼 237
104장 사존 찾아 3만 리 253
105장 사존의 초상화 267
106장 사존의 지혼 281
107장 사존의 두 번째 지혼 295
108장 사존이 모르는 젖먹이 강아지의 과거 309
109장 사존은 단단한 칼이요, 그대는 흐르는 물이로다 333
110장 사존을 욕보일 순 없다 345
111장 사존이 감금되었다 361
112장 사존, 약속해 주세요 373
113장 사존은 유부남이다 385

87장 본좌와 너의 옛일

묵연이 다시 깼을 때는 이미 날이 훤히 밝아 해가 중천에 떠 있었다.

초만녕은 여전히 자고 있었다.

맥향로를 마셔서인지, 아니면 요즘 몸이 좋지 않아 계속 꿈을 꾸며 잠을 푹 못 자서인지, 이 시간이 되도록 여태 깊은 잠에 빠져 있었다. 묵연을 등지고 있는 그의 긴 먹빛 머리카락이 베개 위로 흘러내렸다. 마치 밤하늘 색 같았다.

"……."

사존이 기상하지 않으니 제자가 부지런을 떨 필요는 없었다. 침상이 너무 편해 더 누워 있자 싶었다.

하지만 누워만 있으려니 심심했다. 묵연은 바로 초만녕의 머리카락을 가지고 놀기 시작했다.

사존의 머리카락에서는 항상 은은한 꽃향기가 났다. 구름처럼 부드럽고 숲처럼 빽빽한 그것은 묵연이 쓰다듬기 좋아하는 것 중 하나였다.

손가락으로 그 숲을 쓸면 비단처럼 매끈한 감촉이 손가락 사이를 맴돌며 참을 수 없을 만큼 간지러웠다.

돌림무늬가 있는 먹색 휘장이 창문으로 흘러들어 온 바람에 약하게 흔들렸다.

그의 눈이 가늘어졌다. 아침에 일어났을 때가 정력이 가장 왕성할 때다. 더구나 손끝의 감촉이 너무 좋고, 너무 익숙하고, 또 너무…….

그는 초만녕의 긴 머리카락 한 갈래를 들어 올려 향기를 들이마셨다.

보드라운 머리카락이 서서히 전생의 기억을 불러들였다.

환생한 뒤, 그는 지나치게 관능적인 초만녕과의 정사를 가급적 떠올리지 않으려 했다. 하지만 어째서인지 오늘 아침에는 은근히 생각이 났다.

목이 조금 타들어 갔다.

눈앞에 있는 그의 몸을 더는 건드리고 싶지 않았지만, 머리카락은 상관없었다. 그는 눈을 감고 손가락 사이에 걸린 먹빛에 부드럽게 입을 맞췄다.

이 먹빛은…….

사생지전의 무산전에서도 이 먹빛 머리카락이 천 갈래 만 갈래로 흘러내려 묵연을 휘감았었다. 남자의 마른 허리를 잡고 있는 그의 손가락에 여인과 완전히 다른 촉감의 얇은 근육이 느껴졌다.

초만녕이 그의 사타구니 위에 앉아 위아래로 움직였다. 몹시 고통스러운지 줄곧 가느다란 눈썹을 찌푸리고 있었다. 봉안은 흐릿했지만, 괴로움과 절망 사이에서도 진홍색으로 물들어 갔다. 그는 너무 원망스럽고 너무 싫었지만, 벗어날 길 없는 가련한 신세였다.

묵연은 승자의 위치에서, 그 와중에도 여유롭게 악의를 담아 그에게 명령했다.

"더 빨리."

"……."

"이리도 느리다니, 기력이 없으신가?"

그래도 초만녕은 굴복하지 않았다. 잠시 숨을 돌리는 그의 증오 어린 눈이 연붉은색으로 촉촉하게 물들었다. 곧이어 그가 입술을 깨물고 자해하듯 거칠게 몸을 놀렸다.

너무 아팠다.

그는 거친 몸놀림을 반복했다. 활처럼 휜 등에 서서히 경련이 일고 온몸이 식은땀으로 흠뻑 젖었음에도 그는 애원하지도, 소리를 내지도 않았다.

눈앞에 늘어진 칠흑 같은 긴 머리카락에 묵연의 눈이 어둠 속에서 뜨겁게 타올랐다. 짐승 같은 욕망, 광기, 희열, 통쾌함이 그의 눈에 뒤섞였다.

"……으읏!"

갑자기 낮은 신음이 울렸다. 그의 몸을 타고 있던 남자가 결국 고통을 견디지 못한 모양이었다. 묵연의 눈이 어둡게 가라앉는가 싶더니 벌떡 일어나 앉아 땀에 젖은 육체를 끌어안았다. 남자는 몸을 가늘게 떨며 애써 고통을 견뎌 보려 했지만 결국 참지 못하고 바들바들 떨었다……. 하지만 묵연이 일어나 앉자 그가 더 깊숙이 들어와 내장이 꿰뚫릴 것만 같아 어쩔 수 없었다.

잔인한 폭력을 휘두르던 그가 더없이 부드럽지만, 또 더없이 사악한 손길로 남자를 어루만졌다.

"초만녕, 나한테 이렇게 당할 거라고 생각해 본 적 없겠지?"

그는 품에 남자를 가두고 얼굴을 바짝 붙인 채 천천히 자신을 넣었다 뺐다. 친밀하기 그지없는 행위에 몸서리가 쳐졌다.

"만야옥형, 북두선존……. 큭, 하지만 결국, 이렇게 알아서 다리를 벌리고 날 받아들이고 있군."

묵연의 손은 상대의 허리 위를 헤매고 있었다. 그는 위로 박아 넣으며 초만녕이 자신을 꽉 조이는 것을 느꼈다. 흥분으로 가슴이 활활 타는데도 그는 계속 침착을 가장하며 갖가지 방법으로 모욕을 줬다.

"내가 비열하다 했지? 나를 무시했지? 하지만 초만녕, 지금은 네가 내 비위를 맞추고 있어."

그는 악의적으로 상대의 턱을 물었다.

"고개를 숙여서 당신이 나를 어떻게 빨아들이고 있는지 봐, 응? 우리 둘 중 천박한 쪽은 누굴까요, 나의 아름다운 사존?"

"……."

초만녕은 몸을 떨며 눈을 감았다. 더는 이런 더럽고 저속한 말을 듣고 싶지 않았다.

이건…… 그의 첫 경험이었다…….

한때 좋아했던 사람과 하는 것이었지만, 형벌 같았다. 차라리 죽는 것이 나았다.

"눈 떠."

묵연의 차가운 명령이 귓가에 떨어졌다.

"어디 또 눈을 감아 보시지. 설몽이 아직 내 손에 있어. 내가 어떻게 할지는 당신도 알잖아."

어쩔 도리가 없었다. 초만녕은 결국 물기 어린 눈을 천천히 떴다.

그의 손에 눌린 채 강제로 고개를 숙여 자신이 삼킨 제자의 성기를 바라보았다. 퍽퍽 살덩이가 부딪치며 끈적한 피와 점액이 새어 나오는 모습이 이루 말할 수 없이 음탕했다.

"일어나."

그는 다리에 힘이 없었지만, 마지막 남은 존엄은 그가 묵연에게 기대지 않고 천천히 몸을 일으키게 만들었다. 몸속에 있던 성기가 반 이상 빠져나와 성난 귀두만 구멍에 걸려 있었다.

묵연은 성기를 잡고 얕게 쑤셔 넣으며, 초만녕에게 스스로가 농락당하는 것을 지켜보게 했다. 초만녕의 속눈썹이 파르르 떨렸다. 고통인지, 수치심인지, 아니면 흥분인지 알 수 없었다.

"정말 음탕하네."

묵연이 나지막이 말했다.

"진작 알았으면, 제자였을 때 당신을 가졌을 텐데."

그는 고상함이라고는 모르는 저속한 망나니였다.

이런 상스러운 말들은 칼날처럼 초만녕의 심장을 찔렀다.

그가 돌연 고개를 쳐들고 눈을 감은 채 처음으로 말을 뱉었다. 쉰 목소리였다.

"묵연, 날 죽여라."

그의 허리를 잡고 있던 손이 알아차리지 못할 만큼 미세하게 떨렸다.

곧이어 묵연이 웃었다. 보조개가 깊게 팬, 여전히 달콤하고 사랑스러운 미소였다.

"좋아."

초만녕이 눈을 번쩍 떴다.

묵연은 자신의 욕정에 불을 당기는 그의 촉촉한 두 눈 속에서 자신의 뒤틀린 미소를 봤다.

"당신이 죽고 싶다면 말리지 않겠어. 다만 죽는 방법은 당신이 정할 수 없어. 사랑하는 제자 설몽 앞에서 수천수만 명에게 능욕당하게 해 주지. 아, 설몽도 끼워 주는 게 좋겠군. 말해 봐, 그 정도면 충분하겠지?"

"너……!"

독이 든 집게발처럼 모진 말이 남자의 약점을 찔렀다. 묵연이라는 이름의 전갈은 이빨을 드러내고 발을 치켜세운 채 자신의 성과를 감상하듯 초만녕의 얼굴이 순식간에 하얗게 질리는 걸 지켜봤다. 최대한 참고 있지만 살짝 벌어진 입술이 저도 모르게 미세하게 떨리는 게 보였다. 묵연은 문득 흡족함과 연민, 통쾌함과 흥분을 느꼈다. 그가 다시 초만녕을 끌어안고 그의 몸 깊숙이 자신을 찔러 넣더니, 빠르고 빈틈없이 넣었다 빼며 거의 실성한 듯 말했다.

"큭, 바보 같기는. 진짜인 줄 알았어?"

낮게 웃은 그가 사납게 입 맞추고 어루만지며 숨을 몰아쉬었다.

"쓸데없는 생각 마. 거짓말이니까."

초만녕은 그의 품에서 거의 부서질 것처럼 흔들렸다. 하지만 그의 영혼은 진작 가루가 되어 있었다.

"장난이었어."

묵연은 거친 숨을 몰아쉬다가 충분히 만족스럽지 않았는지 다시 그를 밀어 바닥에 눕히고는 그의 몸을 내리누르며 다리를 들어 올려 그를 침범했다. 묵연의 엉덩이가 빠르고 힘 있게 움직였다.

"내가 당신을 어찌 버리겠어……. 당신은 내 것이야……. 오직 나만 가져야지……."

가늘고 긴 하얀 손가락이 바닥을 움켜잡았지만, 아무것도 잡히지 않았다.

초만녕은 결국 무력하게 그에게 놀아나며 실신할 때까지 능욕당했다. 눈동자 속의 빛이 서서히 사그라들었다.

갑자기 그가 손을 들어 자신의 눈을 가렸다.

"묵연……."

초만녕이 읊조렸다.

"묵연, 아직 너에게 정이 조금이라도 남았다면…… 양심이 조금이라도 남았다면……."

그의 속눈썹이 손등 아래에서 미세하게 떨렸다.

"부탁이니…… 더는 이러지 말아다오……."

그가 애원했다.

"묵연……."

그러고는 갑자기 오열하기 시작했다.

묵연은 전생에서 처음으로 그가 우는 것을 들었다.

"묵연, 더는 견딜 수가 없다……."

그가 비참히 내뱉었다.

"아파……."

순간, 갑자기 초만녕이 몸을 돌리는 바람에 묵연은 비릿하고 달콤한 추억 속에서 깨어났다. 과거의 장면은 온데간데없이 사라지고 오직 쿵쿵 뛰는 심장만 남았다.

손가락 사이에 있던 긴 머리카락은 이미 빠져나갔지만, 그가 제 쪽으로 몸을 돌린 덕에 그의 얼굴이 코앞에 있었다. 묵연은 가늘고 긴 속눈썹까지 자세히 볼 수 있었다.

정말 아름답구나. 묵연은 생각했다.

냉정하게 말하면, 초만녕은 그런 부드러운 생김새가 전혀 아니었다. 그의 뚜렷한 이목구비는 도끼로 깎은 듯이 진해서 사실 보통 사람보다 훨씬 남자다웠다.

그런데 이상하게 그럴수록 심장이 더 간지러웠다.

묵연은 굽힐 줄 모르는 이 오만한 남자가 자신의 몸 아래 굴복해 자지러지는 모습이 너무도 보고 싶었다.

심장 박동이 점점 더 빨라졌다.

초만녕의 얼굴을 응시하던 시선이 조금씩 움직이다, 깊은 잠에 빠져 살짝 벌어진 옅은 입술에 가닿았다.

자기도 모르게 그에게 다가갔다.

조금만 더 다가가면 입을 맞출 수 있었다.

달콤한 이슬 같은 맛.

묵연은 엄청난 갈증에 침을 삼켰다. 가까이, 조금만 더 가까이…… 이제 곧 닿을 수 있어.

순간, 욕망에 휩쓸렸던 머리에 번쩍 정신이 들었다. 그는 얼굴이 파랗게 질려 그대로 얼어붙었다.

내가 뭐 하는 거지!

벌떡 일어나 앉은 묵연은 침상에 누워 있는 그를 빤히 내려다봤다. 초만녕, 초만녕, 아무리 그와 뒤엉키는 게 익숙하다고 해도 모두 지난 일이다! 내가 이게 뭐 하는 짓인가? 미친 건가?

설마 정말 그가 좋아진 거야?

문득 떠오른 생각에 속이 울렁거렸다. 묵연의 얼굴은 창백해졌고, 정신은 멍해졌다.

결국 그는 심호흡을 하며 손바닥으로 거칠게 얼굴을 쓸어내리다 속으로 욕지거리를 뱉으며 도망치듯 옷을 걸치고 나갔다.

88장 본좌의 사자성어 풀이는 틀리지 않았다

초만녕이 드디어 잠에서 깨어났을 때는 이미 정오 무렵이었다.

맥향로는 확실히 효과가 좋아서 어젯밤 내도록 악몽에 시달리지 않고 숙면을 취했다. 그는 하품을 하고 천천히 자리에서 일어났다.

"묵연?"

항상 그보다 늦잠을 자던 제자가 어젯밤 잠든 자리에 없자 초만녕은 어리둥절해하며 이름을 불렀다.

대답이 없었다.

그는 일어나 의관을 갖춰 입고 칠흑 같은 긴 머리를 묶으면서 한편에 있는 칸막이 공간으로 갔다. 활공하는 기러기와 산봉우리가 수놓인 병풍 뒤에서 뿌연 수증기가 피어올랐다. 누군가가 뒤에서 목욕을 하는 듯했다.

"……묵연."

초만녕은 바깥에 서서 다시 한번 불렀다.

그러나 여전히 대답이 없었다.

의아함에 초만녕은 병풍의 나무틀을 여러 차례 두드렸지만, 여전히 아무 반응이 없자 미간을 찌푸리며 병풍 뒤로 돌아갔다.

이곳은 방 안에 목욕과 세면을 위해 마련된 장소로, 중앙에 커다란 녹나무 목욕통이 놓여 있었다. 초만녕이 슬쩍 보니 안에는 따뜻한 물이 가득 차 있었고, 그 위에는 주인이 미리 준비해 둔 약재까지 뿌려져 있었는데, 목욕하는 사람은 보이지 않았다.

좌우를 두리번거리다 묵연 그 녀석이 벗어 놓은 옷가지가 나무 선반에 잘 개어져 있는 걸 발견했다.

설마 목욕하고서 옷도 안 입고 밖으로 나간 건 아니겠지?

초만녕은 관자놀이가 지끈거렸다. 끔찍한 생각을 떨치며 얇은 입술을 꾹 다물었지만, 안색이 꽤 어두웠다.

뒤돌아 나가려던 찰나, 갑자기 뒤에서 보글보글 소리가 들렸다.

초만녕이 고개를 돌리자, 꽃잎과 약초로 뒤덮인 나무 목욕통 안에서 물거품이 올라오는 게 보였다.

……안에 사람이 있나?

생각하기가 무섭게 '좌악' 소리와 함께 발가벗은 청년이 강에서 날아오른 교룡처럼 통에서 튀어나왔다. 놀란 초만녕은 두 걸음 뒤로 물러났다.

청년은 방금까지 잠수하느라 초만녕이 부르는 소리를 못 들었다가 더는 숨을 못 참을 정도가 돼서야 일어난 참이었다. 상반신을 드러내고 막 뭍에 올라온 강아지처럼 머리카락의 물방울을 마구 터는데, 그 물방울이 초만녕의 옷에 다 튀었다.

"묵연!"

"으악!"

머리를 털던 묵연은 깜짝 놀라서 눈을 동그랗게 떴다. 나오자마자 그를 볼 것이라고는 생각하지 못했는지 소스라치게 놀라 소리를 질렀다.

"사존!"

"너……."

초만녕의 시선이 청년의 늠름한 몸을 훑었다. 자라면서 벌어지던 어깨는 이미 충분히 넓어 보였고, 몸 선은 매끄럽고 탄탄해 젊음의 활력을 가득 품고 있었다. 그의 탄탄한 가슴 근육을 따라서 한데 모인 물방울이 햇빛을 받아 아찔한 빛을 발하며 천천히 흘러내렸다.

그는 상반신을 물 밖에 내놓은 채 아름다운 인어처럼 떠 있었다. 머리카락과 눈은 촉촉하게 젖었고, 머리카락 사이에는 꽃잎까지 몇 조각 붙어 있었다.

묵연은 얼굴의 물방울을 쓸어 내고 초만녕 쪽으로 오더니 표범처럼 견갑골을 활짝 벌리고 두 손을 통 가장자리에 포갠 채 그를 올려다보며 환하게 웃었다.

순간 머리가 핑 돌고 얼굴이 달아오른 초만녕이 저도 모르게 말했다.

"뭐 하는 것이냐?"

"목욕이요."

"아침부터?"

"헤헤."

괜스레 마음이 찔렸다. 사실 처음에는 몸속 열기를 억누르기 위해 찬물을 맞으려고 한 것인데, 나중에 열이 가라앉고 나니 이미 옷도 다 벗었겠다, 차라리 목욕이나 하자 싶었다. 그렇게 목욕을 하다 보니 기분이 좋아져서, 잠수해서 숨 참는 법을 연습하다가 예상치 못하게 초만녕에게 딱 걸린 것이다.

"왜 실실거리느냐?"

초만녕은 인상을 쓰고 냉랭한 말투로 말하며 화끈거림을 감추려 했다.

"일찍 일어났으면 날 깨울 것이지 여기서 쓸데없이 푸드덕거리기나 하고, 옷은 또 여기저기 벗어 놓아서 체통 없이……"

"사존, 여기…… 물 묻었어요."

그가 손을 들어 올려 초만녕의 볼을 문질렀다.

"……굴다니."

묵연이 웃었다. 그는 자신의 손이 이미 젖어 있다는 것을 깜빡하고 초만녕의 얼굴을 닦아 주려다 더 젖게 만들었다.

초만녕은 그 자리에 얼어붙었다. 주변 공기는 차디찼고, 얼굴 근육은 팽팽하게 땅기며 입술에도 살짝 힘이 들어갔다. 유일하게 움직이는 건 가끔 떨리는 속눈썹뿐이었다.

이건 마치 사냥개를 혼내고 있는데 그 교활한 개새끼가 주인 얼굴을 감싸며 아양을 떠는 느낌이었다.

"……옷 입고 나오거라. 문파로 돌아갈 채비를 하자."

초만녕은 굳은 얼굴로 이 말을 뱉은 뒤 소매를 털고 나갔다.

하지만 묵연이 보이지 않는 곳에 이르렀을 때 그의 귀 끝은 빨개져 있었다.

마찬가지로 그가 보이지 않는 곳에선 촉촉하게 젖은, 복잡하지만 여전히 갈망을 품은 두 눈동자가 자제력을 잃고 그가 모퉁이를 돌아 사라질 때까지 그 뒤를 좇고 있었다.

배시시 웃고 있던 묵연의 표정이 분노와 원망으로 바뀌었다.

그는 분한 마음으로 물을 내려치고는 두 손으로 얼굴을 거칠게 쓸어내렸다.

진짜 이상하네.

오늘 왜 이러는 거지?

그저 목욕하다가 그를 봤을 뿐이고, 고작 손으로 그의 얼굴을 만졌을 뿐이다.

그런데 겨우 진정한 욕망이 다시 단단해지다니…….

"무슨 옷을 이리 오래 입느냐?"

초만녕이 창가에서 고개를 돌렸다. 그의 옷자락이 나풀거렸고, 가느다란 머리카락은 바람에 날려 아름다운 얼굴 위로 흩날렸다. 그가 약간 조급해하며 질책했다.

묵연이 헛기침하며 얼버무렸다.

"법술로 머리카락을 말렸는데 익, 익숙하지 않아서 좀 걸렸어요. 언짢아 마세요."

어쩐 일인지 그가 고분고분하게 말하자 초만녕은 의외라는 듯 그를 보다가 말했다.

"다 씻었으면 물건을 챙기거라. 잠시 후 배를 빌려 돌아갈 것이다. 나는 어검 비행도 싫고, 말도 싫증 났다. 물길로 가는 것이 조용하고 좋을 것 같다."

"네, 알겠습니다."

묵연은 차마 그를 보지 못하고 괜히 헛기침을 몇 번 더 했다.

초만녕이 인상을 쓰며 말했다.

"목은 왜 그러느냐?"

"……별거 아닙니다."

묵연은 짐을 싸기 위해 돌아섰다. 두 사람은 점포에서 건량과 간단한 먹을거리를 사고 선착장에서 배를 빌려 길을 나섰다.

배로 장강을 타고 내려가다가 막힌 곳에 다다르자 나무 날개를 만들어 법술의 힘으로 하늘을 날았다. 속도가 빠르지는 않았지만, 쾌적하고 고요한 것이 훨씬 좋았다.

팔 일 뒤, 사생지전에 도착한 두 사람은 산 입구에 배를 세워놨다.

묵연은 대나무 발을 들어 올려 초만녕을 먼저 선실에서 내보내고 나서 그 뒤를 따랐다. 도착했을 때는 이미 달이 높이 뜬 깊은 밤이었다. 옥형 장로는 미리 설정옹에게 서신을 보내어 사람을 보내 맞이할 필요가 없다고 알렸다. 그래서 두 사람은 계단을 올라 정문 입구에 도착해서야 문을 지키고 있던 네 명의 제자와 마주쳤다.

"옥형 장로님!"

"묵 공자님!"

그들을 발견한 네 제자의 얼굴에 어째서인지 당황한 기색이 스쳤다. 두 사람이 미처 반응하기도 전에 그들은 털썩 무릎을 꿇고 다급하게 보고했다.

"장로님, 공자님. 지금 문파에 두 분께 따지러 온 사람이 있습니다! 존주께서 두 분에게 잠시 피해 있으라고 전서구를 보내셨는데, 보아하니 고놈이 느려서 전달되지 않은 모양입니다! 장로님, 공자님, 어서 무상진으로 몸을 피하십시오. 절대 들어가시면 안 됩니다!"

초만녕은 눈살을 찌푸리고 물었다.

"무슨 일이길래 이리도 허둥대는 것이냐?"

"상수진계의 사람인데, 장로님이 사술을 익히는 것 같다며 천음각으로 데려가 심문하겠다고 합니다!"

"천음각?"

묵연이 놀라서 말했다.

"그곳은 10대 문파가 함께 만든 극악무도한 자를 심문하는 감옥 아닙니까?"

"맞습니다! 그들은 채, 채접진 사건 때문에 왔습니다!"

그중 한 여제자가 질겁하며 말했다.

"장로님 기억하십니까? 장로님께서 벌받으셨던 바로 그 일입니다!"

"그래 봤자 평범한 사람에게 선술을 쓴 것뿐입니다. 사존은 이미 벌을 받으셨는데 왜 지난 일을 들춰내는 겁니까? 게다가 천음각까지 들먹이다니요"

묵연이 미간을 찌푸렸다.

"그리고 사술은 또 무슨 말입니까?"

"자세한 것은 저희도 모릅니다. 하지만 사람들 얘기로는 채접진 마을 사람들이 하룻밤 사이에 모두 죽었고, 살인을 저지른 자는 반선반귀(半仙半鬼)로 누군가의 사주를 받은 것 같다고 합니다. 그 귀선은 법력이 뛰어나서 평범한 수련자는 절대 그녀를 부릴 수 없다며, 상수진계 사람들은…… 이 일이 옥형 장로님의 짓이라고 의심하고 있습니다!"

초만녕은 말이 없었다.

"푭."

묵연이 웃었다.

"난 또 뭐라고. 그런 오해는 말로 풀면 그만이지 뭐 하러 숨겠습니까."

그러고는 초만녕을 향해 씩 웃었다.

"사존, 그들이 생각하는 것 좀 보세요. 사존께서 작은 요괴를 물리치면 후배와 악착같이 경쟁하려 한다고 하고, 큰 요괴를 무찌르면 사술로 귀선을 키워 사람을 해친다고 의심하네요. 차라리 아무것도 하지 말고 그들처럼 집에서 좌선에나 전념하는 게 좋겠습니다."

그러나 초만녕은 웃지 않았다. 그는 어두운 안색으로 아무 말 않다가 물었다.

"채접진 사람들이 모두 죽었다고?"

"듣기로는 그렇습니다. 한 명도 살아남지 못했다고 합니다."

"……."

초만녕은 눈을 감았다.

여제자는 그의 안색이 이상하다는 것을 느끼고는 불안해하며 그를 불렀다.

"장로님?"

"그 일이 내가 한 것은 아니지만 내가 퇴마를 제대로 못 해서 그런 것일 수도 있다. 내게도 책임이 있는데 어찌 회피한다는 말이냐."

초만녕은 천천히 눈을 떴다.

"묵연, 나와 가자."

단심전 안에는 열두 개의 청동 등이 양쪽으로 나란히 서 있었다. 각각 10척 높이에 위부터 아래까지 총 아홉 층의 길고 짧은 구리 가지가 뻗어 있는데, 거기에 놓인 총 356개의 등불이 사생지전의 대전을 대낮처럼 환하게 밝히고 있었다.

대전에는 설정옹이 군장을 하고 엄숙하게 서서 철로 만든 조각상처럼 용맹하고 위엄 있게 아래에 있는 사람들을 응시하고 있었다.

"이 장주, 마지막으로 말하겠소. 옥형 장로는 지금 문파에 없으며, 내 장담하건대 채접진의 일은 결코 그가 의도한 것이 아니오. 그러니 신구자…… 그……."

왕 부인이 옆에서 소매로 입을 가리고 속삭였다.

"황이요."

"크흠, 그러니 더는 신구자……황[#1]하지 마시오!"

설정옹은 손을 휘두르며 당당히 말했다.

왕 부인은 할 말을 잃었다.

보초를 서는 사생지전의 제자 외에 대전에는 30여 명이 서 있었다. 그들 대부분은 청록색 비단 장포를 입고, 팔에는 불자를 걸치고, 머리에는 천잠으로 만든 진현관[#2]을 쓰고 있었는데, 바로 상수진계에서 최근 새롭게 떠오르고 있는 '벽담장' 문파의 제

#1 신구자……황 信口雌黃. 입에서 나오는 대로 말하다.
#2 진현관 문관이나 유생이 쓰던 관

자들이었다. 제일 앞에 서 있는 남자는 어림잡아 쉰이 넘은 나이에, 메기수염 같은 팔자수염이 바람에 흔들리고 있으니, 벽담장 장주 이무심이 아니면 누구겠는가?

이무심은 긴 수염을 비비 꼬면서 차갑게 웃었다.

"설 장문. 귀 문파가 정도를 걷는 문파이기에 이렇게 예를 갖추는 것입니다. 채접진은 귀 문파의 옥형 장로가 제자를 데리고 퇴마한 뒤 이런 변이 일어났어요. 그들 세 명을 제외하고 진 원외 일가는 그 어떤 신선 수련자와도 왕래하지 않았습니다. 증인과 물증이 모두 있으니 알고 있었든 모르고 있었든 인정해야 합니다."

부친 옆에 서 있던 설몽이 참지 못하고 욕을 퍼부었다.

"이런 젠장, 당신들은 대체 무슨 낯짝으로 이러는 겁니까? 당신들이 언제부터 하수진계의 일을 신경 썼다고? 평소에는 수수방관하며 자기 일만 신경 쓰더니 일이 터지니까 우리 사존께 덮어씌우는 것은 무슨 도리냐고요!"

"설 공자."

이무심은 동요하지 않고 그를 지그시 보며 미소 지은 채 말했다.

"공자의 명성은 들은 적 있소. 사람들이 어린 봉황이라 부르던데 오늘 보니, 허허, 뜻밖에도 교양이 겨우 이 정도라니. 정말이 늙은이가 깨닫는 것이 많구려."

"당신……!"

이무심은 차분히 눈을 흘기고는 시선을 설정옹에게 돌렸다.

"설 장문. 상수진계의 법도는 매우 엄격합니다. 이 일에 관여한 이상 반드시 철저히 조사할 겁니다. 당신이 옥형 장로와 묵연 등을 끝까지 내놓지 않겠다면 이 늙은이는 어쩔 수 없이 천하제일 대문파인 유풍문에 가서 정도를 세워 달라 할 수밖에 없습니다!"

본래 성격이 불같은 설정옹은 그의 말을 듣고 더 강하게 나왔다.

"흥. 벽담장과 유풍문의 관계가 좋다는 것은 알고 있지만, 설사 지금 남궁류가 내 앞에 있다고 해도 나는 이렇게 말할 것이오. 사람을 내놓지 않을 것이며, 이 일은 옥형과 무관하오."

설몽도 거들었다.

"이 장주께서는 돌아가시죠. 멀리 배웅하지 않겠습니다."

"봤습니까? 모두들 들었지요! 저들은 이렇게 막무가내로 허물을 감추고 있습니다!"

사람들 사이에서 한 남자의 떨리는 목소리가 터져 나왔다.

"당초 묵연이라는 자가 내 벗의 물건을 훔쳐서 우리가 정중하게 찾아와 해명을 요구했는데, 그때도 그들은 이렇게 난폭하게 우리를 내쫓았습니다! 이 장주님, 전부 보셨죠? 만약 사생지전이 계속 못된 짓을 저지른다면 하수진계는 끝장입니다!"

남자의 말이 끝나기 무섭게 문 쪽에서 낮은 웃음소리가 들려왔다.

사람들이 고개를 돌렸다. 빛이 거의 닿지 않는 곳에 남색 경갑을 입은 청년이 붉은 칠을 한 문에 기대어 나른한 표정으로 대전 안의 광경을 지켜보고 있었다.

매우 수려하게 생긴 청년이었다. 그의 피부는 어둑한 불빛 속에서도 탱탱하고 매끄럽게 빛났다.

"상 공자, 제가 언제 그대 벗의 물건을 훔쳤습니까?"

청년이 부드럽고 다정하게 웃었다.

“어디 한번 말해 보시지요. 용삼…… 아니, 용구였나, 잘 기억이 안 나는군요. 어쨌든 그 미소년은 대체 그대의 벗입니까, 아니면 그대의 정부입니까? 이리 솔직하지 못하다니, 그가 상처받을까 걱정됩니다.”

조금 전 하소연하던 사람은 다름 아닌 예전에 끝까지 사생지전을 물고 늘어지던 익주의 거상 상씨 집안의 맏이, 상 공자였다.

상 공자는 소리가 나는 쪽으로 고개를 휙 돌렸다가 묵연을 발견하고는, 안색이 어두워지더니 이내 눈을 반짝이며 슬피 외쳤다.

“묵미우, 이 짐승 같은 놈. 구아와 나는 저구지교[#3]로서, 아주 순수한 사이다. 그는 이미 너희 요물들에게 해를 입어 무참히 죽었다. 그런데 아직도 그런 악독한 말로 그를 모함하는 것이냐!”

“뭐?”

놀란 묵연의 눈이 미세하게 커졌다.

“용구가 죽었다고?”

분노한 상 공자가 두 눈에 눈물을 머금고 말했다.

“그의 부모님이 채접진 사람이라 며칠 전 고향에 갔다가 변고를 당했다. 그가 가지 않았다면 내가 어떻게 너와 네 스승이 저지른 악행을 알았겠느냐! 그렇지 않았다면 이 장주님을 찾아가 진실을 밝혀 달라고 하지도 않았다!”

그러나 묵연은 용구에게 조금의 호감도 없었기에 놀라움은 금세 짜증으로 바뀌었다. 그가 손을 휘저으며 말했다.

#3 저구지교 杵臼之交. 절굿공이와 절구의 사귐. 중국 한나라의 공사목이 오우의 집에서 방아 찧는 품팔이를 했는데. 오우가 공사목의 비범함을 알아보고 친교를 맺었다는 고사에서 유래한 것으로, 귀천을 가리지 않고 사귄 벗을 의미

"저구지교는 무슨, 네가 절굿공이고 그가 절구인 것이냐? 절굿공이로 절구를 찧어 놓고 뭐가 순수하다는 거야?"

"묵, 묵연!"

상 공자는 예상치 못한 그의 말에 분노했다.

"이 무식한 망나니 같으니! 너, 너……."

"흠흠……."

왕 부인도 부끄러워 견딜 수 없었다.

그러나 설정옹은 눈만 끔뻑거릴 뿐 아무 말도 하지 않았다. 저구, 저구…… 딱 들어도 좋은 말은 아니었지만, 그는 조카의 말이 일리 있다고, 틀리지 않았다고 생각했다.

어둠 속에서 돌연 누군가가 한숨을 쉬었다. 곤륜산의 옥구슬이 부딪치는 소리처럼, 얼어붙은 호수가 갈라지는 소리처럼 말로 표현할 수 없이 나지막하고 듣기 좋은 소리였다. 곧이어 골격이 균일한, 가느다랗고 아름다운 손이…….

한 치의 머뭇거림 없이 묵연의 얼굴을 때렸다.

"저속하기 그지없군. 저구지교는 공사목과 오우가 귀천을 가리지 않고 쌓은 우정을 뜻한다."

초만녕은 굳은 얼굴로 문 앞에 나타나 언짢아하며 말했다.

"사람 망신만 시키다니. 문 앞에 서서 뭐 하는 것이냐, 어서 들어가지 않고!"

"사존!"

"사존!"

설몽과 사매는 예상치도 못하게 그를 보자 놀랍고 기뻐서 다가가 맞이했다.

설정옹은 눈을 크게 뜨고 화를 내며 어처구니없다는 듯 말했다.

"옥형. 어찌 이리 갑자기 돌아온 것이야?"

"제가 돌아오지 않는다면 혼자 언제까지 버틸 생각이셨습니까?"

초만녕은 천천히 단심전 안으로 걸어 들어왔다. 촛불 아래에서 그의 빼어난 용모와 자태가 선인 같은 청아함을 뽐냈다. 그는 대전의 금좌 앞에 서서 설정옹에게 고개를 끄덕이고는 빠르게 몸을 돌려 넓은 소매를 가볍게 털었다.

"사생지전의 옥형 장로, 초만녕입니다. 여러분께서 묻고 싶은 일이 있다는 이야기를 전해 듣고, 거절하자니 결례인 듯하여 왔습니다."

경악한 이무심과 눈이 마주치자 초만녕은 봉안으로 흘긋 보고는 담담히 말했다.

"말씀해 보시지요."

89장 본좌의 사존은 천신이다

대전에 나타난 초만녕은 구름 같은 비단으로 만든 눈처럼 하얀 옷을 입고 바닥까지 닿는 넓은 소매를 늘어뜨린 채 뒷짐을 지고 섰다. 단정하고 신중한 표정으로 눈을 살짝 치켜뜬 채 속눈썹을 내리깔고 있었는데, 겸손함 속에서 경멸과 오만함이 배어 나왔다.

옥형 장로가 그일 것이라고는 생각지도 못한 이무심은 아연실색했다.

"초, 초……."

초만녕이 태연하게 말했다.

"이 장주, 별고 없으셨습니까?"

"어찌 그대가!"

방금까지 청산유수 같은 말솜씨를 뽐내던 이무심이 한참을 아무 말도 못 하고 말라비틀어진 밀랍 같은 표정을 지었다.

"유풍문을 떠난 뒤 아무 소식이 없어서 우리는 그대가 여기저기 떠돌아다니는 줄 알았습니다. 어찌 그, 그대처럼 훌륭한 인물이 이런 악한 무리 틈에 있는 겁니까!"

초만녕은 비웃으며 싸늘한 표정을 지었다.

"저를 그리도 훌륭한 사람으로 봐 주시니 감사합니다."

"……."

"그럼 한담은 이쯤하고, 우선 공적인 일부터 논하지요. 듣자하니 제가 사술을 연마해 채접진에 거주하는 500가구를 살해했다지요. 제 소행은 아니지만 이 장주께서 이렇게 오신 걸 보니 분명 오해가 있는 것 같습니다. 저는 중요한 일 때문에 장주와 천음각까지 갈 수 없으니 묻고 싶은 것이 있다면 여기서 물어보십시오."

말을 끝낸 그는 서 있기가 귀찮아 소매를 털며 장로석으로 가 앉았다. 단심전에는 장로마다 전용석이 있는데, 초만녕의 자리는 설정옹의 왼쪽이었다. 가느다란 갈대와 대나무로 짠 자리가 깔려 있고 죽렴이 드리워져 있었는데, 알록달록 싱싱한 꽃들이 요란하게 꽂힌 바로 옆 녹존 장로의 자리와 비교하면 실로 수수하지 그지없었다.

그동안 초만녕이 일부러 이름을 숨긴 것은 아니나 행적이 묘연했던 것은 사실이었다. 그래서 벽담장의 어린 제자들은 소문을 들어 본 적은 있어도 대체 그가 얼마나 대단한지는 전혀 알지 못했다. 그러나 이무심은 달랐다. 강호에서 오랫동안 지낸 그가 어찌 만야옥형의 명성을 모를까?

그는 소매 안으로 주먹을 꽉 쥐고는 자기도 모르게 곁눈으로 상 공자를 노려봤다.

상씨 집안으로부터 거액의 은자를 받은 것이 아니라면 뭐 때문에 이런 고생스러운 일을 떠맡았겠는가. 사생지전의 옥형 장로가 그저 이름 없는 수사인 줄 알았는데, 오랫동안 모습을 드러내지 않은 초만녕일 줄은 꿈에도 몰랐다!

그인 줄 알았다면, 아무리 많은 돈을 준다고 해도 절대 이 진흙탕에 끼어들지 않았을 것이다. 이제 진퇴양난에, 이러지도 저러지도 못하는 상황이 돼 버렸으니 어찌하면 좋을까…….

이무심의 표정에는 변화가 없었지만, 속으로는 끙끙 앓고 있었다.

그런데 하필 문하 제자가 제대로 알지도 못하면서, 막무가내인 옥형 장로의 태도 때문에 제 스승이 잠시 응수하지 못하고 있다 착각하여 잘난 체하며 나섰다.

"초 장로님. 일전에 채접진에서 악귀를 물리치신 적 있으신지요?"

초만녕이 눈을 들어 그를 봤다.

"그렇다."

"그럼 그 귀신 신부도 장로님께서 제압하셨습니까?"

"라섬섬을 말하는 것이냐?"

"그게……."

소년은 말문이 막혔다. 그는 채접진에서 폭주한 악귀가 귀신 신부라는 것만 알 뿐, 더 많은 것은 알지 못했다. 그래서 초만녕이 반문하자 대답하지 못해 귀밑까지 빨개져 말했다.

"어쨌든 여자 귀신 말입니다! 뭘 그리 물으십니까? 열대여섯

살쯤 된 억울하게 죽은 새신부가 한 마을에 많아 봤자 얼마나 된다고요?"

초만녕이 싸늘하게 웃었다.

"채접진은 영혼결혼식이 오랜 풍습이니 귀신 신부가 백은 못 돼도 최소 쉰은 될 것이다. 네가 말하는 것이 누구인지 모르겠군."

"당신……."

"당신이라니, 버릇없이. 어리석은 것, 썩 물러나라!"

이무심이 잘난 척 나서서 큰소리치던 제자에게 불호령을 내리고는 상냥한 얼굴로 초만녕에게 말했다.

"초 종사, 내 제자가 처음 속세로 나온 것이라 예의가 없었습니다. 너무 나무라지 마시지요. 녀석이 말한 귀신 신부가 바로 라섬섬입니다."

초만녕은 미세하게 미간을 찌푸렸다.

"라섬섬의 원혼이 폭주했단 말입니까?"

"그렇습니다."

이무심이 탄식하며 말했다.

"그 여자 귀신이 이성을 잃고 진씨 일가를 몰살한 건 두말할 것 없고, 나중에는 마을 안에서 살육을 저질렀습니다. 내가 제자를 이끌고 수습하러 마을에 도착했을 때 채접진에 살아 있는 사람은 거의 없었습니다."

초만녕이 중얼거렸다.

"어찌 그럴 수가……."

"이번 일이 사생지전의 옥형 장로와 연관되어 있다는 것을 듣고, 일이 수상하여 이렇게 찾아온 것입니다. 또한 채접진에서 두 가지 물건을 발견했는데, 초 종사와 연관이 있는지 직접 자세히 살펴보길 바랍니다."

그는 말하면서 소매에서 피로 물든 노란색 비단 조각을 꺼내 초만녕에게 건넸다.

그런데 설몽이 성큼 나와 앞을 가로막으며 불쾌한 기색으로 말했다.

"주십시오!"

"이……."

"사존은 결벽증이 있어서 누가 만졌던 물건을 만지는 것을 좋아하지 않습니다!"

설몽의 말은 조금 과장이었다. 사실 초만녕은 싫어하는 사람이 만졌던 물건을 건드리는 게 싫을 뿐이지 딱히 결벽증은 아니었다. 그러나 초만녕은 어차피 이무심이 눈에 거슬렸기에 설몽이 소란을 피워도 아무 말 없이 사매가 올린 따뜻한 차를 마실 뿐이었다.

이무심은 화가 났지만 별다른 방법이 없어서 그저 냉소하며 비단 조각을 설몽에게 주었다.

촛불 아래에서 모든 이의 이목이 집중되었다.

비단 조각을 펼쳐 눈으로 훑던 초만녕의 안색이 안 좋아졌다.

"송도 주문……."

"그렇습니다. 초 종사, 내가 조사한 바에 따르면 그대가 라섬섬의 원혼을 봉인하고, 떠나기 전 진씨 집안 딸에게 송도 주문을 주면서 그 일가에게 십 년간 매일 베껴 쓰고 외우라고 했다는데, 맞습니까?"

"그렇습니다."

"그럼 이 송도 주문이 초 종사의 필적이 맞습니까?"

"……맞습니다."

"하나 초 종사, 송도 주문의 문장 끝마다 주문 기호가 덧붙어 있더군요. 그것이 무슨 뜻인지 그대가 모르지 않겠지요!"

갑자기 이무심이 언성을 높였다.

"만도회랑문, 바로 역주문이란 말입니다! 진씨 일가가 송도 주문을 베껴 쓸 때마다 역주문 기호를 그리는 바람에 악귀를 제도[#4]하는 주문이 사람을 해치는 주문으로 변해 봉인을 풀고 라섬섬을 날뛰게 했어요! 진씨 일가 중에는 도를 깨우친 이가 없습니다. 이 늙은이는 그들에게 이런 무시무시한 주문 기호를 그리는 것을 알려 줄 법한 사람으로 비단 조각을 직접 전해 준 옥형 장로 외에 다른 사람은 떠오르지 않습니다!"

"영감탱이가 생사람 잡으시네!"

설몽이 버럭 화를 냈다.

"우리 사존이 그들을 죽일 생각이었다면 뭐 하러 이리 복잡하게 한단 말입니까! 정주문이니, 역주문이니, 필적이나 형태는 모두 모방할 수 있지 않습니까? 제 사존이 그린 것으로 의심하시지만, 저는 오히려 당신네가 엉뚱한 사람을 모함하려고 오는 길에 몰래 그려 넣은 것이 아닌지 의심됩니다!"

이무심은 거짓 미소를 지으며 말했다.

"설몽 공자. 윗사람이 말하는데 어찌 아랫사람이 끼어드는 것인가?"

#4 제도 濟度. 혼을 정화하여 지옥의 고통에서 벗어나게 하는 것

설정옹이 입을 열었다.

"이 장주, 겨우 비단 조각 하나로 이 일을 옥형 장로의 짓으로 모는 것은 너무 불공평한 것 같군요. 내 아들 말이 맞소. 필적도 형태도 모방할 수 있지요. 만일 누군가가 옥형에게 뒤집어씌울 생각으로 그의 주문 기호를 따라 그렸다면 비슷할 것이오."

"그럼 이렇게 묻겠습니다. 초 종사는 대체 어떤 숙적이 있길래 그를 해하기 위해 이리 엄청난 공을 들인단 말입니까."

이때, 한참 조용히 있던 묵연이 갑자기 웃음을 터뜨렸다.

이무심은 그를 보자 조금 전 절굿공이로 절구를 찧는다는 그의 저속한 말이 떠올라 미간을 찌푸렸다.

"너는 왜 또 웃는 것이냐?"

"웃겨서요. 여러분이 한참 토론하면서 한 가지 잊은 것이 있습니다."

설정옹이 의아해했다.

"무엇이냐? 연아, 뭐가 떠오른 것이냐?"

"제가 배운 것은 많지 않으나 공교롭게도 만도회랑에 대해 조금 알아서 마침 그릴 줄 압니다."

묵연이 웃으며 말을 이었다.

"자, 이것 보시지요. 맞습니까."

말하면서 그는 여유롭게 기둥에 기댄 채 손끝에 붉은빛이 도는 영력을 모아 천천히 허공에 퍼뜨렸다. 잠시 후 허공에 나타난 정교하고 아름다운 만도회랑문은 불꽃처럼 예뻤다.

설몽이 놀라 물었다.

"개새끼, 제법이네. 언제 배웠지?"

묵연이 웃으며 말했다.

"사존의 서책에 나와 있었어. 재미있어 보여서 기억해 뒀지."

그러면서 선홍색 주문을 톡톡 건드려 사람들 머리 위로 높이 띄웠다. 붉은색의 돌림 문양이 희미하게 반짝이며 자잘한 빛을 뿌렸다.

"어때요. 한번 비교해 보세요. 제가 그린 기호와 비단 조각에 그려진 것의 형태가 똑같은지 보시지요."

사생지전의 제자들은 떠들썩한 걸 좋아했다. 초만녕이 묵연의 방법을 묵인하겠다는 듯 무표정하게 비단 조각을 탁자 앞으로 던지자 곧장 우르르 몰려가 빙 둘러싸고 자세히 비교하기 시작했다.

벽담장 사람들은 처음에는 정색하고 있더니 나중에는 호기심을 이기지 못해서, 혹은 트집을 잡으려는 속셈으로 같이 둘러서서 보았다.

수많은 사람이 와글와글 모여 한참을 보다가 최종 결론을 내렸다.

묵연이 그린 것과 비단 조각에 그려진 기호는 완전히 똑같았다. 한 사람이 그렸다고 해도 될 정도였다.

조금 전 나섰던 이무심의 멍청한 제자가 또 입을 열었다. 그는 대경실색하여 묵연을 가리키며 말했다.

"이것 봐, 이거! 알아서 자백하는구나! 보아하니 사람을 죽인 건 바로 너네!"

묵연은 어이가 없었다.

"……."

초만녕이 담담하게 물었다.
"네 이름이 무엇이냐?"
"네? 제게 물어보시는 겁니까?"
멍청한 제자는 당황하더니 곧 가슴을 펴고 거만하게 말했다.
"무심 님 문하에서 가르침을 받고 있는 열세 번째 제자, 견종명[#5]입니다."
묵연이 웃었다.
"푸흡."
초만녕은 '견종명'이라는 이름에 덤덤한 반응을 보였다. 어쨌든 그에게도 '놀라게 해 죽게 하다'라는 말과 발음이 비슷한 '하사역'이라는 이름이 있으니 말이다. 그는 그저 차갑게 말했다.
"윗사람이 말할 때 아랫사람은 입을 다물고 있을 줄 알아야 한다."
이 말은 조금 전 이무심이 설몽을 나무란 것을 비꼬는 말이 틀림없었다. 이무심의 얼굴이 새빨갛게 달아올랐다. 그는 화가 치밀었지만 딱히 어찌해 볼 도리가 없어 좌우를 둘러보다 흥, 하고 코웃음 치며 말했다.
"초 종사의 제자는 참으로 재능이 출중한 젊은이군요. 능력이 뛰어납니다. 초 종사의 주문 기호를 똑같이 그려 내다니."
"이 장주님, 어찌 저만 그렇겠습니까. 장주님이 이 기호를 그릴 줄 안다면 틀림없이 제 사존 것과 똑같이 그려 내실 겁니다."
이무심은 묵연을 째려봤다.
"그게 무슨 뜻이냐?"

#5 견종명 甄琮明. 중국어 발음이 [zhen cong ming]으로, 정말 총명하다는 뜻의 '진총명眞聰明'과 발음이 같다.

묵연이 웃으며 말했다.

"만도회랑은 필법이 복잡하고, 힘의 강도나 먹물의 농도가 조금이라도 틀리면 안 됩니다. 따라서 누가 그리든 창시자의 것과 전혀 차이가 없지요. 이는 사실 필적과는 아무 상관도 없습니다. 조금이라도 다르게 그린다면 역주문은 효력이 발생하지 않으니까요."

"허튼소리!"

사람들 앞에서 아랫사람에게 지적당하자 이무심은 창피한 동시에 분노가 치밀어 올라 수염이 날릴 정도로 콧바람을 씩씩 불며 말했다.

"세상에 어느 주문 기호가 그리 까다롭단 말이냐! 이 늙은이가 비록 그 주문을 익히진 않았지만, 그게 말도 안 된다는 것쯤은 안다. 이 녀석, 거짓말하지 말거라!"

"그는 거짓말하지 않았습니다."

이미 평정심을 잃은 이무심이 호통쳤다.

"초만녕, 말이면 다 되는 것이 아닙니다! 그대가 어떻게 압니까! 어떻게요! 주문의 특징과 약점을 정확하게 아는 것은 오직 창시자뿐입니다. 설마 감히 그대가 만도회랑의 창시자라고 말하려는 겁니까?"

초만녕은 눈을 들어 올려 별다른 표정 없이 그를 보다가 차를 한 모금 더 마시고는 느긋하게 말했다.

"어찌 못 하겠습니까. 잘 들으시지요."

이무심은 어리둥절했다.

"?"

"만도회랑은 제가 만든 것입니다."

"……."

이무심은 말문이 막혔다.

90장 본좌는 다시 채접진으로 갔다

그 말에 자리에 있던 사람 모두가 경악했다.

특히 벽담장의 제자들은 모두 번개라도 맞은 듯 얼굴이 잿빛으로 변했다!

알아야 할 것이, 수진계에서 삼류 술사는 주문을 죽어라 암기하고, 이류 술사는 주문을 깨우치고, 일류 술사는 주문을 개조한다.

그러나 일류, 이류, 삼류와 비교도 할 수 없는 또 다른 부류가 있다. 그 부류는 닿을 수 없는 존재들이다. 그들은 죽어라 외울 필요도 없고, 일찍이 깨달음을 얻어 개조에 만족하지 않고 마지막 한 단계까지 섭렵한다.

창조.

그들은 독자적으로 선단을 만들거나 절세의 병기와 갑옷을 제작하거나 전무후무한 영력 부적을 그려 내는 데 능했으며, 이런 갖가지 것들을 하는 사람을 소위 '종사'라고 불렀다.

수진계의 어린 수련자에게 있어서 종사는 보통 족자에 찍힌 낙관이나 진귀한 영기(靈器)에 새겨진 도안 속에나 존재하는 사람이다. 벽담장의 젊은 제자들이 자신들이 앞뒤 가리지 않고 천음각으로 끌고 가 심문하려던 사람이 이런 천신 같은 대단한 사람일 거라고 어찌 생각이나 했겠는가.

이무심은 이미 이마가 식은땀으로 흠뻑 젖었지만 장주로서 애써 아무렇지 않은 척했다. 그는 미소를 억지로 쥐어짰다. 벼 껍질처럼 누렇게 뜬 얼굴은 기름으로 번들거렸다.

"이런 우연이 있나. 만도회랑이 종사께서 만든 것이라니, 그럼 이 늙은이가 정말…… 하하, 초 종사를 오해했습니다. 한데 채접진에서 라섬섬의 원혼을 만났을 때 이 늙은이가 손에 넣은 것이 하나 더 있는데, 이것이 초 종사와 연관이 있을지 모르겠군요."

초만녕이 인상을 쓰고 말했다.

"뭡니까?"

이무심이 손짓하자 견종명이 재빨리 비단 함을 들고 다가왔다.

"무기입니다."

초만녕은 아무 말 없이 비단 함을 보다가 잠시 후 불쑥 말했다.

"버드나무 가지입니까?"

"!"

이번에는 다른 사람은 말할 것도 없고, 묵연마저도 믿을 수 없다는 듯 두 눈을 크게 떴다.

이무심이 떨리는 목소리로 말했다.

"어, 어떻게…… 설마 정말 그대가, 아니지……. 이게 대체 어찌 된 일입니까?"

초만녕의 손바닥에서 눈부신 금빛이 솟아나더니 서서히 뻗어나가 똬리를 틀 듯 둘둘 감기며 바닥으로 떨어졌다. 빛이 사그라들며 버드나무 가지가 사람들 눈앞에 나타났다.

초만녕은 조금도 놀란 기색이 없었다. 그는 이때 이미 채접진의 일이 필시 '금성호', '도화원' 사건과 동일 인물의 소행일 것이라 확신하고는 이렇게 말했다.

"이 장주, 상자 속의 무기는 이것이겠지요?"

"맞, 맞습니다."

이무심은 아연실색했다.

비단 함을 열자 과연 똑같이 생긴 버드나무 넝쿨이 들어 있었다.

초만녕의 눈이 가늘어졌다.

도화원에 있을 때 우민을 살해하고 묵연에게 죄를 덮어씌운 '견귀'에 의심이 생겼었는데, 지금 보니 과연 제 생각이 맞았구나 싶었다.

"이 장주, 이 버드나무 가지를 제가 한번 봐도 되겠습니까?"

이무심은 망설이다가 오늘은 상황이 불리하니 초만녕의 심기를 건드리지 않는 것이 좋겠다고 생각하며 말했다.

"편하게 보십시오. 저도 본래 상황을 묻고자 온 것입니다. 그대가 자세히 보겠다는데 이 늙은이가 반기지는 못할망정 어찌 막겠습니까."

옆에서 이무심의 말을 듣던 상 공자는 기분이 나빠졌다. 그는 자신을 지지해 주고 판을 깔아 달라고 아낌없이 거금을 들여 벽담장을 데려왔다. 그런데 눈앞에 돌아가는 상황이 여의치 않자 이 늙은이가 배신할 낌새를 보이는 것이 아닌가?

그는 연신 이무심에게 눈짓을 보내며 그를 째려봤다.

이무심이 어찌 그것을 신경 쓸까. 되레 옆에 있던 묵연이 보고는 놀리듯 말했다.

"상 공자, 눈이 불편한가 봅니다? 뭘 그렇게 찡긋거립니까?"

초만녕이 비단 함 속의 버드나무 가지를 넘겨받아 자세히 살폈다.

아니나 다를까, 버드나무 가지는 '천문', '견귀'와 생김새는 비슷하지만 기운이 매우 약했다. 주인이 있는 신무와는 다르게 이것은 '죽은 물건'이 분명했다.

"적심류……."

설몽은 귀가 밝아 세 글자를 정확히 듣고는 깜짝 놀랐다.

"뭐라고요?"

"이 버드나무 가지와 도화원에서 우민을 죽인 가지 모두 적심류에서 꺾은 것이다."

초만녕이 말했다.

"아!"

사매가 놀라서 외쳤다.

"어떻게 그럴 수 있죠?"

"금성호에서 용이 죽기 전에 가짜 구진의 어떤 법술은 강한 목령으로 유지해야 한다고 했다. 분명 금성호가 소멸하기 전 가짜 구진은 여러 개의 버드나무 가지를 남겼겠지. 신목은 쓰러진 뒤 영력이 약해졌지만 한동안은 버틸 수 있었을 것이다."

초만녕은 가늘고 긴 손가락으로 금빛 찬란한 나뭇잎을 쓰다듬었다.

"이렇게 영력이 거의 다 소모된 것도 그는 낭비하지 않았군. 모함할 수 있는 건 모함하는 데 쓰고, 무기로 쓸 수 있는 건 다 꼭두각시 수하에게 무기로 쓰라며 넘겼어."

그는 그렇게 말하며 손에 불꽃을 만들어 '천문'과 똑같이 생긴 버드나무 가지에 가져다 댔다. 불씨는 금방 타올라 경악하거나 망연한 표정을 짓고 있는 사람들의 눈을 붉게 물들였다.

"이 물건은 저의 무기가 아닙니다."

초만녕은 가지 끝에 불을 붙였다 끄고 버드나무 가지를 던지면서 무덤덤하게 말했다.

"천문은 영기가 넘쳐흘러서 평범한 불 주문은 말할 것도 없고, 삼매진화[#6]로도 태울 수 없습니다."

이무심은 입을 벙긋거리다 다물더니 잠시 후 아쉬운지 다시 입을 열었다.

"도화원의 일은 이 늙은이도 조금 들어서 알고 있습니다. 사생지전의 묵 공자가 실수로 우민 선군을 죽였다고……."

"이런, 저는 죽이지 않았다니까요."

묵연은 연신 손을 내저었다.

설정옹은 불쾌함을 드러내며 더 단호한 태도로 말했다.

"그 일은 내가 이미 수진계에 설명했듯 내 조카의 짓이 아닙니다. 이 장주, 만약 또 언급한다면 나도 가만히 있지 않을 것이오."

묵연은 이런 그의 모습에 무슨 마음의 동요가 생겼는지 살짝

#6 삼매진화 三昧真火. 내공을 이용해 강력한 불꽃을 일으키는 법술

멈칫했다. 배시시 웃고 있던 눈에 그윽한 무언가가 스쳤다. 그가 중얼거렸다.

"백부님……."

초만녕이 말했다.

"도화원의 일은 음모로 생긴 오해입니다. 당시의 상황은 저도 제 제자를 대신해 해명한 적이 없지요. 그러나 오늘 여러분이 이렇게 찾아와 어찌 된 일인지 물으시니 저도 사건의 전말을 벽담장의 여러분께 들려드리지요."

아른거리는 촛불 아래에서 초만녕은 금성호와 도화원에서 있었던 일을 군더더기를 줄이고 간략하게 설명했다. 그의 이야기가 끝나자 벽담장의 제자들은 어안이 벙벙했고, 이무심은 땀을 뻘뻘 흘리며 한참 우물거리더니 어렵게 말을 꺼냈다.

"초 종사의 말은 이 세상 누군가가 3대 금지 술법 중 하나인 '진롱기국'을 깨우쳤다는 말입니까?"

"그렇습니다."

"그럴 리가요! 그건 금지 술법입니다! 천, 천하제일 문파인 유풍문의 장문인도 금지 술법 족자를 손에 넣을 수 없는데……."

초만녕이 말했다.

"제 말은 결코 거짓이 아닙니다. 그러나 믿고 말고는 여러분에게 달렸습니다."

"그럴 리 없어."

이무심은 하얗게 질린 얼굴로 입술을 떨더니 큰 소리로 웃었다. 마치 농담으로 치부하면 납득이 될 것처럼.

"정말 진롱기국에 능통한 자가 있다면 천하는 엉망이 되고 상수진계와 하수진계의 모든 것이 모조리 변할 것입니다!"

전생의 답선군으로서 묵연은 어쩐지 언짢았다.

"그 녀석은 할 줄 아는 것이지, 능통한 것은 아닙니다. 만약 그가 정말 능통하다면 지금 세상이 어찌 이리 태평하겠습니까?"

이무심이 긴 수염을 들썩이며 뭐라고 말하려던 찰나, 갑자기 문 쪽에서 검광이 번쩍이더니 온몸이 피 칠갑이 된 벽담장 제자가 어검에서 굴러떨어져 피를 한가득 토했다. 그러고는 눈물 자국으로 엉망이 된 얼굴을 들고 이무심에게 외쳤다.

"장주님, 큰일 났습니다. 장주님께서 채접진에 쳐 놓은 결계가 깨졌습니다! 악령이 쏟아져 나와서 사형들이 모, 몸으로 악귀가 마을 밖으로 도망 못 가게 막아 봤지만…… 결국 결계를 지키던 서른 명의 사형들은 모두 죽고, 저만 간신히 살아남아 소식을 전하러 왔습니다……."

그는 잠시 숨을 헐떡이더니 목 놓아 울부짖었다.

"장주님! 어서 상수진계의 모든 문파에 전갈을 보내십시오! 그 마을에서 죽은 사람은 다 조종당하고 있습니다. 금지, 금지 술법이라고요!"

"뭣이라!"

이무심은 비틀거리며 뒷걸음질 치다가 벽기둥에 부딪쳤다. 그의 얼굴은 관에서 막 쏟아진 시체처럼 핏기 없이 초췌했다.

"우리만으로는 버틸 수 없습니다……."

그가 쏟은 눈물에 얼굴에 있던 핏자국이 씻겨 내렸다. 그의 얼굴은 눈물과 콧물로 엉망이었다.

"장주님!"

그가 갑자기 설정옹을 보더니 연신 머리를 조아렸다.

"설 장문님, 제발 저희와 함께 가 주십시오! 아니면 전…… 제 사형들을…… 볼 면목이 없습니다……."

그가 두서없이 말을 쏟아 내더니 갑자기 눈을 감고 하늘을 향해 통곡했다.

"그들 모두…… 모두 죽었다고요!"

대전 안은 일순 쥐 죽은 듯 고요해졌다가 금세 소란스러워졌다.

설정옹은 위기 앞에서도 침착하게 곧장 왕 부인에게 상수진계의 나머지 여덟 개 문파에 서신을 보내라고 하고, 설몽에게는 각 장로를 집결시키라고 명했다.

"초만녕?"

"지체할 시간이 없으니 제가 먼저 가겠습니다."

"그렇지만 자네는 어검 비행술을 못 하잖나……."

초만녕이 대답하기도 전에 묵연이 끼어들었다. 그는 진룡기국을 '깨우쳤다'는 그 녀석이 무척이나 보고 싶었다.

"백부님, 염려 마세요. 제가 어검 비행술로 사존과 함께 가겠습니다."

초만녕이 그를 봤지만 아무 말도 하지 않았다. 침묵으로써 허락한 셈이다.

두 사람은 함께 대전을 나섰다. 사매는 창백한 얼굴로 그 자리에 멍하니 있다가 돌연 정신을 차리고 말했다.

"저, 저도……."

그러나 단심전에서 뛰어나갔을 때 초만녕과 묵연은 이미 어검 비행으로 멀리 간 뒤였다. 마침 설정옹이 그를 불러 혼자 함부로 돌아다니지 말라고 일렀다. 사매는 어쩔 수 없이 뒤돌아서서 설몽을 찾았고, 기다렸다가 설몽과 함께 두 번째로 출발했다.

벽담장의 이무심은 오랜 세월 높은 자리에서 안일한 생활만 해 왔기에 이런 큰일을 겪어 본 적이 없었다. 그러나 체면을 중시하는 이 늙은이는 잠시 숨을 돌린 후 곧장 소식을 전해 온 제자를 돌보라고 분부하고, 또 문파의 다른 장로에게 소식을 전하며 다시 채접진으로 가 한바탕 사투를 벌이고 위엄을 되찾자며 사람을 모으라 했다.

한 무더기의 사람들이 위풍당당하게 사생지전을 나서서 마치 백여 개의 유성처럼 사생지전에서 채접진으로 날아갔다. 이무심은 제일 앞에 서서 구름 사이를 가르며 곁눈질로 하수진계 제일 대문파의 제자들을 살폈다.

자신의 지휘로 싸움에 나서는 날, 자신이 가장 못마땅하게 여기는 '오합지졸'과 한패가 될 거라고는 상상도 못 했다. 그는 순간 마음이 복잡해졌다.

그러나 검을 타고 천 리를 날아가다 보니, 눈 깜빡할 사이에 겹겹이 있던 구름이 걷히고 붉은색의 사악한 빛이 하늘로 날아왔다. 그러자 이무심은 더는 상수진계니 하수진계니 생각할 겨를이 없었다.

하늘에는 채접진만 한 거대한 붉은빛이 끊임없이 반짝이고 있었다. 그 거대한 법진은 빛에 의해 정교한 바둑판 모양으로 갈라져 있었고, 바둑판 위에는 죽은 마을 사람들이 나무 인형처럼 공중에 서 있었다. 500가구, 천 명 이상의 주민을 내려다보니 마치 인육으로 된 무성한 숲 같았다.

이무심은 저도 모르게 소리를 질렀다.

"이, 이건 진짜…… 진롱기국이다!"

설정옹은 심히 어두운 표정으로 이무심에게 말했다.

"이 장주, 나는 사람들을 데리고 동남쪽으로 갈 테니, 그대는 서북쪽으로 가 주시오. 나머지 여덟 개 문파가 아직 안 왔으니 우선 우리가 채접진을 막아야 합니다."

이무심은 그와 '우리'라는 말을 놓고 왈가왈부할 정신도 없이 고개를 끄덕이며 답했다.

"알겠습니다."

설정옹은 그를 향해 공수하고는 사람들을 이끌고 하늘에서 하강해 잇따라 채접진의 동남쪽에 착지했다. 결계를 수호하던 벽담장의 제자들이 몸으로 만든 방어 결계는 이미 위태로웠다. 기세가 매우 약해진 반투명한 결계 장벽 너머로 안에서 폭동을 일으킨 시체들이 보였다.

"초만녕!"

앞쪽에 흰옷을 나풀거리는 한 남자와 은남색 경갑을 입은 청년을 본 설정옹이 큰 소리로 외쳤다.

"왜 그러는가? 이 결계를 보완할 수 없나?"

초만녕이 온 지 한참 지났다. 천하제일의 결계 종사가 있는데도 방어 결계가 여전히 훼손된 상태이자 설정옹은 이해가 되지 않았다.

이상하게도 초만녕은 그를 모른 체했다. 설정옹은 다시 한번 그를 부르려고 했다. 그런데 묵연이 돌연 고개를 돌려 그를 향해 손짓했다.

"쉿, 백부님 소리 내지 마시고 이쪽으로 오세요."

설정옹이 다가갔다.

"왜 그러느냐?"

"방해하시면 안 돼요."

묵연이 초만녕을 가리켰다.

그는 서 있기는 했지만 합장한 채 두 눈을 감고 있었고, 입술은 창백한 것이 혈색이 전혀 없었다.

설정옹은 놀라서 손가락으로 그의 목을 건드려 보고는 경악하여 말했다.

"이혼술(離魂術)이냐?"

"네, 안은 전부 귀신입니다. 수천은 되는데 라섬섬이 보이지 않아요. 아마 제일 안쪽에 있겠죠. 사존은 어떻게 된 일인지 아직 밝혀지지 않았고, 배후에 있는 자가 이번에는 또 무슨 꿍꿍이인지 모르니 직접 라섬섬을 찾아 심문하겠다 하셨습니다."

"죄다 악귀인데 뭘 묻는다는 말이냐!"

설정옹은 화가 나서 허벅지를 내리쳤다.

"결계 강화가 우선인 것을!"

"절대 안 됩니다!"

묵연이 화를 내며 그를 말렸다.

"사존이 이혼술로 잠시 혼백을 분리하여 안에 들어간 것도, 저 안이 모두 죽은 사람이기 때문에 경솔한 행동으로 상대를 자극하지 않으려는 것입니다. 만약 지금 결계를 보완한다면 사존을 해치게 될 겁니다!"

"뭐라고?"

설정옹이 황급히 말했다.

“너는 이곳을 지키거라. 나는 이무심에게 알리러 가겠다!”

묵연은 고개를 끄덕이더니 이어서 말했다.

“만약 사존의 혼이 돌아오면 바로 푸른색 불빛을 공중으로 쏘아 올리겠습니다. 그러면 그 즉시 동서남북 사방에서 동시에 결계를 보강하세요. 제가 불을 밝히기 전까지 절대 그들에게 결계를 보완하라고 하시면 안 됩니다. 그렇지 않으면 사존은 혼백뿐이라 절대 스스로를 보호할 수 없으니 악귀에게 먹힐지도 몰라요.”

“알겠다, 알겠어!”

설정옹은 말이 끝나기 무섭게 재빨리 밖으로 움직였다.

묵연은 고개를 들고 무너져 가는 결계를 봤다.

“시간이 거의 다 됐는데. 사존, 라섬섬을 찾으셨겠죠.”

묵연은 고개를 돌렸다. 걱정된 나머지 저도 모르게 초만녕의 차가운 손을 잡았지만 그는 전혀 인지하지 못했다. 묵연은 초만녕을 응시하며 나지막이 말했다.

“얼마 안 남았어요…….”

그때, 사매가 설몽 등과 부근에 착지하여 사람들 틈에 섰다. 고개를 들자마자 뜻밖에도 결계 앞에서 깍지를 끼고 있는 두 사람이 눈에 들어왔다. 그는 멈칫했지만 곧이어 창백해진 얼굴로 입술을 깨물고는 천천히 고개를 돌렸다.

91장 본좌의 스승을 누가 감히 건드리느냐

그때 초만녕의 영혼은 결계 안을 돌아다니고 있었다.

지나는 곳곳마다 온통 귀신투성이였고, 요괴들이 휘젓고 있었다. 그중 가장 기이한 것은 그들의 피투성이 몸뚱이였다. 모두 죽기 전 심장이 뜯겨 나가서 가슴이 텅 빈 채 혈관과 살점이 너덜거렸고, 어떤 자는 새하얀 갈비뼈까지 드러나 있었다.

초만녕은 수상함을 느꼈지만 채접진 주위에 둘러쳐진 방어 결계가 점점 약해지고 있어 오래 머무를 수 없었기에 어쩔 수 없이 곧장 진씨 저택으로 향했다.

저택에 도착해 보니 동서남북에 각각 사람 키의 반만 한 화로가 놓여 있었다. 네 개의 화로는 점점 더 짙은 연기를 내뿜었다. 그런데 새하얀 연기가 아닌 홍색, 남색, 갈색, 금색 연기였다.

화로 아래는 불이 피워져 있었고, 안은 피로 가득했다. 가까이 다가가서 보니 끓는 피 안에 빨간 고깃덩어리가 가득 쌓여 있었다.

심장!

네 개의 화로를 꽉꽉 채운 것은 바로 죽은 마을 사람들의 잃어버린 심장이었다!

"취사성탑(聚沙成塔)……."

초만녕이 중얼거렸다.

그는 문득 묵연과 며칠에 걸쳐 조사해도 미지의 인물이 정화의 영체를 찾는 기미를 발견하지 못한 이유를 깨달았다. 그 미친놈이 이런 수를 쓸 줄이야!

소위 취사성탑이라는 것은, 같은 속성의 심장 수백 개를 파내어 한데 쌓아 놓는 것을 말한다. 비록 정화의 영체처럼 강하지는 않지만, 억울하게 죽은 사람의 깊은 원한은 단시간에 예사롭지 않은 힘을 분출할 수 있었다.

그런데 왜 하필 채접진이지?

왜 하필 라섬섬일까…….

탁자는 뒤집어지고 의자는 쓰러져 있는 난장판이 된 진씨 집으로 들어가 보니 대청에는 진 원외와 진 부인이 대들보에 목매어 죽어 있었고, 그들의 심장도 도려내져 있었다. 다만 바깥에 있는 마을 사람들의 시체와 달리, 그들은 허리 아랫부분이 어떤 강력한 힘에 의해 갈기갈기 찢겨 있어서 다리와 발의 원래 모양을 찾아보기 힘들었다.

조심스럽게 대청을 한 바퀴 돌았지만 라섬섬의 모습은 보이지 않았다. 더 안으로 들어가서 사당으로 가 보니 진씨 조상의 위패 앞에 다진 고깃덩어리가 한 그릇씩 놓여 있었다. 자세히 보니 그 속에는 눈알 반쪽과 손가락 한 마디가 섞여 있었다…….

왈칵 구역질이 날 것 같아서 뒤돌아 가려던 그때, 위에서 해맑은 웃음소리가 들렸다.

고개를 들어 보니 백지로 만든 등롱이 흔들리면서 꺼진 촛불들이 하나씩 차례로 켜졌다.

붉은 혼례복을 입은 라섬섬이 대들보 위에 앉아 백옥같이 하얀 맨발을 흔들며 머리를 비스듬히 기울여 초만녕을 보고 있었다.

“아이구, 들켰네.”

그녀가 귀여운 미소를 지었다. 기억 속 모습 그대로였지만, 웃음기가 가득한 얼굴은 초만녕이 봤던 수줍음 많고 낯가리던 망령과는 완전히 달랐다. 그녀는 오만했고, 이글이글 타오르는 불꽃 같았다. 눈은 여전히 동글동글했지만, 그 속은 기이한 핏빛으로 번뜩였다.

라섬섬은 악귀가 되어 있었다.

천문으로 귀신을 심문할 수 있는 것은 딱 한 번뿐이었다. 초만녕은 지난번 채접진에서 퇴마할 때 이미 천문으로 그녀를 심문했었기에 또 할 수는 없었다. 유일한 방법은 그녀의 혼 안에 깃든 마성을 억제하고 그녀의 본성을 깨워 다시 심문하는 것이었다.

초만녕은 물었다.

“라섬섬, 어찌 여기 있는 것이냐?”

그러면서 소매 안으로는 진법을 그린 채 때를 기다렸다.

“칫.”

작고 깜찍한 소녀가 낭랑하게 말했다.

"내가 좋다는데 무슨 상관이야."

초만녕은 고개를 가로저었다. 미간의 주름은 흉터처럼 더 깊게 패었다.

"그 그릇 속에 있는 것은 진백현의 친아우냐?"

"아, 이거."

라섬섬이 대수롭지 않게 말했다.

"왼쪽 한 줄이 걔고, 오른쪽 한 줄은 내가 요 씨 그 망할 년을 다진 거야."

"……!"

"그러게 누가 다른 사람은 쳐다도 안 보고, 현령의 딸이라는 걸 빌미로 내 남편을 뺏으라고 했나. 그러니 잘게 다져져도 싸!"

이미 완전히 이성을 잃은 라섬섬의 성격은 다른 사람이라 해도 될 정도로 달라져 있었고, 자신을 대신하여 억울함을 풀어주고 설욕할 수 있게 해 준 눈앞의 '염라 오라버니'조차 알아보지 못했다.

초만녕은 진요 씨를 토막 냈다는 말에 소름이 돋아 가라앉은 목소리로 물었다.

"그럼…… 진씨 집안 막내 아가씨는……."

"걔는 나한테 잘해 줬으니까 나도 야박하게 굴면 안 되지."

라섬섬은 말하면서 방긋 웃었다. 그 입술은 막 피로 물들인 듯 선연했다.

그녀는 자신의 배를 쓰다듬으며 또박또박 말했다.

"그래서 걘 여기 있어. 내가 먹어 버렸거든. 이러면 동생은 나랑 함께 있을 수 있고, 괴롭힘당할 일도 없으니까."

"……네가 정녕 미쳤구나."

말이 떨어지기 무섭게 그의 손에서 번갯불이 일더니 황금빛 불꽃이 순식간에 온 방을 밝게 비췄다. 초만녕은 뛰어올라 주문을 외우며 비명을 지르는 라섬섬의 이마를 때렸다.

여귀폭갈(厲鬼暴喝)!

자고로 공격은 속도가 중요하다. 초만녕은 잽싸게 십여 개의 번쩍이는 금빛 사슬을 만들어 라섬섬을 꽁꽁 묶었다.

그는 가느다란 손끝으로 그녀의 미간을 찍었다. 그의 눈은 번개처럼 번뜩였고, 얼굴은 뇌운이 드리운 듯 음침하게 가라앉았다.

그가 촉촉하고 얇은 입술을 떼어 소리 없이 주문을 외웠다.

라섬섬의 두 눈이 튀어나오고, 입에서 침이 질질 흘렀다. 아름답던 얼굴은 주문을 외우자 무섭게 뒤틀렸다.

"닥치고 이거 풀어! 피로 피를 갚겠다는데 뭐가 잘못이야!"

초만녕은 거들떠보지도 않고 차가운 눈을 내리깔았다. 손끝의 빛이 더 강해졌다.

"아악……!"

라섬섬이 광분하며 고함쳤다.

"날 놓아줘! 놓아 달라고! 머리가 너무 아파! 못 참겠어!"

그녀의 처절한 비명 소리가 갑자기 멈췄다. 눈동자는 피로 물들고, 입꼬리는 서서히 말려 올라갔다.

그러더니 괴이한 웃음소리가 들려왔다.

"내가 이렇게 비명 지르길 원했나 봐? 선군?"

"!"

초만녕의 봉안이 커졌다. 손을 뗀 그 순간 몸이 밖으로 튕겨

나갔다.

하얀 그림자가 재빨리 라섬섬이 날린 공격을 피하고는 흰옷을 펄럭이며 사뿐히 회랑 아래에 섰다.

천천히 몸을 일으키는 라섬섬에게서 고통스러워하던 모습은 찾을 수 없었다. 그녀는 조금 전 초만녕이 외운 정화 주문의 영향을 조금도 받지 않았고, 오히려 영력이 전보다 더 강해져 있었다.

“고작 정화 주문으로 나를 해할 생각을 하다니.”

라섬섬이 비웃었다.

“나는 이 마을 천여 명의 생기를 삼켰으니 이제 하루만 더 있으면 보통 사람으로 변해. 그때가 되면 나는 낭군을 저승에서 살려 내어 속세를 떠나 함께 살 거야. 그런데 내가 어찌 성공을 눈앞에 두고 네깟 도사의 손에 죽겠어!”

본성이 사라진 그녀의 마음속에 남은 것은 진백현과 영원히 떨어지지 않겠다는 집념뿐이었다.

초만녕은 무겁게 가라앉은 마음으로 나지막이 물었다.

“누가 너에게 이렇게 하면 평범한 인간의 몸으로 돌아갈 수 있다고 말했느냐?”

“당신이랑 무슨 상관이야!”

초만녕이 차갑게 말했다.

“그자의 말은 모두 거짓이다. 네 몸은 이미 한 줌의 재가 되었으니, 다시 사람의 몸을 얻고 싶다면 반드시 윤회를 거쳐야 한다. 천 명의 생기를 흡수하여 환생한다는 이치는 어디에도 없다. 그가 너를 속여 마을 사람을 모조리 죽이게 한 건 심장을 모아 영력을 모으고 자신이 원하는 바를 이루기 위해서다."

"……!"

라섬섬은 돌연 두 눈을 부릅떴다. 그녀가 소리쳤다.

"그럴 리 없어! 그자가 날 속일 리 없다고!"

"'그자'가 누구지?"

"그…… 그는……."

잠시간의 정적 후 라섬섬은 머리를 감싸 안고 날카롭게 비명을 질렀다.

"난 몰라! 난 모른다고! 나는 육신이 필요해! 나는 살 거야! 죽기 싫어! 그는 날 속이지 않았어…… 속이지 않았다고……. 네가 날 속이는 거야……. 그래, 너야!"

붉은 혼례복이 펄럭였다. 여자 귀신은 새된 소리를 내며 날카로운 손톱을 뻗어 초만녕에게 달려들었다!

그와 동시에 하늘에서 갑자기 불길한 천둥소리가 울려 퍼졌다. 초만녕은 라섬섬의 공격을 피하며 눈을 들어 위를 봤다. 하늘을 찌를 듯한 사악한 기운으로 인해 방어 결계에 가늘고 긴 금이 나 있었다. 밖에 있는 산 사람의 생기가 흘러들어 와 흥분한 시체들이 사방팔방에서 소리를 질렀다.

결계가 곧 깨진다.

시간이 없어!

만일 라섬섬의 정신을 되돌릴 수 없다면, 이곳에서 죽이는 수밖에 없다.

그러면 모든 단서가 끊긴다…….

방어 결계 밖에서 이무심이 허공의 무시무시한 금을 보며 설정옹에게 소리쳤다.

"이래도 보완을 안 할 겁니까? 어서 합시다! 결계가 깨지면 천여 구의 시체가 몰려나올 텐데, 당신과 내가 막을 수 있겠습니까?"

"기다리시오!"

설정옹의 안색도 나빴다. 이마에는 구슬땀이 송골송골했다.

"절대 안 됩니다. 옥형이 아직 안에 있으니 조금 더 기다리시오."

이무심은 속으로 욕지거리를 내뱉었다. 벌써 결계의 금이 달걀만 해진 걸 보니 심장이 뛸박질하고 역정이 났다.

"만일 잠시 후 결계가 깨지면 분명 피 튀기는 싸움이 벌어져 피가 낭자할 텐데, 당신이 수진계에 어찌 해명할 것인지 두고 보겠습니다!"

말을 끝낸 그는 고개를 돌려 큰소리로 제자를 나무랐다.

"소식은 전했느냐? 다른 문파는 언제 당도하는 게야!"

혼이 난 제자는 초조한 마음에 식은땀으로 범벅이 됐다.

"8대 문파 모두 중차대한 일이라 장문인에게 먼저 아뢰어야 한다고 했습니다. 장문인과 장로들의 의결을 거쳐야만 도우러 올 겁니다."

이무심의 낯빛이 순식간에 까맣게 탄 냄비 바닥처럼 변했다.

"유풍문은? 남궁 선장[#7]은 항상 패기 넘치더니 어찌 이리 여인네처럼 내빼다더냐!"

"그건……."

제자는 대답하지 못하고 망설이다가 갑자기 나타나 펄럭이는

#7 선장 仙長. 선인, 수사에 대한 존칭

전음 부적을 읽고는 기뻐하며 말했다.

"유풍문이 왔습니다! 유풍문에서 방금 소식이 왔는데, 곧장 악귀를 진압할 제자를 보내겠다고 합니다!"

예상대로 차 한 잔 마실 시간이 지나기도 전에 저 멀리 하늘 끝에서 돌연 푸른 구름이 세차게 밀려왔다. 다시 보니 구름이 아닌 시커먼 사람 떼였다. 짙은 청색 학휘를 입은 천여 명이 하늘을 가르는 독수리 떼처럼 검을 타고 일사불란하게 다가오고 있었다.

선두에 선 두 사람은 바로 남궁사와 엽망석이었다.

남궁사는 그의 요랑 노백금 위에 올라타 팔에는 벽옥궁을 걸치고, 등에는 전갑을 메고 있었다. 위풍당당한 소년의 얼굴에 거만함이 그대로 드러났다.

반면 엽망석은 여전히 검은 옷을 입고 유풍문의 선학이 수놓인 조끼를 걸치고 있었는데, 그의 얼굴은 수려하기보단 영민해 보였다.

"무슨 일입니까?"

남궁사는 엉망이 되어 폭발하기 직전인 방어 결계를 발견하고는 불꽃이 튀는 눈으로 군중을 한 바퀴 훑다가, 하수진계의 사생지전 사람들을 지나쳐 그나마 자신과 말을 섞을 자격이 되는 벽담장의 장주에게 시선을 옮겼다.

"이무심! 결계가 이 모양인데, 보완도 안 하고 멍청하게 서서 뭐 하는 겁니까?"

이무심이 남궁사보다 나이는 훨씬 많지만, 남궁사는 천하제일 대문파 장문인의 독자였다. 이무심은 질책을 듣고 주름진 얼굴이 벌겋게 달아올랐지만, 애써 참으며 미소를 쥐어짜 냈다.

"남궁 소주, 결계를 보완하지 않는 것은 설 장문인의 뜻이네……."

말 한마디로 골칫덩어리를 설정옹에게 떠넘겼다.

"사생지전?"

남궁사는 설정옹을 힐끗 보고는 코웃음을 쳤다. 비웃음인지 아니면 다른 뜻이 있는지 알 수 없었다.

그는 손을 휘저으며 자신의 수하에게 말했다.

"가서 저 터진 솥단지 같은 망할 결계를 보완해라. 징징거려서 큰일이 났나 했더니."

엽망석이 그를 말리려고 했다.

"소주……."

남궁사는 그를 쳐다도 안 봤다. 더 이상한 것은 송추동도 동행했다는 것이다. 그런데 그녀는 오늘 어쩐 일인지 엽망석의 옆이 아닌 남궁사의 옆에 서 있었다. 여전히 하얀 천으로 얼굴을 가리고 눈을 내리깐 채 상당히 얌전한 모습이었다.

지체 없는 일 처리로 유명한 유풍문의 제자들은 오직 자기 문파 수장의 지시만 듣는다. 특히 남궁사 같은 야생마가 키운 수하들은 더 그랬다. 그들은 설명이나 만류는 듣지도 않고 일제히 앞으로 나가 진을 치고 결인(結印)하기 시작했다.

"멈춰라!"

설정옹이 막 네다섯 명의 초식을 끊고 뒤돌았을 때, 다른 자가 이미 보완의 인을 완성하여 푸른빛이 결계의 틈을 향해 뻗어나가고 있었다.

설정옹이 대경실색하여 소리쳤다.

"옥형!"

'펑' 하는 소리와 함께 불꽃이 사방으로 뿌려졌다.

일촉즉발의 순간, 갑자기 붉은 섬광이 내리꽂히더니 그대로 보완의 인을 틈 바로 앞에서 막았다!

고개를 든 사람들은 버드나무 가지를 들고 검을 탄 채 공중에 떠서 결계를 지키고 있는 청년을 발견했다. 청년의 원래 얼굴은 선천적으로 온화함을 가지고 태어난 듯 아름답고 부드러웠지만, 지금 그의 눈빛은 활활 타오르는 불길처럼 사나웠다. 손에 든 버드나무 가지는 핏빛으로 빛났고, 잎사귀마다 불꽃이 튀었다.

묵연은 잔뜩 인상을 쓴 채 공중에서 스산하게 말했다.

"빌어먹을, 아무도 이 결계를 건드리지 말라고 내가 말했지. 새로 온 놈들 다 귀가 먹었어? 사람 말 못 알아들어?"

그는 초만녕을 증오했지만, 그건 두 사람 사이의 개인적인 원한이었다.

전생이든 현생이든, 그를 제외한 그 누가 됐든 초만녕의 머리카락 한 올만 건드려도 묵연은 그자의 하찮은 목숨을 거둘 생각이었다.

그는 말했었다. 그가 싫어하는 사람은 오직 그만이 죽일 수 있고, 그만이 망가트릴 수 있으며, 그만이 괴롭힐 수 있다고.

격노한 묵연은 전생의 포악함을 드러냈다. 시시덕거리고 짓궂은 장난이나 치는 평소의 한량 공자 모습과는 완전히 달랐다.

유풍문의 사람은 말할 것도 없고 설정옹과 설몽, 심지어 사매까지 모두들 그런 묵연의 모습을 보고는 순간 멍해졌다.

92장 본좌는 천열을 또 보았다

남궁사는 언짢은 표정이었다. 조용히 타오르는 눈빛은 쇳물이 부글부글 끓는 듯했다.

살피는 그의 눈길이 묵연의 진홍빛 신무 위에 잠시 머무는가 싶더니 이내 다른 곳으로 옮겨 갔다.

"저건 누구야?"

엽망석이 말했다.

"묵씨 성의 사생지전의 공자입니다."

"묵? 몇 년 전에 주워 왔다던 그놈?"

남궁사가 미간을 찌푸렸다.

"네."

남궁사가 엽망석을 흘끗 봤다.

"아는 사이야?"

"도화원에서 같은 곳에 묵었습니다."

남궁사는 뜻을 알 수 없는 차가운 미소를 지었다. 다만 그의 반응에 엽망석의 준수한 얼굴이 살짝 창백해졌다. 그는 눈을 내리깔고 입을 꾹 닫은 채 아무 말도 하지 않았다.

"더 기다리겠다고 하니 그럼 체면을 살려 줘야지."

남궁사가 말했다.

"어린 나이에 벌써 신무의 주인이라니 그의 실력이 보고 싶군."

반면 묵연은 유풍문을 신경 쓸 정신이 없었다. 그가 몸을 돌리자 옷자락이 바람에 세차게 펄럭였다. 결계가 이미 뚫렸으니 남은 시간이 많지 않았다.

초만녕, 아직 멀었어?

짜악! 라섬섬의 손톱에 휘장이 갈기갈기 찢겨 하얀 비단이 나풀나풀 눈처럼 흩날렸다.

초만녕은 익숙한 기운이 엄습해 오는 것을 느끼고는 눈을 휘둥그레 떴다.

"천문?"

아니.

천문이 아니야.

그는 라섬섬과 겨루며 그녀에게서 천문과 매우 흡사한 영력을 느꼈다.

진씨 저택 안의 휘장이 옅은 안개처럼 영혼과 악귀를 휘감았다. 십여 차례 공격을 주고받다 보니 초만녕의 마음속 의문이 서서히 풀렸고, 문득 한 가지를 납득하고 나니 모든 것이 한꺼번에 이해되었다.

"적심류……."

진작에 죽어서 한 줌의 재가 된 라섬섬은 당시 진 부인의 육체를 조종해 일을 꾸몄다. 이제 와서 굳이 원래 모습을 되찾을 이유가 없었다.

그 미지의 인물이 적심류의 넝쿨로 임시 집을 만들어 그녀의 영혼을 불어넣은 것이다.

저택 밖, 뜨거운 김이 모락모락 피어오르는 잘 익은 인간의 심장. 금, 수, 화, 토는 모두 라섬섬이라는 '목', 즉 적심류의 몸체를 기다리고 있었다.

그자는 대체 무엇을 하려는 것인가!

설마 온갖 방법을 다 동원한 이유가 고작 라섬섬이 다시 육신을 얻어 귀계를 없애고 진백현과 함께하도록 하기 위한 거라고? 누가 그녀를 위해 이렇게까지 하지?

그녀의 가족은 오래전에 죽었다.

가족…….

그래, 가족!

초만녕은 심장이 내려앉고 피가 솟구쳤다. 그는 문득 당시 라섬섬을 만났을 때 그녀가 했던 이야기가 생각났다.

그녀에게는 오라버니가 하나 있었는데, 오래전에 잃어버렸다고 했다…….

그인가?

"날 가로막는 자는 가만두지 않을 것이다!"

라섬섬은 실체였고, 초만녕은 영혼이었다. 비록 그녀의 영력이 그에게 한참 못 미쳤지만, 실체와 허상의 대결이라 막상막하였다.

눈 깜짝할 사이 그녀의 새빨간 손톱이 또다시 그의 심장을 노렸다. 영혼이 다칠 것을 염려한 초만녕은 재빨리 피하면서 손바닥을 뒤집어 그녀의 이마를 건드렸다.

"소용없다. 네가 몇 번을 시도해도 똑같아! 정화 주문으로는 날 해칠 수 없어!"

그녀는 교활하게 웃더니 고개를 들고 크게 소리 질러 채접진 곳곳에 흩어져 있는 시체를 불러들였다.

"외로이 떠도는 넋들아, 내 명을 들어라! 전부 이곳으로 모여 피를 마시고 도륙해라!"

갑자기 무시무시한 절규가 울려 퍼졌다. 아수라장이 된 채접진에서 난동을 부리던 심장 없는 시체들이 그녀의 부름에 일제히 진씨 저택으로 향했다.

시체가 여기저기서 물밀듯이 밀려들고, 비명은 거센 파도가 되어 바람을 타고 퍼졌다. 전장의 절규처럼 소름 끼치는 울부짖음이 순식간에 100리까지 전해져 결계 안팎의 누구나 똑똑히 들을 수 있었다.

결계 밖에 있던 모든 선사는 등골이 서늘해졌다.

결계 안에 있던 초만녕은 홀로 맞서 싸웠다.

백의 차림의 그의 영혼은 홀로 고독하게 라섬섬을 마주 보고 섰다. 마음껏 웃는 그녀의 눈은 광기와 독기로 물들어 있었다. 그는 수많은 귀신이 몰려오는 소리에도 안색 하나 변하지 않고, 그저 미간을 찌푸린 채 군자처럼 고고하게 안개 낀 듯 흐릿한 눈동자로 그녀를 바라봤다.

"라섬섬, 나에게 했던 말을 기억하느냐?"

"뭐?"

그녀는 뜻밖의 질문에 멈칫했다.

초만녕은 그녀가 정신을 판 사이, 흰옷을 펄럭이며 정원에서 제일 높은 곳으로 올라갔다. 먼지 하나 묻지 않은 깨끗한 신발이 새까만 기와 가장자리에 닿았다.

"네가 그랬다, 너는 악귀가 될 생각은 해 본 적이 없다고. 또 사람을 해치고 싶지 않다고도 했지."

그의 말이 끝나자 사방에서 바람이 불었다.

고개를 들어 내다보니 시커먼 시체 떼가 사방에서 몰려오고 있었다. 그가 미간을 살짝 찌푸리며 넓은 소매를 흔들었다. 음산한 바람에 옷자락이 펄럭였다.

그의 두 손 사이로 금빛이 솟아났다.

"미안하다."

갑자기 수많은 버드나무 가지가 땅에서 솟아났다.

피가 가득하고 시체로 뒤덮인 채접진의 땅이 순식간에 수천수만 갈래로 갈라지더니 두꺼운 버드나무가 땅을 뚫고 올라왔다. 그것들은 눈부신 금빛을 뿜어내며 수천수만 개의 사슬처럼 미쳐 날뛰는 시체들을 하나씩 잡아 눌렀다.

초만녕은 두 눈을 감았다. 눈이 내려앉은 바위처럼 단단하고 차가운 얼굴 위로 긴 머리카락이 흩날렸다.

그가 나지막이 말했다.

"천문, 만인관(萬人棺)."

그가 두 눈을 번쩍 떴다. 눈동자가 불꽃처럼 활활 타올랐다.

줄줄이 늘어선 금빛 버드나무가 갑자기 번쩍이더니 가지와 잎이 무성하게 자라나, 포효하며 발버둥치는 시체를 그 속에 가뒀다. 곧이어 버드나무마다 틈이 벌어졌고, 틈이 벌이지는 족족 버드나무가 시체를 통째로 끌어들여 순식간에 봉인했다.

만인관이었다.

가장 큰 버드나무 한 그루가 진씨 저택 한가운데에 솟아올랐다. 가지가 뾰족한 화살처럼 바람을 타고 이리저리 피하는 라섬섬을 쫓았다.

그러나 라섬섬이 얻은 건 적심류로 만들어진 몸이었다. 적심류, 천문, 견귀는 한 나무에서 비롯된, 구진상궁이 신계에서 속세로 가지고 온 나무의 일부였다. 단시간 내에 천문으로 만들어진 만인관이 작고 민첩한 라섬섬을 따라잡긴 힘들었다.

금사가 수놓인 그녀의 진홍색 겉옷이 바람에 나부꼈다. 거대한 버드나무가 그녀를 따라 높이 솟아올라 결계를 뚫고 하늘 높이 치솟았다.

결계 밖의 사람들은 하늘 높이 치솟은 나무에 놀라 아연실색했다. 영력이 약한 자들은 종사의 강력한 기운에 압도당해 두 다리의 힘이 풀려 털썩 바닥에 주저앉았다.

천문의 영력으로 만들어진 버드나무는 달에 닿을 기세로 점점 더 높이 올라갔다. 초만녕은 이미 전에 없이 영력을 뿜어내고 있었다. 채접진 주변에 있던 수사들 중 어떤 이는 두 눈에서 피가 흘렀다. 남궁사 같은 실력의 소유자도 가슴이 답답하고 심장이 빨리 뛰는 것이 숨쉬기가 힘들 정도였다.

남궁사는 이를 악물었다.

"사생지전에 이런 인물이 있다고? 옥형 장로?"

옆에서 심기를 가라앉히던 이무심이 말했다. 어쨌든 장주인 그는 아직 버틸 만했다.

"남궁 공자, 저자는 초만녕일세!"

"예?"

남궁사는 엄청난 압박을 받던 중 갑자기 경악하며 '컥' 하고 피를 토했다.

"초…… 종사라고요?"

"소주, 말을 아끼는 것이 좋습니다."

남궁사가 부상당한 것을 본 엽망석은 손을 들어 그의 혈 자리 두 곳을 누르고 그에게 영력을 조금 나누어 줬다. 그런데 남궁사는 고마워하기는커녕 그를 밀쳐 낸 뒤 입술을 거칠게 닦으며 말했다.

"건들지 마."

"……."

"엽 공자님, 제가 할게요."

송추동은 접골미인석이라 큰 타격을 받지 않았다. 그녀는 앞으로 나서서 여린 눈으로 엽망석을 보며 작게 말했다.

그런데 엽망석은 그녀와 처음 만났을 때처럼 우호적이지 않고 되레 그녀를 무시했다.

송추동은 그에게 거절당하자 고개를 돌려 눈물이 그렁그렁한 눈으로 남궁사를 봤다. 남궁사가 그녀를 대하는 태도는 처음보다 훨씬 나았지만, 그도 이렇게 말했다.

"네 도움은 필요 없다. 수년간 만나지 못했던 옛 지인 때문에 잠시 놀란 것뿐이다. 나는 그렇게 허약하지 않으니 심심하면 가서 다른 사람을 돌보거라."

묵연은 송추동과 유풍문의 두 공자 사이에서 벌어지는 일을 눈치채지 못했다.

그는 이미 초만녕의 육체 옆으로 돌아가 있었다. 그는 고개를 들어 초만녕의 영혼과 라섬섬이 격전을 벌이는 모습을 보다가 수천 개의 버드나무에 일시 봉인된 시체들을 보고는 저도 모르게 몸서리를 쳤다.

이런 법술은 정상적인 상황에서 사용해도 엄청난 영력이 소모된다. 그런데 초만녕은 영혼이 몸 밖으로 빠져나간 상태가 아닌가?

이 사람의 실력은 대체 어디까지일까…….

생각을 끝내기도 전에 갑자기 하늘을 뒤흔드는 비명이 들렸다.

적심류의 넝쿨은 결국 천문의 적수가 못 되었다. 높이 뜬 달 아래에서 라섬섬은 결국 버드나무 가지에 잡혔다. 무성한 나뭇잎이 순식간에 그녀를 보이지 않게 집어삼켰고, 하늘까지 닿은 거대한 나무가 그녀를 나무의 벌어진 틈새로 끌고 들어갔다. 곧이어 하늘 높이 치솟았던 나무가 서서히 줄어들더니 평범한 나무와 같은 높이가 되었다.

이때 결계는 거의 산산조각 난 상태였지만, 시체들이 천문으로 만들어진 만인관에 속박되어 있었기에 일단 큰 위험은 없었다.

설정옹은 경계를 풀지 않고 사생지전 사람들에게 만일에 대비해 모든 버드나무를 지키고 서 있으라고 지시했다. 나머지 사람들은 곧장 진씨 저택으로 달려갔다. 묵연도 급박한 상황에 생각도 하지 않고 초만녕의 차가운 육체를 안아 든 채 그쪽으로 향했다.

사람들이 도착했을 때, 라섬섬을 속박하고 있던 나무는 이미 진짜 관으로 변해 있었다. 그 안에 누워 있는 그녀의 표정은 표독함과 비통함을 오갔고, 눈빛도 사납다가 슬펐다가 했다.

그녀는 끊임없이 두 가지 목소리를 냈다. 광분한 목소리는 이렇게 외쳤다.

“왜 나를 막는 것이냐! 왜 나를 막아! 모두 죽어 버려라! 죽어 버려!”

또 연약하고 힘없는 목소리로는 이렇게 말했다.

“염라 오라버니세요……? 오라버니가 온 건가요? 제발…… 저 좀 구해 주세요……. 저는 사람을 해치고 싶지 않아요……제발…….”

그렇게 두 목소리를 번갈아 내더니 한참 뒤 관 속이 고요해졌다.

이때 초만녕 영혼의 영력은 이미 한계에 도달해서 버틸 수 없었다. 그러나 그는 의지만으로 관 속 여자의 미간을 누르며 마지막으로 물었다.

“너는 대체 누구냐?”

서서히 뜬 여자 귀신의 눈은 여전히 시뻘겠다.

이무심이 저도 모르게 소리쳤다.

“안 돼!”

그가 몸을 날려 그녀의 목숨을 거두려는 순간, 초만녕이 허공에 휘두른 손짓에 벼락이 떨어져 이무심의 앞을 막았다.

“초만녕, 당신……!”

초만녕은 그를 무시하고 관 속에서 천천히 일어나 앉는 작은 소녀를 응시했다.

그녀의 눈동자는 핏빛이었지만, 살기는 없었다. 그녀는 오히려 멍하고 당혹스러운 표정으로 조용히 말했다.

"저는, 라섬섬입니다."

초만녕은 그녀의 대답을 들은 뒤에야 한숨을 돌리고 눈을 감았다. 그의 영혼이 점점 옅어졌다.

잠시 후, 묵연의 품에 있던 남자가 미세하게 움직였다. 묵연은 황급히 그를 내려놓고 회랑 기둥에 기대게 하고는 한쪽 무릎을 꿇어 그와 눈높이를 맞추며 말했다.

"사존, 돌아오셨어요?"

초만녕의 봉안은 잠시 흐리멍덩했지만, 이내 서서히 초점이 돌아왔다.

그가 묵연을 힐끗 봤다. 영력을 너무 많이 소모했고, 또 영핵이 약해져 있던 그였기에 조금 쇠약해 보였다. 안색도 영혼이 빠져나갔을 때와 별반 다를 것 없이 여전히 창백했다.

"그래……."

초만녕이 대답했다. 그는 그 자리에 잠시 기대어 있다가 천천히 기둥을 짚고 일어섰다.

그가 느릿느릿 라섬섬 앞으로 가서 눈을 내리깔고 그녀를 봤다.

라섬섬은 작은 입을 살짝 벌리고 놀란 눈으로 그를 봤다.

"염라 오라버니…… 제가 왜 여기 있죠? 무, 무슨 일이 있었던 거죠?"

"나중에 말해 주마."

초만녕은 쇠약했지만 눈빛만은 형형하고 예리했다. 그가 단도직입적으로 물었다.

"알려다오. 너에게 이 육체를 만들어 준 사람이 누구지? 중차대한 일이다. 기억나는 것이 있느냐?"

"전……."

대답을 기다리는 초만녕의 손가락은 긴장으로 돌기둥을 파고들 만큼 힘이 들어가 있었다.

"자세히는 아니지만 조금 기억나요……."

라섬섬이 웅얼거렸다.

"남자였어요. 그…… 그는……."

한쪽에 있던 설몽이 다그쳤다.

"더 생각해 봐!"

라섬섬은 애써 기억을 되살렸다.

"그때 정신이 몽롱해서 얼굴은 제대로 못 봤지만 목소리는 들었어요. 북쪽 억양이었는데…… 마치…… 꼭…… 아!"

그녀가 돌연 소리치며 겁에 질린 표정을 지었다.

"생각났어요! 그 사람이에요! 바로 그 귤! 귤 도둑!"

"뜬금없이 무슨 귤 도둑이야. 헛소리는……."

설몽이 구시렁거렸다.

그러나 초만녕은 바로 이해했다. 라섬섬이 말하는 것은 그녀가 어렸을 때 만난, 귤나무를 베었다던 미치광이였다!

– 임기에 한 남자애가 있었는데, 나이 스물에 심장이 죽었다지.

누구일까…….

임기라니, 설마 유풍문?

아니면…….

그런데 이때, 하늘에서 엄청난 천둥소리가 나더니 채접진 위를 덮고 있던 진롱기국의 붉은빛이 더 강해졌다.

설정옹이 외쳤다.

"큰일이다!"

곧바로 이어서 말했다.

"옆에 있는 만인관을 잘 감시해라! 기국을 펼친 자가 눈치채고 이미 움직였을지도 모른다!"

채접진에 순간 바람이 세차게 불며 모래 먼지가 사방으로 날렸다.

수사들은 서로 등을 맞대고 장검을 뽑아 가슴 높이 들어 올려 만반의 준비를 한 채 기다렸다.

초만녕이 어두운 눈으로 라섬섬에게 말했다.

"일어나라! 네 몸에 그자가 남긴 흰 돌이 있다. 그에게 또 조종당할 수 있으니 내가 꺼내 주마. 흰 돌을 꺼내는 즉시 이곳을 떠나 저승으로 가서 윤회해라. 절대 속세에 더 남아 있으면 안 된다!"

그러면서 손바닥에 빛을 모아 허공에 대고 라섬섬의 심장을 향해 쳤다.

그런데 영력이 훑고 간 자리에서 흰 돌의 기운이 느껴지지 않았다.

초만녕은 순간 두려워지며 한기를 느꼈다. 전광석화처럼 짧은 순간에 그는 무의식적으로 위기를 감지하고 라섬섬에게 말했다.

"어서 가!"

그러나 이미 늦었다.

"아악!"

날카로운 비명이 들렸다.

하늘에 펼쳐진 진룡기국의 중심에서 피처럼 시뻘건 빛이 떨어지더니 벼락같은 기세로 버드나무로 만든 라섬섬의 육체에 내리꽂혔다.

쾅!

불꽃이 하늘 높이 치솟았다.

"라섬섬!"

소녀의 몸이 불길 속에서 금방 뒤틀리더니 아스라이 사라졌다. 소녀의 영혼은 허공으로 올라가 퀴퀴한 짙은 연기에 섞였다.

혼과 연기가 뒤엉키며 하나가 됐다.

라섬섬이 서 있던 자리에서 갑자기 짙푸른 빛이 일더니 하늘로 치솟았다.

"목령의 정화?"

초만녕의 얼굴에서 핏기가 싹 가시고, 두 눈이 매섭게 변했다. 그가 잘못 생각했다……. 잘못 짚었다!

라섬섬은 생전에 분명 목령의 기운이 매우 강한 사람이었을 것이다. 배후의 주동자는 금, 화, 수, 토를 목 속성인 적심류에 바치려는 것이 아니라, 원한이 모여 천둥 번개가 될 때까지 기다렸다가 라섬섬의 몸에 내리꽂아 당분간 그녀의 원혼을 적심류의 원천으로 만들려고 한 것이었다!

금, 목, 수, 화, 토, 다섯 개의 영이 모두 모였다.

그가 무엇을 하든 이제 다 할 수 있게 됐다…….

초만녕은 고개를 들어 하늘을 봤다. 모두가 하늘을 봤다. 나뭇잎이 바람에 바스락거리던 소리도 일순간 무서울 정도로 고요해졌다.

그러다 갑자기 땅이 흔들렸다!

묵연 일행이 도화원의 환각 세계에서 봤던 임안 고성과 거의 똑같았다.

채접진 상공에 거대한 흑자색 틈이 생겼다. 피비린내가 진동하고 온갖 병과 고통, 원한과 죽음을 끌어안고 있을 듯한 공간이 악마의 눈이 뜨이듯 천천히 열렸다.

이무심이 그 틈을 가리키며 떨리는 목소리로 외쳤다.

"무간지옥…… 무간지옥의 결계가…… 뚫, 뚫렸다!"

그가 계속 울부짖었다.

"채접진의 하늘이 갈라졌다! 귀계의 문이 열렸어!"

93장 본좌가 전생에서 겪은 재앙

음양 두 세계를 가르는 막은 이미 상고 시대만큼 견고하지 못했고, 찢기고 구멍 나는 건 다반사라 당황하고 놀랄 것도 없었다.

그러나 이번엔 달랐다. 고공을 가로질러 핏발 선 동공 같은 구멍이 생기더니 찰나에 천지의 색이 변하며 바람이 세차게 불었다.

백 년에 한 번 생길까 말까 한 거대한 천열(天裂)!

자리에 있던 수많은 사람 중 묵연을 제외하고 그 누구도 이런 상상 밖의 재난을 직접 경험해 본 적이 없었다. 이에 백발이 성성한 이무심, 수많은 전쟁터를 누빈 설정옹, 상수진계의 유풍문, 하수진계의 사생지전 할 것 없이 나약한 수천 명의 사람들은 모두 아연실색하여 어찌할 바를 몰랐다.

묵연은 더욱이 벼락을 맞은 듯했다. 진한 피비린내는 그의 전생에서 풍겨 오는 것만 같았다. 날카로운 이빨로 피를 빨아먹고, 수많은 사람을 죽었던 바로 그 천열이다!

전생에서 사매는 이 천열이 생겼을 때 죽었다. 그때 그는 초만녕과 함께 결계를 보완하다가 영력이 부족하여 몰려나오는 귀신들에게 밀려 하늘에서 추락했다…….

그렇지만 그건 분명 삼 년 뒤에 일어나야 하는 일이다! 섣달 그믐이 막 지난 눈 내리던 밤, 공기 중에 여전히 떠다니던 화약 냄새와 눈 위에 남은 자잘한 붉은색 폭죽 조각을 묵연은 똑똑히 기억하고 있었다. 전날 밤, 그는 사람들과 함께 밤을 새우며 도소주[#8]를 마셨다.

묵연은 살짝 취기가 오른 눈을 떴다.

부드럽게 일렁이는 따뜻한 촛불 아래에서 봄기운이 묻어나는 사매의 눈동자는 어느 각도로 봐도 사랑스러웠다.

사생지전은 떠들썩했다. 술잔이 오갔고, 웃음소리가 끊이지 않았다.

그는 그때 정말 너무 행복하다고, 굳이 좋아하는 사람을 놀라게 하지 않고 그냥 이렇게 평생 멀리서 지켜보며 함께하는 것도 좋겠다고 생각했다.

술자리가 끝나고 제자들은 방으로 돌아갔다. 그는 사매와 함께 맹파당을 나섰다. 하얀 눈으로 덮인 땅에는 달빛이 스며 있었다. 그는 추워하는 사매에게 겉옷을 벗어서 아무 말 없이 어깨에 걸쳐 주고, 술기운을 빌려 조심스럽게 그의 눈을 들여다봤다.

미인은 새하얘서 차마 더럽힐 수 없는 막 내린 눈 같았다.

"연아."

#8 도소주 설날에 마시는 전통주

"응."

"오늘 너 조금 많이 마신 것 같아."

"하하, 그래?"

묵연은 웃었다. 하지만 얼마 안 가 묵연의 웃음이 뚝 끊겼다.

사매가 살짝 차가워진 두 손으로 그의 얼굴을 부드럽게 받쳤다. 술기운에 달아올랐던 얼굴이 더 뜨거워졌다. 묵연은 두 눈을 동그랗게 뜨며 순간 약간의 전율을 느꼈다.

사매가 미소 지으며 그에게 말했다.

"그래. 이것 봐, 데운 술 석 잔에 얼굴이 다 빨개졌잖아."

"더, 더워서 그래."

묵연은 어색하게 머리를 긁적였고, 얼굴은 더 뜨겁게 달아올랐다.

그때 그는 그걸로 충분했다. 좋아하는 사람을 굳이 가지려 할 필요도 없었고, 감히 탐내지도 않았다.

사매가 얼굴을 만졌을 뿐인데, 그는 후한 대접을 받은 기분에 당황하여 더 말하지 못하고 멍하니 있었다.

까맣고 따뜻한 눈동자에는 기쁨과 감격이 흘러넘쳤다.

두 사람은 침실 앞에서 인사했다. 옷을 걸치고 가던 사매가 남실거리는 설광을 등지고 고개를 돌려 그를 향해 웃었다.

"연아."

발길을 옮기려던 그는 자신을 부르는 소리에 혹여 뭐라도 놓칠세라 팽이처럼 허둥지둥 뒤돌았다.

"나, 나 여기 있어!"

"옷 고마워."

"아니야! 어차피 난 더웠어!"

"그리고."

사매의 눈빛이 점점 더 부드러워졌다. 기나긴 겨울이 지나고 난 뒤 찾아오는 그런 따스함이 스며 있었다.

"연아, 사실 나……."

펑.

멀리서 폭죽이 터졌다.

묵연은 그의 말이 들리지 않았다. 혹은 사매가 딱히 뭐라고 말하지 않았을 수도 있다.

주변이 조용해졌을 때, 사매는 이미 침실 문을 밀어 열고 있었다.

다급해진 묵연이 황급히 외쳤다.

"잠깐만, 방금 뭐라고 했어?"

사매가 웬일로 눈을 깜빡이며 놀리듯 말했다.

"좋은 말은 한 번만 하는 거야."

"사매……."

하지만 사매는 사람의 혼을 쏙 빼놓고는 묵연의 바람과는 달리 난렴[#9] 아래로 수려한 얼굴을 내밀 뿐이었다.

그러고는 묵연이 평생 잊지 못할 잔잔한 미소를 지었다.

"늦었다. 난 자러 갈게. 내일 아침에 일어나서, 너한테 말하고 싶은 생각이 들면……."

그가 잠시 망설이다가 함수초 같은 속눈썹을 부드럽게 내리깔았다.

#9 난렴 추울 때 문에 치는 휘장

"그때 다시 말해 줄게……."

하지만 누가 알았을까, 새벽이 몰려올 쯤, 천열이 일어날 것을.

묵연은 결국 사매의 말을 듣지 못했고, 그의 인생에서 가장 달콤한 꿈같던 기억은 피로 물들어 버렸다.

한밤중 꿈에서 수도 없이 그날로 돌아갔다. 그는 난렴 아래 미소 짓고 있던 사매의 얼굴을 잊지 않았다. 아름답고 다정하고, 그의 착각일 수도 있지만 심지어 깊은 정이 담겨 있던 그 얼굴을.

그는 고통의 연속이던 남은 인생 동안 끊임없이 그 기나긴 꿈을 꿨다.

꿈속의 사매가 그에게 좋아한다고 말하면 그는 웃으며 잠에서 깼다. 너무 행복해서 사매가 죽었다는 것도 잊었고, 지난 일을 되돌아봐서는 안 된다는 것도 잊었다

그는 그렇게 행복하게 웃었다. 앞으로 사랑하는 사람에게 맛있는 음식을 만들어 줘야겠다고, 이건 진지하게 고민할 만한 중요한 일이라고 생각했다.

그러나 항상 웃다가 결국 눈물을 왈칵 쏟아 냈다.

그는 손바닥에 얼굴을 묻었다.

그해 눈 내리던 섣달 그믐날 밤, 바람 속에 흩어진 말을 그는 다시는 알 수 없게 되었다.

두꺼운 구름이 뚫리고, 무간지옥이 열렸다.

벌어진 균열 사이로 수많은 악귀와 사령들이 성을 공격하는 병마처럼 쏟아져 나왔다. 주변에서 울려 퍼지는 비명에 묵연은

추억에서 깨어났다.

그는 거의 미친 듯이, 혼란스럽고 아수라장이 된 사람들 사이에서 다급하고 애처롭게 외쳤다.

"사매!"

사매는 대답이 없었다.

"사매! 사명정!"

다시 애타게 그를 불렀다.

"어디야? 어딨어?"

삼 년 후에 벌어질 천열이 왜 앞당겨졌는지 모르겠어.

내가 지금 당신을 보호할 수 있을지조차 모르겠어.

그렇지만 나는 당신이 또 다치는 걸 볼 수 없어, 당신이 또 죽는 걸 볼 수 없다고…….

제발 살아 있어 줘…….

내 잘못이야. 내가 당신을 보호할 만큼 강해지지 못했어. 내가 너무 멍청해서 모든 걸 철저하게 계산하지 못했어. 대체 어디 있는 거야…….

"연아……."

무기가 부딪치는 소리 사이로 어렴풋이 희미한 목소리가 들렸다.

"사매!"

묵연은 사매를 발견했다. 설몽 옆에서 수(水)의 영력으로 방어막을 만들어 밀려드는 악귀와 망령을 막고 있었다. 묵연은 거리낌 없이 그를 향해 달려갔다. 목이 메고, 눈시울이 붉어졌다.

"개자식아, 어서 거들어!"

설몽은 일당백의 실력을 갖췄지만, 흐르는 물처럼 끊임없이 밀려드는 시체 떼에 그의 이마에도 점점 땀이 송골송골 맺히고 있었다. 그가 이를 꽉 깨물고 외쳤다.

"빨리 와!"

그의 재촉에 묵연은 몸을 날렸다. 붉은빛이 번쩍이더니 견귀가 소환됐다.

그가 휘두른 버드나무 가지에 맞은 귀신들은 혼백이 흩어지면서 순식간에 가루가 되었다. 묵연은 고개를 돌려 사매에게 소리쳤다.

"멀리 떨어지지 말고 내 뒤로 와!"

"난 사존을 도우러 갈게……."

"가지 마!"

사매의 말에 묵연은 등골이 서늘해졌다.

그는 절대 이 혼전 속에서 사매를 초만녕 곁으로 보내지 않을 것이다.

전생의 장면이 눈앞에 펼쳐진 장면과 자꾸 겹쳤다.

……그때도 똑같이 말했었다.

– 난 사존을 도우러 갈게…….

– 알겠어, 어서 가. 사존 쪽은 안전하니까 보호받을 수 있게 사존한테서 떨어지지 마.

얼마나 터무니없는 말이었던가…….

그의 보호를 받으라니

초만녕, 초만녕. 묵연은 모든 수를 계산하면서도 그가 초만녕이란 걸 잊고 있었다!

무정한 냉혈한.

머릿속에 있는 건 백성들뿐, 자신의 제자가 죽어도 신경 쓰지 않는 자!

"가지 마! 사존 혼자서도 충분해!"

닮은꼴처럼 겹쳐 보이는 두 생의 장면에 묵연은 소름이 돋았다. 그는 빨개진 눈으로 사매에게 고함쳤다.

"아무 데도 가지 말고 여기 있어!"

"하지만 아까 사존이 법력을 너무 많이 소모했어……."

"안 죽어! 사매 스스로나 신경 써!"

그는 말하면서 미간에 잔뜩 힘을 준 채 끝없이 공격해 오는 시체 떼를 향해 신무를 휘둘렀다. 순식간에 피와 살점이 튀고 뇌가 사방으로 흩어졌다.

영력은 전생보다 못했지만, 그래도 초식 하나하나가 능숙하기 짝이 없었다. 수많은 전쟁을 치른 그는 엽망석과 초만녕 같은 고수와도 겨뤘다. 100만 구의 시체가 덤빈다 할지라도 무섭지 않았다.

하늘의 균열은 점점 더 커졌다.

무간지옥에서 백 년을 떠돌던 귀신들이 맹렬한 폭우가 쏟아지듯 인간 세계로 흘러들었다. 음기가 왕성해진 틈을 타 버드나무의 속박에서 벗어난 채접진 시체들까지 섞여들면서 사방은 점점 더 광란과 공포에 물들었다. 끓는 기름에 물을 부어 시끄러워진 가마솥 안 같았다. 메뚜기 떼가 논밭을 습격하듯 악귀가 산 사람을 뜯어 먹었다. 사생지전 사람들은 평소 소소한 소동을 제법 겪어 봤기에 대응할 수 있었다. 그러나 유풍문과 벽담장의 수사들은 완전히 재난을 당한 것처럼 치솟는 핏줄기 가운데서 비명을 질러 댔다.

초만녕은 멀리 떨어져 있어서 묵연은 그의 상황을 볼 수 없었다.

그러다 우연히 득실대는 사람들 속에서 엽망석과 남궁사를 발견했다. 두 사람은 사이가 좋지 않았지만 싸우는 초식은 놀라울 만큼 비슷했다.

장검을 버린 엽망석의 손에 푸른빛이 일더니 장궁이 소환됐고, 남궁사도 초승달 같은 활을 잡았다. 둘은 마주 보더니 서로를 스쳐 지나 양쪽으로 뛰며 시체가 밀집된 곳을 향해 활시위를 팽팽히 당겼다.

슈욱!

두 사람은 거의 동시에 활을 쐈다. 하얀 깃털이 기러기 울음소리를 내며 허공을 갈랐다.

영력이 실린 화살촉은 사방에 날카로운 기를 뿌렸고, 화살이 지나가는 길에 있던 사령은 족족 찢겨 죽었다.

남궁사는 득의양양한 표정으로 등에 메고 있는 전갑에서 화살을 꺼내려고 손을 뻗었다.

그런데 뜻밖에 아무것도 만져지지 않았다.

"없어?"

"여기."

그가 화내기 전에 엽망석이 백우 화살을 그에게 건넸다.

"넉넉히 챙기셨어야죠."

"……흥!"

남궁사는 코웃음을 쳤다. 그러나 급박한 상황이라 엽망석과 티격태격할 생각은 없었다. 화살을 건네받고 두 사람은 다시 각자의 싸움에 집중했다.

눈 깜짝할 사이에 반 시진이 흘렀다. 많은 사령을 격퇴했지만, 더 많은 수가 귀계에서 쏟아졌다.

이무심은 단칼에 십여 개의 혼령을 죽이고는 고개를 돌려 설정옹에게 외쳤다.

"이렇게는 못 버팁니다. 어서 결계를 보완하라고 하십시오!"

설정옹은 채접진의 먼 곳을 내다봤다. 네 방향에서 각각 사면으로 된 금빛 진이 번쩍이고 있었다.

그는 숨을 헐떡이며 버럭 소리쳤다.

"말이 쉽지, 당신은 결계를 보완할 수 있소? 그쪽에 결계를 보완할 수 있는 사람이 남았느냐 말이오?"

"난……."

이무심은 굳은 얼굴로 말을 이었다.

"결계는 우리 문파의 강점이 아닙니다."

"제기랄. 그럼 닥치시오! 옥형이 여러 명 있는 줄 아시오? 초만녕이 결계의 경계 네 곳을 지키고 있소. 그렇지 않았다면 악귀들은 아마 주변으로 탈출해서 촉 땅 곳곳에서 살인을 저질렀을 겁니다. 수련자들도 못 버티는데, 아닌 자들은 금세 끝장났을 거요."

"촉 땅이 끝장나는 게 수진계가 혼란에 빠지는 것보다 낫습니다. 천열을 계속 안 막으면 일이 수습할 수 없을 정도로 커질 겁니다!"

그 말에 화가 난 설정옹은 악귀들을 날려 버리기 위해 철부채를 흔들 때 우연인 것처럼 이무심의 뺨에 생채기를 냈다.

"상수진계만 귀하고, 하수진계는 상수진계를 위해 죽는 게 당연하다는 거요?"

"그게 무슨 헛소리요! 내 말은 대의를 위해 소의를 희생하자는 겁니다! 천열이 우리 벽담장에 생겼다면 나도 똑같이 문파를 희생해 천하의 안정을 지켰을 겁니다!"

"자신만만하군요. 이 장주, 남의 일이라고 말 함부로 하지 마시오."

설정옹은 호랑이 눈을 부릅떴다. 너무 화가 나서 오히려 웃음이 났다.

"귀계 입구는 촉 땅에 있으니 천년만년이 지나도 결코 당신네 벽담장으로 옮겨 가진 않을 거요. 보아하니 사생지전은 수천 번 멸문할지언정 천하를 지켜야 하나 보오! 이 장주, 말 한번 참 잘하시오."

두 사람의 언쟁은 끝날 기미가 보이지 않았다. 그때 서쪽 하늘에서 눈처럼 새하얀 빛이 날아왔다.

적인지 아군인지 제대로 확인하기도 전에, 구름 속에서 사나운 폭풍우 같은 긴박한 현 소리가 들려왔다. 서로 어우러지며 우렁차게 울리는 악기 소리는 하늘에서 퍼붓는 빗소리 같기도, 숲에 쏟아지는 수만 개의 화살 소리 같기도 했다. 무기는 보이지 않는데 번뜩이는 검광이 사방으로 쏟아지고, 잇달아 올려진 봉화와 함께 철기병이 몰려오는 느낌이었다

"곤륜 답설궁이다!"

설정옹은 고개를 들어 멀리서 다가오는 하얀빛을 봤다. 과연 새하얀 비단옷을 입고 복숭아 꽃잎을 흩날리며 검을 타고 오는 선군들이 보였다. 그들은 남녀 할 것 없이 모두 빼어난 외모를 가졌고, 심법 때문에 용모 또한 스무 살 남짓에 머물러 있었다.

서거나 앉은 답설궁 사람들 중 반은 품에 비파를 안고, 반은 무릎 앞에 칠현금을 두고 있었다. 하늘에서 흘러 내려오는 듯한 맑고도 절절한 음악 소리에 땅을 가득 채운 악귀와 시체들은 고통스러운 비명을 질렀지만, 천라지망에 걸린 것처럼 벗어나지 못했다.

선두에 선 연한 금발의 남자는 짙푸른 눈동자에 진한 이목구비를 가지고 있었다. 새하얀 옷차림에 이마에는 물방울 모양 장식을 달고, 옷깃 사이로 가느다란 목을 드러낸 그의 모습은 마치 화병에 꽂힌 화초 같았다. 곤륜의 추운 날씨 탓에 여우 가죽 옷을 걸치고 있어 더 차분하고 온화해 보였다.

그 역시 정교하고 아름다운 비파를 품에 안고 미간을 찌푸린 채 가늘고 긴 손가락으로 비파 현을 뜯고 있었다. 반짝이는 복숭아 꽃잎들이 비파 소리에 맞춰 그를 둘러싸고 춤을 췄다.

"천하가 황제 아래 놓였고, 천년의 덕행은 물처럼 맑고 깨끗하네. 앞으로 군장할 필요 없으니, 오늘은 큰 성공을 이룬 날이네."

현 소리가 서서히 잦아들고, 그가 설정옹과 다른 사람들을 내려다보며 말을 꺼내려던 찰나, 멀리서 누군가의 화난 목소리가 들렸다.

"매함설! 이 개새끼, 왜 네가 왔어!"

설몽이었다. 그는 화를 내며 검을 타고 있는 매함설에게로 달려가 그를 올려다보며 소리쳤다.

"곤륜 답설궁에서 어쩌자고 너처럼 못 미더운 놈을 보낸 거야?"

그 소리를 듣고 엽망석이 고개를 돌렸다. 꽃잎을 흩날리며 비파를 뜯고 있는 남자를 보자 그 역시 살짝 심기가 불편해졌다.

"……저 사람은?"

남궁사가 말했다.

"뭐? 아는 사람이야?"

"안다고는 못 합니다."

엽망석도 매함설이 달갑지 않았다. 다만 설몽은 달려가 욕했고, 엽망석은 한마디 말만 남긴 채 외면했다.

"한 번 싸웠을 뿐입니다."

남궁사는 흥미로워졌다.

"오호, 실력은 어땠지?"

"하."

엽망석이 차갑게 웃었다.

"그는 여인의 힘을 빌려 싸우는데 어떨 것 같습니까."

"……."

남궁사는 말문이 막혔다.

94장 본좌의 현세의 한

엽망석이 무시할 법했다. 매함설은 바로 도화원에서 수많은 여자 수사들이 서로 시기와 질투를 하게 만든 '대사형'이었다.

대단한 사람이 오나 싶었는데, 알고 보니 얼굴로 먹고사는 기생오라비였다. 남궁사는 금세 흥미를 잃고 뒤돌아 적을 죽이러 갔다.

매함설은 어쩔 수 없다는 눈빛으로 설몽을 흘끗 보고는 알은체도 하지 않고 침착한 표정으로 비파 현을 여러 차례 튕겼다. 100명의 답설궁 수사들은 비파 소리에 사방으로 흩어졌다.

"고금조는 요광곡을 연주하고, 비파조는 격파무를 춰라."

그의 명령에 따라 악기를 타는 사람들은 순식간에 악장을 바꿨고, 세찬 금석 소리가 허공에 모여 구름 높이 울려 퍼졌다.

일순간 몽롱해진 귀신들은 살인을 멈추고 그 자리에서 목을 쭉 빼고 멍하니 주위를 두리번거렸다.

이무심은 그 모습을 보며 곤륜 답설궁 사람들은 악기에 능할 뿐 아니라 결계 보완에도 제법 실력이 있다는 걸 떠올리고는 크게 기뻐하며 고개를 들고 외쳤다.

"매 현질,[#10] 혹시 천열을 보완할 줄 아는가?"

매함설은 그의 '매 현질'이라는 징그러운 호칭을 무시하고 답했다.

"하늘에 생긴 무간지옥의 균열은 제힘으로는 완벽히 보완할 수 없습니다."

"아, 그럼……."

이무심은 하얗게 질린 얼굴로 결국 소매를 털며 긴 한숨을 내뱉었다.

"어허 참!"

"함설, 채접진 네 면의 결계를 지킬 수 있겠나?"

설정옹이었다. 사생지전과 답설궁은 줄곧 관계가 좋았다. 매함설은 친숙한 선배를 보자 비파를 품에 안고 예를 갖춰 인사를 한 뒤 말했다.

"해 보겠습니다."

"잘됐군!"

설정옹이 박자에 맞춰 말했다.

"사방의 결계를 지켜 귀신들이 밖으로 나가지 못하게 하거라. 그리고 옥형을 불러와……."

"옥형 장로요?"

"아 참, 기억력하고는. 옥형을 본 적이 없구나. 괜찮다, 가서

#10 **현질** 어진 조카라는 뜻으로, 조카에 대한 존칭

보면 알 테니. 결계를 지키고 있는 자이다."

"네."

매함설은 침착하게 한쪽으로 검을 들고는, 유성을 타고 움직이듯 채접진 변두리로 날아갔다.

남궁사는 한 번에 화살 세 개를 걸어 세 방향으로 화살을 날렸다. 활시위가 웅웅거리는 소리를 내는 사이, 기러기처럼 경쾌하게 날아오르는 매함설과 고금 소리로 적들을 혼란에 빠트리는 답설궁 사람들의 모습에 감탄하며 그가 엽망석에게 말했다.

"저자의 실력이 이토록 대단한데 너는 어찌 여자를 등에 업고 싸우는 기생오라비라고 말한 거지?"

"……."

엽망석도 이해가 가지 않았다. 그러나 귀신들의 행동이 느려진 지금이 그들을 죽일 적기였다. 그래서 그는 별생각 없이 남궁사에게 말했다.

"지난번에 실력을 겨룰 때 전력을 다하지 않았나 봅니다."

그러고는 적을 베는 데 더 집중하며 말을 아꼈다.

열 개의 문파 중 네 곳이 도착했기에 천열을 막는 데 곤란하지 않았지만, 그래도 여전히 애먹고 있었다.

지상의 망령들은 답설궁의 고금 소리에 움직이지 않았지만 귀계의 혈안에서는 되레 더 많은 악귀가 비명을 지르며 쏟아졌다. 답설궁 사람들은 허공에 선 채 악기를 연주하느라 스스로를 보호할 수 없었다. 그래서 요괴들은 잇달아 구름층 사방에 있는 비파진과 고금진으로 돌진했다.

답설궁 사람들은 어쩔 수 없이 갈라져서 방어진 곡을 연주했다. 퇴마곡의 소리가 잠깐 약해진 틈을 타 지상의 악령들은 순간 개미처럼 들끓었다.

더 무서운 것은 귀계의 문이 점점 더 크게 열리면서, 인간계의 원기를 대량 흡수하고 족쇄와 수갑을 푼 상급 악귀들이 우르르 쏟아졌다.

귀신들은 전과 달랐다. 그들은 시체와 원령이 하나로 합해져서 더더욱 포악했고, 영력도 높아서 평범한 수사들은 혼자서 막을 수 없었다. 심지어 낙오된 제자는 그들의 손에 내동댕이쳐졌고 백골의 손가락은 그들의 폐부를 찔렀다.

푸욱!

비릿한 피가 사방으로 튀었다. 수사들의 영기를 담고 있는 심장은 상급 악령에게 먹혔고, 피는 악령의 썩은 얼굴을 따라 흘러내렸다.

살점과 피를 먹은 흉령들은 한층 더 강해진 실력으로 인간들 사이로 돌진해, 표범처럼 먹어 치울 새로운 먹잇감을 찾았다.

순식간에 혼란스러워졌다.

설정옹이 외쳤다.

"헤매지 말고 진형을 갖춰라. 낙오되면 안 된다!"

그러나 놀라서 겁먹은 사람들이 울부짖으면서 여기저기 도망다녔다. 공기 중의 피비린내는 점점 더 짙어졌다. 귀신은 밀물처럼 밀려왔고 사람도 밀물처럼 죽어 나갔다…….

목매 죽은 귀신이 돌연 시뻘건 혓바닥으로 신나게 활을 쏘며 싸우는 남궁사의 허리를 휘감더니, 날카로운 손톱으로 그의 심장을 노렸다.

멀리 있던 엽망석은 평소와 같은 침착한 얼굴로 고개를 돌렸다가 삽시간에 창백해졌다.

"사야!"

"공자님!"

일촉즉발의 상황에 송추동이 칼을 들고 달려와 목매 죽은 귀신의 팔을 찔렀다. 사람을 죽여 본 적이 없었던 그녀는 사나운 귀신을 찌르고는 놀라서 손을 놔 버렸고, 장검은 쨍그랑하는 소리와 함께 땅에 떨어졌다.

목매 죽은 귀신은 흥분하며 그녀를 공격했다. 남궁사는 활을 넣고 검을 꺼내 그녀의 앞을 막으며 외쳤다.

"멀리 피해 있어. 어서 가."

송추동은 눈물이 그렁그렁한 얼굴로 말했다.

"유풍문이 저를 살려 주셨는데 어떻게 피해요……."

여인을 다룰 줄 몰랐던 남궁사는 가녀린 그녀의 눈에서 굳건한 의지가 보이자 마음이 약해져 속으로 짜증을 냈다.

"엽망석!"

그가 소리쳤다.

"엽망석! 당장 이리 와! 와서 송추동을 보호해!"

피를 뒤집어쓴 채 다가온 엽망석의 잘생긴 얼굴은 얼룩으로 엉망이었다. 그는 송추동의 팔을 잡고 역정을 냈다.

"가서 진 사형을 찾아요. 함부로 돌아다니지 말고."

"안 갈래요. 저도 도울 수 있어요."

그녀가 애원했다.

"소주님, 저는 당신들 곁에 있고 싶어요."

"엽망석 네가 그녀를 보호해!"

엽망석의 얼굴이 순식간에 굳어졌다. 군자 같은 그가 이토록 화를 내는 경우는 드물었다.

"남궁사."

잇새로 한 글자 한 글자가 떨리며 흩어졌다.

"머리가 어떻게 됐나 보구나."

그러고는 두 사람을 무시한 채 검을 들고 시체들 사이로 모습을 감췄다.

상급 악령은 점점 더 많아졌다. 그것들은 인간들 틈에 섞였다. 예리한 칼로 배를 가르고 비늘을 벗겨 낸 생선처럼, 끈적이는 빛으로 번쩍이는 악령의 껍데기들은 붉은 피에 물든 채 이리저리 오갔다.

모두들 자신을 돌볼 겨를도 없었다. 악귀는 산 사람을 둘러싸고 그들을 먹어 치우고, 무간지옥으로 끌고 가려고 했다. 묵연과 설몽, 사매 세 사람은 서로 등을 맞대고 사방을 막고 있었다. 하지만 포위망은 점점 더 좁혀졌다. 설몽이 흉령의 팔을 자르자 더러운 피가 솟구쳤다.

공격하던 귀신은 설몽이 난폭해 보이자 방향을 틀어 사매를 노렸다. 사매는 두 손으로 결인을 만들었지만 기력이 약해서 법진의 빛이 밝아졌다 어두워졌다를 반복했다…….

더는 방어가 어려워 보이자 묵연은 결심하고 말했다.

"사매, 방어진을 펼쳐서 설몽이랑 피해."

"뭐라고?"

설몽이 짜증을 냈다.

"나보고 겁쟁이처럼 숨으라고?"
"내 말대로 피해! 지금이 어느 때인데 시비야. 이렇게 많은 귀신을 우리가 죽일 수 있을 것 같아?"
사매가 말했다.
"연아, 너는 어쩌려고?"
"묻지 말고 내 말대로 하자."
묵연이 다정하게 말했다.
"괜찮을 거야."
포위망이 더 좁혀지자, 묵연이 다그쳤다.
"어서, 머뭇거릴 시간 없어."
사매는 부적을 만들었다. 푸른빛의 방어진이 떠오르더니 그와 설몽을 그 안에 가뒀다. 묵연은 방어진이 성공하는 걸 확인한 뒤 수전[#11]을 꺼내 손바닥을 그어 피를 법진에 뿌린 다음 자신의 영력을 남겼다. 그러고는 낮게 외쳤다.
"뭐 하고 있어?"
견귀는 그의 말에 밝은 빛을 내뿜었고 버드나무 잎은 핏빛의 영력에 감싸였다. 그리고 덩굴에 걸린 예리한 칼처럼 버드나무 가지가 늘어났다. 묵연은 눈을 감고 살초를 날리던 초만녕의 모습을 머릿속에 떠올렸다. 다시 눈을 떴을 때, 눈동자에 무수히 많은 온갖 잡귀신의 비열한 얼굴이 비쳤다.
그가 견귀를 허공에 휘두르자 불꽃이 폭발하며 사방으로 날아갔다.
묵연이 손을 들어 올리자 소매가 흔들렸다.

#11 수전 袖箭. 소매에 감춰서 쏘는 작은 화살

그 순간, 그의 모습은 머릿속에 떠올린 초만녕의 모습과 겹쳐졌고, 두 사람의 동작은 똑같아졌다.

"풍!"

썩은 나무와 마른 풀이 날아다녔고, 구름은 빠르게 움직이고 하늘은 낮아졌다.

묵연의 뒤에 있던 두 사람은 거대한 주홍색 법진이 지옥의 붉은 연꽃처럼 활활 타오르더니 강풍이 되어 쓸고 지나가는 걸 지켜봤다. 마치 수만 개의 무형의 칼처럼 견귀는 묵연의 손에서 빠르게 춤을 췄다. 지나가는 자리마다 거센 바람이 일었고, 수많은 흉령들은 성난 파도 같은 기류에 휩쓸려 비틀리더니 가루로 변했다.

초만녕의 천문의 살초, '풍'이었다.

그리고 묵연이 거의 비슷할 정도로 익혔다…….

광풍이 점점 잦아들자 주위가 온통 적막하고 휑해졌다. 시체 하나, 갑옷 조각 하나 남지 않았다.

뒤돌아보니 설몽과 사매가 깜짝 놀란 표정을 하고 있었지만 묵연은 기뻐할 새도 없이 평소 수련이 충분하지 않았다는 생각뿐이었다. 만약 지금 바로 옛날의 실력을 회복할 수만 있다면 고작 귀계의 구멍에 사람들이 이렇게 허둥대는 일은 없을 텐데.

"저기 봐!"

갑자기 멀리서 누군가가 외쳤다.

모두가 일제히 고개를 들었다. 하늘의 여러 방향에서 각기 다른 차림새에 영력도 서로 다른 무리가 검을 타고 다가오고 있었다.

무간지옥의 천열이 결국 상수진계의 모든 문파를 겁먹게 했다. 광검이 하나씩 땅에 착지했다. 청아하고 수려한 임령서의 사람, 장엄한 불상 같은 무비사의 대사가 속속 도착했다…….

여러 곳에서 사람들이 오자 모두들 맞이하느라 정신이 없었다.

드디어 10대 문파의 사람들이 모두 한자리에 모였다.

더 강한 흉령은 여전히 쉬지 않고 세상에 나왔다. 메뚜기 떼처럼 끊임없이 나타났지만 수사들이 갑자기 늘어나면서 더는 열세로 밀리지 않았다.

동시에 매함설과 초만녕의 영력 교체가 드디어 끝났다. 동서남북 네 방향의 결계는 황금색에서 푸른색으로 변했다.

변두리는 매함설에게 지키도록 하고 초만녕은 바람을 타고 재빨리 격전의 중심으로 향했다.

그는 고개를 들어 이미 활짝 열린 창공의 틈을 쳐다보았다. 그 뒤에서 어떤 거대하고 소름 끼치는 사악한 힘이 어렴풋이 느껴졌다.

초만녕은 그 힘의 광기를 느낄 수 있었다. 마치 수천수만 개의 혈장을 먹고, 억만 개의 생령의 뇌수를 마신 듯한…….

결계를 보완하지 않으면 무간지옥 속에 억눌린 어떤 사악한 영이 구속을 풀고 인간계에 나타날 것이다!

초만녕은 저도 모르게 생각했다. 설마 배후의 인물이 애를 쓴 이유가 연옥 속의 어떤 거대한 영혼을 속세에 풀려는 건가?

의도가 뭐지?

"사존!"

사매가 다급하게 그를 불렀다.

초만녕은 자신을 부르는 소리에 얼굴을 돌렸다.

전생의 장면이 또 겹쳐졌다.

– 사존!

그때도 사매는 그렇게 그를 불렀었다.

초만녕은 자기를 부르는 소리에 얼굴을 돌렸다.

눈밭에서 숨을 몰아쉬는 사매는 온몸이 피로 더러워졌지만 굳건한 눈빛을 하고 있었다.

– 사존, 천열을 막으시려고요?

– 그래.

– 그렇지만 이건…… 이건 평범한 천열이 아니에요. 무간지옥의 천열인데 사존 혼자 막으실 수 있나요?

– …….

– 제가 사존께 힘을 보탤게요. 저도 어쨌든 도화원에서 방어술도 연마했으니 사존께 방해가 되지는 않을 거예요…….

오래전, 두 사람의 생사를 결정짓는 대화가 귓가에 들리는 듯했다.

묵연은 아찔함에 소름이 돋았다. 재빨리 사매를 몸 뒤로 당겨 설몽에게 밀어 넘기며 외쳤다.

"설자명, 너 사매 보고 있어! 잘 봐야 해!"

설몽이 두 눈을 크게 떴다.

"개새끼, 너는 어디 가려고?"

"난……."

강풍이 불고 사방에 달큼한 비린내가 풍겼다.

하늘에서는 눈이 내리지 않았고, 모든 것이 전생과 달랐다.

묵연의 시선이 어찌 줄 몰라 하는 사매에게 닿았다. 씁쓸했다가도 마음이 놓였다.

결계는 초만녕 혼자만의 힘으로는 절대 막을 수 없다.

그의 제자를 제외하고 초만녕의 영력과 심법에 익숙해 완벽하게 힘을 합칠 수 있는 사람은 없었다. 그래서 이 일에는 반드시 한 사람이 필요했다.

북풍이 몰아쳤고, 만 리까지 스산함이 전해졌다.

묵연은 결심하고 사매를 끌어안았다. 직접적으로 그를 품에 안은 건 이번이 처음이었다. 그는 잠시 그대로 있다가 돌연 밀어냈다.

사매.

이번에 죽는 건, 아마도 나인가 봐.

"제가 사존을 도와 결계를 봉인할게요."

짜랑짜랑하게 말하는 묵연의 목소리에는 거절할 수 없는 결연함이 담겨 있었다. 그는 눈을 가늘게 뜨고 그윽하게 사매를 바라보았다.

문득 그는 더는 다른 사람의 시선을 신경 쓰고 싶지 않아졌다. 설몽이 옆에 있어도 상관없었고, 거절당해도 상관없었다. 그는 두 평생을 기다렸고, 두 평생을 좋아했다. 이제 그가 떠나면 다시는 돌아올 수 없을지도 몰랐다. 강풍 속에 선 그는 사랑하는 사람에게 마지막 몇 마디를 하고 싶었다.

"사매, 사실 나……."

그러나 입 밖으로 꺼내려던 그 순간, 악귀와 짐승들의 울부짖는 소리가 그의 목소리를 덮었다.

용암처럼 들끓던 충동은 주춤하는 사이 점점 식었고, 결국엔 멈췄다.

"연아, 뭐라고?"

묵연의 눈앞에 또 전생의 그림자가 스쳤다. 반쯤 걷어 올려진 난렴 아래, 사매의 따뜻한 미소였다.

너무나도 잔인했다.

그는 태어나면서부터 죽을 때까지, 하늘에서부터 황천길까지 평생을 기억했다.

묵연은 눈시울이 슬며시 붉어졌지만 웃었다.

"아니야. 좋은 말은 한 번만 하는 거야."

사매가 말했다.

"너……."

"사존 도와드리고 돌아와서…… 그때도 여전히 말하고 싶으면."

그의 보조개는 움푹 패어 있었고, 눈빛에는 아쉬움이 가득했다.

"다시 말해 줄게……."

그리고 그는 뒤돌아 초만녕에게 다가갔다.

사매는 죽지 않는다.

적어도 그의 앞에서는 죽지 않는다.

묵연은 문득 하늘이 높고 땅이 광활하게 느껴졌다. 눈앞에서 흰옷을 펄럭이는 그가 바로 이번 환생의 종점이었다.

그의 스승은 줄곧 천하를 가슴에 품었다.

사매가 죽었을 때, 마지막 보완을 끝내려고, 활보하는 귀신들을 숙청하려고, 초만녕은 모질게도 떠나는 것을 선택했다.

이번에 함께 결계를 보완하는 사람은 자신이 되었다. 초만녕은 그렇게 자신을 무시하고 싫어했으니, 더더욱 북두선존이라는 명성을 버리고 보잘것없는 인간의 생사를 돌보지 않을 것이다.

"사존."

묵연은 그의 앞에 섰다. 손에 든 견귀가 빛을 냈다.

"결계는 보완하기 어려우니 제가 도울게요."

긴박한 상황에 초만녕은 그를 슬쩍 볼 뿐 가타부타 말하지 않았다. 묵인한 셈이었다.

그는 하늘로 날아올라 진씨 저택의 처마 끝에 섰고, 묵연도 뒤따라 날아올랐다.

초만녕이 말했다.

"결진(結陣), 관조(觀照)."

묵연은 그의 뜻에 따라 그와 동시에 손을 들었다. 좌우로 선 두 사람의 손끝에서 결계를 보완하는 낙인이 생기더니 서서히 떠올랐다.

"진개(陣開)!"

둘의 영력이 낮은 외침에 맞춰 체내에서 솟구쳤다. 그들은 각각 대열 앞쪽에 서서 함께 치솟는 힘을 하나의 금붉은 결계로 만들었다.

결계가 막 쏟아져 나온 흉령에게 닿자, 흉령은 뜨거운 불에 덴 듯 비명을 지르며 귀계의 눈 속으로 돌아갔다. 결계는 갈수록 선명해지고 눈부신 빛을 뿜었다. 초만녕과 묵연의 발아래에는 각각 두 개의 주문으로 만들어진 반룡 기둥이 두 사람을 하늘 가까이 밀어 올렸다.

금붉은 빛에 귀신의 눈은 서서히 감겼지만, 원통한 듯 원한은 더 깊어졌다.

눈이 조금씩 감길 때마다 안에서 들끓던 사기는 더 짙어졌다. 두 사람이 결계의 틈에 거의 다다랐을 때, 안에 있던 사악한 기운은 점점 실체가 되었다.

환생한 묵연은 점점 어깨에 엄청난 무게를 느꼈고, 가슴이 거대한 바위에 눌린 듯 숨을 쉴 수 없었다.

저쪽에 있는 초만녕은 안정되고 강력한 영력을 끊임없이 뿜어냈다.

한 치만, 한 치만 더.

천지간의 사악한 기운은 한데 모여 예리한 칼날로 변해 그의 가죽과 뼈와 피를 공격했다.

"사존……."

점점 흐려지는 의식 속에서 그는 과거의 장면을 또 보게 되었다.

사매는 초만녕과 힘을 합쳐 진을 고쳤다. 음양의 두 세계가 닫히기 전이었고, 양으로 돌아가지 못한 악귀들은 사매의 힘이 약한 걸 알아채고 한데 모여 사매를 향해 돌진했다.

콰악!

순식간이었다. 전력을 다해 결계의 균형을 유지하던 사매가 관통당했다!

그리고 지금, 재연한 듯 거의 다르지 않았다.

다만 이번에 악귀가 노리는 사람이 묵연이 됐을 뿐이었다.

갈라진 하늘의 사악한 검은 기운은 구름을 뚫고 어느새 묵연의 가슴을 관통했다. 묵연은 눈앞이 붉게 변하는가 싶더니 정신을 차리고 나서야 자신의 가슴에서 뜨거운 피가 울컥 쏟아지고 있는 것을 깨달았다.

그는 숨 막히는 기류 속에서 간신히 고개를 돌렸다. 새하얀 옷을 입고 냉정한 표정을 하고 있는 초만녕은 그에게 조금의 눈길도 주지 않았다.

마음속에서 끝없는 원한이 치솟았다.

깊은 원한으로 끝나는구나.

반룡 기둥에서 떨어진 묵연의 입가로 피가 흘렀고, 가슴은 맹렬한 불길에 휩싸인 듯 고통스러웠다.

떨어지는 건 금방이었지만 매우 길게 느껴졌다. 익사한 사람이 점차 저 깊은 바다 밑바닥으로 가라앉듯, 사람들 소리가 점점 멀어졌다.

초만녕은 도와주지 않았다.

막지도 않았다.

심지어, 그에게 눈길조차 주지 않았다.

그가 추락할 때 붉은 영력이 순식간에 사라졌지만, 초만녕은 전생에서처럼 모든 법술을 사용해 묵연이 보완하지 못한 결계를 혼자 힘으로 해결하는 걸 선택했다.

봉합이 끝났다!

인간 세상에 남겨진 악령들은 귀계의 음기를 잃고 본능적으로 조급함을 느껴, 더더욱 미쳐 날뛰며 수사들과 맞섰다. 눈 깜짝할 사이에 육체가 도륙당했고, 수많은 문파가 진열을 갖추지 못하고 뿔뿔이 흩어졌다.

초만녕이 공중에서 내려왔다. 묵연이 추락할 때 반룡 기둥을 낮춰 그를 보호하는 진을 만들었기에, 땅에 떨어졌을 때 뼈가 으스러지지는 않았다.

다만 사기에 관통당한 가슴에서 피가 흘러 땅을 적셨다. 과거 사매와 전혀 다를 게 없었다.

초만녕은 일격에 묵연에게 돌진하는 흉령을 격퇴하고, 손을 뒤집어 결계를 만들어 그를 보호했다.

"사존……."

뒤에 있던 그가 미약하게 웅얼거렸다.

"가시려고요……."

묵연은 피를 토했지만 미소를 지었다.

"또 가시려고요?"

황금빛이 반짝이는 결계 밖에서 그 사람은 여전히 그를 등지고 서 있었다. 묵연이 입을 열자 목구멍에서 비릿하면서도 단맛이 느껴졌다.

"초만녕, 당신은 나무로 만들어진 사람이지? 당신은 힘들어하지도 않을 거고, 사심도 없을 거야. 그렇지……."

묵연은 그의 이름을 계속 불러 댔다.

"초만녕…… 초만녕……"

시야가 점점 흐려졌다. 격전으로 그는 이미 상처투성이였다. 이마의 어딘가가 찢어졌는지 피가 흘러 눈가에 맺혔다. 고개를 들고 거리낌 없이 웃었다. 미치광이 같은 웃음 속에서 피눈물이 흘러내렸다.

그가 흐느끼며 말했다.

"초만녕, 뒤 좀 돌아봐! 나 좀 보라고……. 왜 또 가는데……."

나 좀 봐.

나 이제 죽는다고.

그때 그래도 사매는 돌아봤잖아.

당신…….

정말…….

날 조금도 좋아하지 않는 거야? 내가 그렇게 못마땅해?

그게 아니면 왜 마지막으로 날 봐주지 않는 건데. 왜 뒤돌아보지 않는 거냐고.

"사존……."

눈에 피눈물이 맺혔다.

마지막 기억은 황금빛 결계 밖에서 흰옷을 입고 고독하게 홀로 멀어져 가는 그의 뒷모습이었다.

그는 악귀를 물리치러 갔다.

그에게는 이 세상 그 누구가 됐든…… 묵미우보다 중요했다.

95장 본좌는……

"묵연, 묵연."

누군가가 그를 불렀다.

묵연은 몽롱한 두 눈을 떴다. 흐릿한 시야로 눈처럼 하얀 그림자가 보였다. 초만녕과 매우 닮았다고 어렴풋이 느끼면서도 믿을 수 없었다. 그의 가슴에 포개어 올려진 두 손은 끊임없이 그의 몸에 흐르는 핏속으로 영력을 불어넣었다.

따뜻하다…….

누구지?

그는 힘겹게 눈꺼풀을 들어 올려 흐릿한 모습을 보려 했다.

"묵연……."

"사…… 사존?"

그는 목구멍의 피를 삼키며 중얼거렸다.

따스한 물방울이 그의 얼굴에 떨어졌고 서서히 또렷해졌다.

강남의 살구꽃 같은 봉안과 핏자국이 묻은 창백한 얼굴이 보였다. 묵연은 불안한 눈으로 그를 바라보았다. 초만녕에게서 이런 표정을 본 적이 없었다.

그의 스승은 항상 덤덤했는데, 눈앞의 이 사람은 울고 있었다.

묵연은 진짜인지, 아니면 죽기 전에 보이는 환각인지 확인하기 위해 손을 뻗어 만지려 했다. 그러나 손끝은 그의 얼굴에 닿기 전, 멈췄다.

누군가를 향한 미움은 어떤 때는 습관이기도 했다. 그래서 만약 어느 순간 그를 미워할 수 없게 되면 막연해진다.

그는 감히 건들지 못했다.

진짜일까 두려웠다.

가짜일까 봐도 두려웠다.

초만녕 뒤로 시체가 산을 이루고 피가 바다같이 흘렀다. 격전이 끝난 채접진인지, 아니면 그가 이미 아수라 지옥에 떨어졌는지 알 수 없었다. 그는 자신이 온갖 악행을 저질러서 죽어 마땅하며 죽은 뒤 무간에 떨어져 만 번을 죽어도 용서받을 수 없다는 것을 알고 있었다.

그러나 초만녕은…….

그는 선한 사람이었다.

그런데 어찌 자신과 함께 영원히 아비지옥에 갇힐까.

"마지막으로 조금만 더."

초만녕의 목소리가 심해에서 들리듯 어렴풋이 전해졌다.

"잠들면 안 돼. 그랬다가는……."

초만녕의 입가로 피가 흘러나왔다.

황금빛이 점점 거대해지더니 순식간에 눈앞에 있던 사람을 집어삼켰고, 어린아이의 모습으로 변했다.

"그렇지 않으면 이 옥형좌하[#12]에 너 같은 제자는 더 이상 없다."

"하 사제!"

두 눈으로 초만녕이 하사역으로 변하는 모습을 목격한 묵연은 크게 놀랐다. 하지만 상처에서 전해지는 극심한 통증에 더 생각할 겨를도 없이 다시 혼절했다.

– 묵연.

너무 부드러워서 탄식에 가까운 목소리는 전생의 환영인지 모르겠지만, 그의 귓가에서 맴돌았다.

– 미안하다, 다 내 잘못이다…….

또 그 소리! 또 그 소리야!

초만녕, 난 당신의 사과를 바라는 것이 아니라, 당신이…….

뭐?

멈칫했다. 대체 자신이 무슨 생각을 하는 것인지 알 수가 없었다.

사과를 원하는 게 아니면, 그가 어쩌길 바라는 거지?

두 눈을 번쩍 뜨고 숨을 가쁘게 들이마셨다. 묵연은 옷이 흠뻑 젖은 채 눈을 들어 주변을 둘러보았다. 깔끔하게 정리된 별다른 장식이 없는 방이 보였다.

그는 사생지전의 침실에 누워 있었다.

아직 살아 있다니……,

#12 옥형좌하 옥형의 가르침을 받는 문하. 즉 옥형 장로 초만녕의 제자들을 의미

믿기지 않는 듯 주변을 둘러보다가 약간 차가운 손을 들어 상처 부위를 더듬었다. 두꺼운 붕대가 감겨 있었고 피가 붕대에 배어 나왔다. 건드리자 조금 아팠지만 상처 아래의 심장은 여전히 힘차게 두근거리며 재난에서 살아 돌아왔음을 기뻐하고 있었다.

그는 아직 살아 있었다.

아직 살아 있어!

피가 젊은 육체에서 세차게 흘렀다. 그의 영혼이 전율하고 손끝이 떨렸다.

갑자기 휘장이 걷히는 소리가 들렸다. 침상에 앉아 있던 묵연이 고개를 휙 돌리자 막 휘장을 걷고 들어오던 사람과 마주쳤다. 바깥이 쌀쌀한지 그는 하얀 겉옷을 걸치고 새카만 머리카락을 늘어뜨렸다. 부드럽게 빛나는 눈을 살짝 뜨자 눈가에 붉은빛이 살짝 도는 게, 연지를 바른 여인보다 아름다웠다.

사매는 깨어난 묵연을 보고는 놀라서 멍하니 있다가 말했다.

"연아? 너…… 너……."

"사매! 사매!"

연신 그를 부르며 묵연은 흑요석처럼 까만 눈을 반짝였다. 그는 아픈 줄도 모르고 침상에서 펄쩍 뛰어내려 와 입꼬리를 올리고 활짝 웃었다. 사명정을 품속 가득 껴안고 기뻐서 어쩔 줄 몰라 하며 말했다.

"정말 다행이다! 사매도 안 죽었고! 나도 안 죽었어! 다 지나갔어, 모두 지나갔다고!"

천열은 전생의 대재앙이었다. 온갖 잡귀가 하늘에서 내려와 사매를 데려가고, 묵연을 죄악의 심연으로 끌고 갔다.

환생한 그가 벌벌 떨며 불안해하던 것이 바로 이 혼란이었다. 잘못을 되풀이하고 마지막에 혼자 쓸쓸히 남아 사랑하는 이의 백골을 밟으며 홀로 텅 빈 무산전으로 갈까 무서웠다.

그러나 하늘은 야박하지 않았다. 그가 나서서 사매를 대신하여 기꺼이 죽으려고 했을 때, 모든 것이 변했다.

그는 더 이상 혼자가 아니었고, 더는 사람들에게 버림받지 않아도 됐으며, 야밤에 산으로 쫓겨나 천애고아로 전락하지 않아도 됐다. 이제 저주가 깨졌다.

그는 진정으로 전생의 악몽에서 벗어났고, 진정으로 환생했다.

묵연은 사매를 한참을 안고 있다가 놓아줬다. 눈에서 불꽃이 튀었다. 너무나도 밝아서 마치 반짝이는 은하수가 두 눈에 드리운 듯했다.

사매는 묵연이 그의 어깨를 잡고 한참을 바라볼 때까지 멍하니 그 자리에 서 있었다. 그러고 나서야 그는 서서히 정신을 차리고는 이마를 묵연의 턱에 갖다 댔다.

"연아."

"네."

다시 고개를 든 사매는 옅은 미소를 짓고 있었는데, 왠지 눈가가 촉촉이 젖어 있었다.

"네가 살아서 다행이야."

묵연은 웃으며 그의 머리를 쓰다듬고 손을 잡으며 말했다.

"바보 같긴, 내가 잘못될 리가 없잖아? 난……."

더 말하려던 순간, 누군가가 밖에서 휘장을 거칠게 걷으며 성큼성큼 들어왔다.
"설몽?"
"……."
설몽은 진짜 좀생이였나 보다. 채접진에서 퇴마할 때 잘난 체할 기회 좀 뺏겼다고 우울한 표정으로 입을 꾹 다물고 있었다. 묵연이 깬 것을 보고는 잠시 가만히 있더니, 고개를 돌려 사매에게 말했다.
"언제 깨어난 거야?"
사매는 잠시 머뭇거리다가 걱정하는 투로 말했다.
"방금이요."
"……그래."
설몽은 대답하면서도 여전히 묵연을 보지 않았다.
묵연은 속으로 애는 애라고, 관심을 빼앗겼다고 사탕을 빼앗긴 것인 양 한참을 죽상으로 있는 것이라고 생각했다.
하지만 그는 마침 기분도 좋았고 설몽과 티격태격하고 싶지도 않아서 웃으며 말했다.
"내가 오랫동안 기절했나 봐. 누가 날 데리고 온 거야?"
"누구겠어."
소매를 흔들며 뒷짐을 지는 설몽의 안색이 매우 안 좋았다.
"당연히 사존 아니겠어?"
"……어?"
묵연은 어쩐지 멍했다. 정신을 잃을 때의 자잘하고 흐릿한 기억이 스쳤다. 다만 깨어난 뒤 정신이 없어서인지, 그때 봤던 게 점점 진짜인지 가짜인지 구분이 안 됐다.

그는 골똘히 생각하며 말했다.

"사존…… 하사역……."

그의 말을 들은 설몽은 미세하게 움찔하더니 어색하게 말했다.

"봤어?"

"뭘?"

"하 사제가 바로 사존이야."

넘겨짚었던 묵연은 경악하며 새파랗게 얼굴이 질렸다.

"뭐라고?"

고개를 휙 돌린 설몽의 표정은 어딘가 이상했다. 마치 애써 무언가를 참고 있듯이.

"왜? 난 네가 아는 줄 알았는데."

묵연이 놀라며 말했다.

"내가 어떻게 알아! 그냥 기절할 때…… 어렴풋이 두 사람의 모습이 겹치는 걸 본 거지……. 난……."

하사역과 도화원에서 함께 지내며 같은 침상에서 자던 것이 떠올랐다. 또한 임령서에서 감정을 주체하지 못하고 초만녕과 뒤엉켰을 때, 그의 옷깃 속에서 떨어진 금색 머리 장식도 떠올랐다.

해당화 손수건.

신체에 따라 크기가 변하는 옷.

하사역 손에 들려 있던 뜨거운 항아리.

그가 고개를 들고 사형이라고 부르면, 묵연은 그의 머리를 쓰다듬으며 웃으면서 우리는 앞으로 형제라고, 널 아낀다고 말했다.

장면 장면이 희미한 연기처럼 눈앞에서 흩어지더니 덤덤한 초만녕의 얼굴로 변했다가, 또 입을 꾹 닫고 아무 말 하지 않는 하사역의 모습으로 변했다.

그는 하사역에게 초만녕이 나쁘다고, 그를 싫어한다고 말했었다.

또 하사역의 긴 머리를 빗겨 주었다.

부드러운 머릿결은 먹물처럼 손가락 사이로 흘렀다.

자세히 생각해 보니, 확실히 매우 닮았다…….

묵연은 터질 것 같은 머리로 자리에서 빙글빙글 돌며 중얼거렸다.

"사존이 하 사제…… 사존이 하 사제라고……. 사존이……."

그는 갑자기 멈추더니 극도로 흥분했다.

"무슨 말도 안 되는 소리야! 사존이 어떻게 하 사제냐고!"

"연아……."

묵연은 황당하다는 표정으로 말했다.

"그…… 그 둘이 닮은 점이 많기는 하지만…… 그래도 어쨌든 다르잖아. 하 사제처럼 그렇게 좋은 사람이 어떻게……."

"무슨 뜻이야."

설몽이 갑자기 묵연의 말을 끊고 날카로운 눈으로 상대의 얼굴을 응시했다.

"하 사제처럼 그렇게 좋은 사람? 왜, 사존은 그렇게 좋은 사람이 아니야?"

묵연이 말했다.

"사존이 나쁘다는 말이 아니야. 단지 하 사제는 항상 날 진심으로 대했고 나도 그를 친동생처럼 여겼는데, 갑자기 나한테 그가 사존이라고 하면 내가 어떻게 받아들여…….”

설몽이 화를 냈다.

“하 사제는 진심이고, 사존은 거짓으로 대했다는 소리야?”

폭풍전야 같은 설몽의 목소리에 사매가 황급히 그의 소매를 잡아당겼다.

“소주님, 존주께서 당부하신 말 잊지 마세요! 연이는 이제 막 깨어났고, 또…….”

설몽은 사매의 손을 뿌리치고 갈색 눈동자로 묵연의 얼굴을 뚫어지게 보았다. 목의 핏줄이 분노로 꿈틀거렸다. 마치 혀를 날름거리며 언제라도 사냥감을 물 준비를 하는 독사 같았다.

“묵미우, 이참에 똑바로 말해 봐. 사존은 왜 하사역일 수 없어? 그에게 진심이라는 두 글자가 안 어울린다는 거야? 말해 봐. 너에게 사존은 가짜야?”

묵연은 막무가내로 밀어붙이는 그가 짜증 났다. 하지만 설몽의 이런 모습을 처음 보는 것도 아니었다. 전생에서 그가 답선제군이 된 후, 설몽은 만날 때마다 성깔을 부렸다.

그래도 조금은 짜증이 나서 인상을 쓰고 말했다.

“나와 그의 일에 네가 무슨 상관이야.”

“너와 그의 일?”

설몽이 말했다.

“네 마음속에 사존이 있기나 해?”

묵연은 화가 나서 헛웃음이 났다.

“설자명, 너 어디 아파? 왜 자꾸 시비야. 가자, 사매. 단심전으로 가서 백부님이랑 사존께 확실히 물어봐야겠어.”

그는 사매를 끌고 설몽을 지나쳐 나가려고 했다.

설몽은 그 자리에 서서 무언가를 억누르는 듯하더니, 묵연이 문을 나서자 더는 못 참고 고개 돌려 소리쳤다.

"묵미우, 네 마음속에 사존이 있냐고!"

"……."

묵연은 그의 외침에 이유 없이 마음이 심란해졌다. 그는 발걸음을 멈췄고, 밝았던 표정은 점차 어두워졌다.

사매는 손을 쥐며 불안한 듯 나지막이 말했다.

"신경 쓰지 마. 요즘 기분이 안 좋아서 그래. 우린 가자."

"……응."

휘장을 걷어 올리려 할 때 설몽의 목소리가 다시 들렸다. 답답하고 메마르면서도 뜨거운, 화염 속에서 튀어나온 듯한 목소리였다.

"묵미우, 빌어먹을, 넌 못돼 먹은 놈이야."

'좌악' 하고 휘장이 내려갔다.

묵연은 눈을 감았다가 떴다.

"연아……."

사매가 그를 막으려고 했지만 가볍게 저지당했다.

그가 고개를 돌리며 뒤돌아섰다. 두 청년은 나이는 같았지만 묵연이 훨씬 키가 컸다. 냉랭한 그의 모습은 실로 무시무시했다.

묵연은 갑자기 웃음을 터트렸지만, 까만 눈동자는 깊게 가라앉아 있어 웃음기를 찾아볼 수 없었다.

설몽이 말했다, 못돼 먹은 놈이라고.

"설자명. 평소에 나는 사존을 얕보지도 않았고, 천열이 일어났을 때도 모른 척하지 않았어. 무간지옥에 구멍이 났을 때, 그의 힘만으로는 보완할 수 없어서 난 자발적으로 그를 도왔어. 어디 말해 봐. 그의 제자로서 내가 뭘 잘못했지?"

"……."

"내 실력은 사존보다 한참 못 미쳐서 결계를 보완하다가 견디지 못하고 반룡 기둥에서 떨어졌어. 그런데 그는 날 거들떠보지도 않았고 내가 죽든 살든 신경도 안 썼어. 내가 다시 물어볼게. 너라면 실망하지 않았을까?"

"묵연……."

두 생에 걸쳐 엉킨 마음이었다. 아픈 곳을 입 밖으로 꺼내는 묵연의 수려한 얼굴은 스산하게 일그러졌다. 그는 한 글자씩 천천히 말했다.

"나는 최선을 다했고 그에게 부끄럽지 않아. 그런데 넌 무슨 낯짝으로 내 앞에 서서 내가 못돼 먹었다고 하는 건지 이해가 안 되네. ……설몽, 넌 내가 그를 한 번도 신경 쓴 적이 없다고 생각하지? 틀렸어. 난 그를 신경 썼어. 그런데 그 사람은 돌로 만들어진 사람이었던 거지."

묵연이 조용히 말했다. 한 글자 한 글자가 칼로 찌르듯 심장에 박혀 피가 흘렀다.

"설몽, 똑똑히 들어. 나는 세상 사람들 눈에 그가 얼마나 좋은 도사고 얼마나 대단한 종사인지 신경 안 써. 만야옥형, 북두선존 같은 건 중요하지 않다고."

그가 나직이 말을 이었다.

"중요한 건, 하늘이 쪼개졌을 때 내 목숨이 위태로웠다는 거야. 그에게 돌아봐 달라고 빌었는데 그는 눈길도 주지 않았어."

분명 매우 서늘한, 매우 분노할 일이었다.

그러나 의외로 차분하게 말했다. 단지 눈가가 빨개졌을 뿐.

"그리고 설몽, 내 말 잘 들어. 그때 반룡 기둥에서 떨어진 게 누구든, 내가 아니라 너나 사매였어도 그는 우리를 구하지 않았을 거야."

왜냐하면 내가 직접 봤거든.

하늘 가득 내리는 눈 속에서, 그는 뒤돌아 자신의 제자의 시체가 차갑게 식게 놔뒀다.

"그에겐, 북두선존이라는 명망보다 귀한 건 없어."

묵연이 차갑게 웃었다. 어두워서였을까, 그의 웃음은 왠지 처량했다.

"명이 길면 사는 거고, 명이 짧으면 죽는 거야."

마지막 말이 떨어지기도 전에 눈앞의 그림자가 움직이더니 강한 바람과 함께 덮쳤다.

좁은 방 안, 이미 묵연은 눈치챘지만 자신의 뒤에 있는 사매가 괜히 다칠 수도 있어서 피하지 않았다. 그 자리에 서서 설몽이 날린 일격을 그대로 맞았다.

설몽은 표범처럼 돌진해 묵연의 옷깃을 낚아챘다. '짝' 하는 맑은 소리를 내며 설몽은 그의 뺨을 갈겼다.

이유 없이 맞은 묵연은 화가 머리끝까지 나서 흥분한 청년의 목을 조르며 이를 악물고는 말했다.

"설자명! 뭐 하는 짓이야?"

설몽은 대답 대신 울부짖었다.

"묵미우, 이 짐승 같은 놈!"

그는 막무가내였다. 약을 잘못 먹은 것인지 대화할 만한 이성도 없이 묵연과 조용한 작은 방에서 죽자 살자 싸웠다. 두 마리의 궁지에 몰린 짐승처럼 상대의 가죽을 찢고 뼈와 살을 먹어 치우지 못해 안달이었다. 등불이 일렁이며 광분한 그들의 그림자를 석벽에 비췄다. 야만적인 그림자 공연 같았고, 악귀 같았다.

돌연, 묵연은 설몽의 흐느낌을 들었다.

또렷하지 않아서 그는 자신이 잘못 들었다고 생각했다.

그 생각이 끝나기 무섭게, 그의 손등에 물이 몇 방울 떨어졌다.

설몽은 묵연을 갑자기 밀어냈다. 그를 뒤로 밀쳐 내더니, 그대로 무릎을 감싸 안고 웅크리고 앉아 대성통곡했다.

묵연은 뺨이 빨갛게 부어올랐지만 설몽의 행동에 당황하며 생각했다. 필살기를 날리지도 않았으니 저 정도로 아프지 않을 텐데, 게다가 먼저 때려 놓고 왜 갑자기…….

생각이 끝나기도 전에 설몽이 슬피 목 놓아 울며 소리치는 소리가 들렸다.

"네가 어떻게 사존이 널 안 구했다고 말할 수 있어! 어떻게 구하지 않았다고 말할 수 있냐고!"

쉼 없이 흐르는 눈물에 숨을 쉴 수 없었다.

사매는 설몽이 결국 더는 이 일을 숨기지 못할 것을 깨닫고는, 탄식하며 눈을 내리깔고 아무 말도 하지 않았다.

설몽이 오열하며 말했다.

"네가 그렇게 말하면, 사존이 땅속에서 듣고 얼마나 속상하시겠어……."

너무나도 갑작스러운 말에 묵연은 바로 반응하지 못하고 멍해졌다.

"뭐라고?"

설몽은 통곡했다. 그의 독니가 묵연의 목을 물었지만 그 자신도 함께 상처 입었다.

웅얼거리며 산산조각 날 듯 슬피 우는 그는 쉬지 않고 자신의 얼굴과 눈을 닦았다. 눈빛은 거칠어졌다가 또 고통에 빠지기를 반복했다.

그는 웅크리고 앉아 일어나지 않았다.

팔에 얼굴을 한참을 파묻고 있었다.

묵연은 아래에서부터 마비되는 것 같았고, 온몸이 점점 차갑게 식는 것 같았다.

그는 자신의 입술이 움직이며 무언가를 묻는 소리를 들었다.

"설몽, 무슨 말이야……."

설몽은 한참을 울었다. 혹은 그리 오래지 않았을 수도 있다. 그저 벼락같은 그의 대답을 기다리는 시간이 길었던 걸지도 모른다.

"사존은……."

설몽은 목이 멨다.

"이제 안 계셔."

묵연은 순간 말문이 막혔고 온몸이 차갑게 식었다. 막연하게 들리는 소리는 무슨 말인지 이해되지 않았다.

안 계시다고?

뭐가 안 계셔?

안 계시면 어디를 가셨는데?

누가 안 계시다는 거야……. 누가 안 계시다는 거냐고!

누가 없다는 거야!

설몽은 서서히 고개를 들었다. 눈 속에는 후회가, 조롱이 담겼고 가장 깊은 곳에는 증오가 있었다.

"그때 왜 안 돌아봤는지 알아?"

"……."

"아버지 말로는, 천열 보완을 끝낸 사존의 영력이 너무 약했대. 귀계의 사악한 기운이 네 몸만 관통한 줄 알지? 결계의 관조는 쌍생이야! 네가 다친 만큼 그도 똑같이 다친다고! 단지 남에게 말하지 않고 버틴 거야."

묵연은 머릿속이 웅웅거렸다.

설마 전생에서 사매를 구하지 않은 것도…….

묵연은 더는 생각할 수 없었다. 손끝이 파르르 떨렸다.

"그럴 리 없어……. 그는 분명 태연했는데……."

"사람들 앞에서 태연하지 않았던 적이 있어?"

말하는 설몽의 눈시울이 다시 붉어지더니 눈물이 흘렀다.

"사존은 내려온 뒤 이미 기력이 쇠했는데도 너에게 방어 주술을 걸었어. 널 내버려 두고, 보지 않은 이유가 뭐라고 생각해?"

설몽은 한마디 말할 때마다 눈물을 흘렸다.

"사존은 자신이 오래 버티지 못할 거라는 걸 알고 계셨어. 그는 영기가 높아서 빈틈을 보이면 수많은 악귀가 몰려오니까……. 묵연, 묵연…… 넌 그가 간 게 널 버린 건 줄 알지……,"

"……."

묵연은 아무 말도 할 수 없었다.

"그가 간 건, 너까지 말려들게 하지 않으려는 거였어! 묵미우! 사존은 네가 말려들까 봐 걱정한 거라고!"

설몽이 소리쳤다.

"무간지옥이 닫히고 시체들이 폭주했어. 10대 문파는 해가 질 때까지 싸웠지. 수많은 사상자가 나왔는데 누가 널 신경 쓸 수 있겠어? 아버지는 중상을 입은 선기 장로를 데리고 사생지전으로 돌아와서야 네가 없어진 걸 발견했어."

설몽은 심호흡을 하더니 흐느끼며 말했다.

"묵미우, 넌 그가 데리고 돌아온 거야……. 그가 몸 크기를 회복하는 약을 먹고 널 끌고 시체 더미에서 기어 나와 상처투성인데도 마지막 영력을 너에게 썼다고……."

"그럴 리 없어……."

"그가 널 집으로 데리고 온 거야. 그때 넌 정신을 잃었고, 그는 영력을 다 써서 평범한 사람처럼 법술을 쓸 수도, 소식을 전할 수도 없었어. 그저 널 업고 한 걸음 한 걸음 사생지전의 계단을 올랐어……."

"아니야……."

"3천 개가 넘는 계단을…… 혼자서…… 영력이 다한 사람이……."

묵연은 눈을 감았다.

휘영청 밝은 달빛 아래, 초만녕이 숨이 간당간당한 자신을 업고 끝이 보이지 않는 계단을 천천히 오르는, 흰옷이 핏자국으로 물든 그의 모습이 눈앞에 아른거렸다.

그는 닿을 수 없이 높고, 조금의 때도 묻지 않은 사람이었다.

북두선존, 만야옥형.

묵연은 목이 메어 떨리는 목소리로 말했다.

"아니야……. 어떻게…… 그럴 수 있어……."

"그러니까."

여기까지 말한 설몽은 또 울컥해서 눈시울이 붉어졌다.

"사존을 봤을 때 난 내가 미쳐서 환영을 보는 줄 알았어. 나도 그렇게 생각했거든."

그가 숨을 토해 냈다.

"어떻게…… 그럴 수 있지……."

"아니야……."

묵연은 갑자기 흐느끼며 자신의 머리를 감싸 안고 무력하게 중얼거렸다.

"그럴 리 없어……."

"계단에 피가 아직도 있어. 그가 널 집으로 데리고 온 바로 그 길이야."

설몽은 극에 치닫는 원한으로 잔인하기 그지없었다.

"가서 봐, 묵연. 가서 보라고."

"그럴 리 없어!"

극도의 충격과 망연자실함에 묵연은 갑자기 격노하며 사나운 얼굴로 설몽의 멱살을 잡아 땅에서 일으켜 벽으로 밀쳤다.

"아니야, 절대 아니야! 그가 왜 날 구해? 날 좋아한 적도 없고 항상 날 못마땅하게 여겼다고!"

"……."

설몽은 한참을 아무 말 없다가 갑자기 웃었다.

“묵미우, 그가 널 못마땅해한 게 아니야.”

흔들리는 촛불 속에서 설몽은 젖은 속눈썹을 들어 올리며 증오하는 눈으로 그를 봤다.

“내가 널 못마땅해한 거야.”

묵연은 할 말이 없었다.

“…….”

“내가 널 깔보고, 선기 장로가 널 깔보고, 탐랑 장로가 널 깔봤지……. 네까짓 게 뭐라고.”

설몽은 이 말들을 묵연의 얼굴에 침 뱉듯이 내뱉었다.

“천한 놈.”

“너……!”

설몽은 갑자기 웃으며 고개를 들고 까만 천장을 올려다보았다.

“묵연, 이 사생지전에서 널 존중한 사람은 사존밖에 없었어. 그런데 넌 이렇게 그에게 보답하는구나.”

그는 웃다가 또 눈을 감았다. 눈물이 흘렀다.

이번에는 낮게 흐느꼈다.

“묵연, 네 하 사제가, 내 사존이, 죽었어.”

묵연은 세상에서 가장 악독한 독사에게 물렸다. 그는 덴 듯, 놀란 듯 갑자기 손을 놓고 뒷걸음질 쳤다. 처음으로 그 말이 무슨 뜻인지 이해한 것처럼.

그는 온몸을 덜덜 떨었다.

설몽이 느닷없이 그를 불렀다.

“형.”

뒷걸음질 치던 묵연은 차가운 벽에 등이 닿았고, 이제 더는 물러날 곳이 없었다.

설몽은 더는 울지 않았다.

그저 죽은 것처럼 무미건조하게 말했다.

"우리에게 이제 사존은 없어."

96장 사존, 제발 저 좀 봐 주세요

사생지전에는 우스꽝스러운 이름의 쭉 이어진 산봉우리가 하나 있는데, '아아아'라 불렸다.

이름의 유래에 대해서는 문파마다 여러 가지 설이 있지만, 가장 흔한 건 그 산봉우리들이 깎아지른 듯 가팔라 사람들이 자주 떨어진다고 해서 '아아아'라는 이름이 붙었다는 설이다.

그러나 묵연은 그게 아니라는 것을 알고 있었다.

구름 높이 우뚝 솟아 있는 산봉우리들은 산꼭대기에 만년설이 쌓여 있어서 극도로 추웠다. 그래서 사생지전은 누군가가 죽으면 장례를 치를 때까지 이곳에 두었다.

묵연은 전생에 이곳에 딱 한 번 와 봤다.

그때도 지금과 상황이 크게 다르지 않았다. 마찬가지로 무간지옥이 열린 뒤 피 튀기는 전쟁으로 무수한 생명을 잃었고, 사매도 그 과정에서 희생됐다. 그는 현실을 받아들이지 못하고 사매의 관 앞에 무릎 꿇고 앉아 차가운 관 속의 살아 있는 듯한 얼굴을 바라보았다. 그렇게 한번 앉으면 며칠을 보냈다…….

– '아아아'라고 불리는 건, 그해에 네 아버지가 죽었기 때문이다.

전생에 설정옹이 추운 상천전에서 묵연에게 이렇게 말했다.

– 나에게는 형제가 딱 하나 있었다. 우리의 손으로 사생지전을 만들었지만 네 아버지는…… 그는 너와 아주 닮았어. 아주 제멋대로였지. 편안한 삶을 며칠 누리더니 그새 질려서는 사악한 무리와 맞붙다가 실수를 했고, 그렇게 갔다.

상천전은 너무 추웠다. 설정옹은 소주를 가지고 와 단숨에 들이켜더니, 양가죽으로 된 술 주머니를 묵연에게 건넸다.

– 너도 마시렴. 백모에게는 비밀이다.

묵연은 받지도, 움직이지도 않았다.
설정옹은 한숨을 쉬었다.

– 이 봉우리가 아아아라고 불리게 된 건 그때 내가 심장이 뜯긴 것처럼 너무 아파서, 산에서 네 아버지 곁을 지키다 슬픈 생각이 떠오르면 대성통곡을 했거든. 우는 소리가 별로였지. 항상 아아아, 하면서 울부짖었어. 그래서 그런 이름이 붙었단다.

그는 묵연을 슬쩍 보고는 어깨를 두드렸다.

– 난 배운 건 별로 없지만 인생이 덧없이 짧다는 건 안다. 눈 깜짝할 사이에 끝나지. 명정이 한발 먼저 갔다고 생각해라. 다음 생에서 다시 형제로 만나면 되지.

묵연은 천천히 눈을 감았다.
설정옹이 말했다.

– 너무 슬퍼하지 말라는 말은 다 헛소리야. 힘들면 울어. 가기 싫으면 이곳에 더 머물면서 곁에 있어 줘라. 그렇지만 밥도 먹고 물도 마셔야 한다. 이따 맹파당에서 뭐 좀 먹고 다시 오거라. 그런 다음 또 꿇어앉아 있겠다면 나도 널 말리지 않으마.

상천전은 고요했다. 커다란 추운 방 안에서 펄럭이는 하얀 비단은 부드러운 손가락이 이마를 어루만지는 듯했다.
묵연이 천천히 눈을 떴다.
기억 속의 차가운 관이었다. 곤륜의 눈으로 만들어진 맑고 투명한 관에 한기가 감돌았다.
다만 안에 누워 있는 사람이 초만녕으로 바뀌었다.
묵연은 이번 생의 천열 속에서 죽는 사람이 초만녕일 것이라고는 생각조차 못 했다.
그는 허탈했고 믿기지도 않았다.

차가운 시신을 앞에 두고도 감정의 기복은 없었다. 원수의 죽음으로 기쁘지도 않았으며, 사존을 잃은 슬픔도 없었다.

묵연은 이해할 수 없다는 눈으로 초만녕을 한참 내려다봤다. 평소보다 차가운 그의 얼굴에 실제로 얇은 얼음막이 생겼고, 꼭 감고 있는 속눈썹도 얼어 있었다. 입술은 파리했고, 피부는 투명에 가까워서 혈관이 다 보일 정도였다. 백자기에 가느다란 금이 간 것 같았다.

왜 그가 죽었지?

묵연은 손을 들어 초만녕의 볼을 만졌다. 너무 차가웠다.

손을 아래로 내려 목젖과 목을 만져 봤지만, 맥박이 잡히지 않았다.

이제 손에 닿았다.

그는 초만녕의 손을 잡았다. 관절은 조금 굳었고, 손의 감촉은 거칠었다.

묵연은 이상했다. 초만녕의 손가락에 아주 작은 굳은살이 있기는 했지만 손바닥은 항상 보드라웠다. 그는 참지 못하고 자세히 살폈다. 세세하게 보니 자잘한 상처들이었다. 이미 닦여 있었지만 상처는 이제 아물 수 없어서 피부가 벌어져 있었다.

설몽이 한 말이 떠올랐다.

– 그는 영력을 다 써서 평범한 사람처럼 법술을 쓸 수도, 소식을 전할 수도 없었어. 그저 널 업고 한 걸음 한 걸음 사생지전의 계단을 올랐어…….

버티지 못했고, 일어설 수도 없었을 것이다. 땅을 기고 무릎을 꿇고 질질 끌어, 열 손가락이 닳아서 온통 피가 났다.

그런데도 그를 집으로 데리고 왔다.

묵연이 중얼거렸다.

"당신이 날 업어서 데리고 왔어요?"

"……."

"초만녕, 당신인가요……."

"……."

"당신이 직접 고개를 끄덕이지 않으면 난 안 믿을 거예요."

묵연이 편안한 얼굴로 관 속에 누워 있는 사람에게 말했다. 마치 눈앞의 사람이 정말 깨어날 것이라고 굳게 믿는 듯이.

"초만녕, 끄덕여 봐요. 끄덕이면 믿어 줄게요. 미워하지도 않을게요……. 끄덕여 봐요, 제발."

하지만 초만녕은 그냥 그렇게 누워 있었다. 덤덤하면서 차가운 표정으로. 묵연이 그를 미워하든 말든 신경 쓰지 않는다는 듯, 스스로에게 부끄러울 것 없이, 그래서 세상에 남겨진 사람이 두렵고 불안하게.

이 사람은 살아서도 죽어서도 사람을 아프게 하기보다 괴롭게 했다.

묵연은 갑자기 실소가 터져 나왔다.

"하긴."

그가 허탈하게 말했다.

"당신이 언제 내 말을 들어줬다고."

초만녕을 보던 그는 문득 황당하다는 생각이 들었다.

그동안 그는 초만녕이 자신을 못마땅하게 여겨서 밉다고 생각했고, 초만녕이 과거에 사매를 구하지 않아 원한이 깊다고 생각했다.

돌고 돌아 십여 년을 미워했는데, 어느 날 갑자기 누군가가 그에게 이렇게 말했다.

– 초만녕이 그때 뒤돌아 떠난 건, 널 말려들게 하지 않기 위해서야.

누군가가 느닷없이 그에게 알려 줬다.

– 결계의 관조는 쌍생이야. 네가 다친 만큼 그도 다쳐.

그는 영류를 소진했고, 자신을 보호할 힘이 없었다. 그는…….

그래, 잘됐네. 초만녕이 다 맞으면, 나는?

어리둥절했다. 바보처럼 아무것도 모르고, 광대처럼 남이 하라는 대로 빙빙 돌며 이를 악물고 심장도 폐도 다 꺼내 놓고 이렇게 오랫동안 미워했다.

이게 대체 뭐야?

오해라는 건, 상처를 치료할 때 더러워진 부분을 바로 깨끗이 제거한 후 약을 발라야 하는 것처럼 기간이 짧아야 좋다.

그러나 오해가 십 년, 이십 년 이어지면, 그물에 잡힌 사람은 오해 때문에 기나긴 세월 동안 미워하고, 신경 쓰고, 굴레에서 벗어나지 못해 심지어 목숨까지 바치게 된다.

이런 감정은 딱지가 앉아 새살이 돋아서 한 몸이 된다.
뜬금없이 누군가가 말했다.

– 그런 게 아니야. 다 틀렸어.

그럼 이제 어쩌면 좋지? 지난날의 허물은 세월에 따라 피부 아래에서 자라나고, 핏속에 흘렀다.

멀쩡한 피부를 찢어야만 지난날의 의혹을 풀 수 있었다.

일 년 동안의 오해는 그저 오해일 뿐이다.

십 년 동안의 오해는 원한이다.

태어나서 죽을 때까지, 평생의 오해는 운명이다.

그들은 팔자가 사납다.

상천전의 육중한 석문이 천천히 열렸다.

전생에서 그랬듯이, 설정옹이 소주가 가득 담긴 양가죽 술 주머니를 들고 무거운 발걸음으로 묵연에게 다가와 그와 나란히 앉았다.

"여기 있다고 해서. 내가 함께 있어 주마."

설정옹의 호랑이 같은 눈이 빨갰다. 금방 울고 온 것이 분명했다.

"그의 곁도 지킬 겸."

묵연은 대답하지 않았다. 설정옹은 술 주머니를 열어 꿀꺽꿀꺽 몇 모금을 삼키고서 거칠게 얼굴을 쓸어내리며 억지웃음을 짓고 말했다.

"내가 술 마실 때면 옥형은 항상 화를 냈는데, 지금은…… 아휴, 됐다. 그만하자, 그만해. 내가 나이는 별로 안 먹었지만 떠나보낸 사람은 수없이 많다. 연아, 그게 무슨 느낌인지 아니?"

"……."

묵연은 눈을 내리깔았다.

전생에서도 설정옹은 그에게 같은 질문을 했다.

그때 그의 눈에는 말라비틀어진 사매만 보였다. 남이야 죽든 살든 무슨 상관이란 말인가? 그는 알지도 못했고, 알고 싶지도 않았다.

하지만 지금의 그가 어찌 모를까?

환생하기 전, 의지할 곳 없이 외로이 큰 무산전에 그 혼자 남았다.

어느 날 묵연은 얕은 잠에 들었다 놀라 깨어났다. 꿈속에 옥형 문하에서 공부하던 예전 모습이 나온 것이다. 잠에서 깬 그는 예전의 침실을 보고 싶다는 생각에 문을 열고 들어갔다. 하지만 조그마한 제자의 방은 이미 황폐해진 지 오래되어 온통 먼지투성이였다.

그는 바닥에 널브러져 있는 작은 향로를 발견했다. 누가 넘어트렸는지, 언제 넘어졌는지는 알 수 없었다. 그는 향로를 집어 들고 무의식적으로 원래 있던 자리에 내려놓으려고 했다.

그러나 너무 빠르게 흐른 세월에, 그는 손에 향로를 든 채 넋을 놓았다.

– 이 향로가 어디 있던 거지?

기억이 나지 않았다.

매 같은 눈이 그를 뒤따르던 자들을 훑었다. 하지만 그들의 얼굴은 흐릿했고, 심지어 누가 누군지도 구별할 수 없었다.

그들은 답선제군이 소년 시절에 쓰던 향로가 방 안 어디에 놓여 있었는지 당연히 알 리가 없었다.

– 이 향로가 원래 어디 놓여 있었지?

그는 기억나지 않았다. 이런 옛일을 기억할 만한 사람 중 죽을 사람은 죽었고, 떠날 사람은 떠났다.

그러니 묵연이 어찌 설정옹의 감정을 모를까.

"가끔 문득 어릴 적의 재미있는 이야기가 생각나서 무심코 말하고는, 그 이야기를 이해할 사람이 없다는 걸 깨닫게 되지."

설정옹은 또 술을 한 모금 마시고 고개를 떨군 채 웃었다.

"네 아버지도, 예전의 그 많던 동료들도…… 그리고 네 스승도……."

그는 반짝거리는 눈으로 물었다.

"연아, 이 봉우리 이름이 왜 아아아인지 아느냐?"

묵연은 그가 무슨 말을 하려는지 알고 있었다. 그러나 그는 마음이 너무 심란하여 설정옹이 죽은 아버지 이야기를 하는 것을 듣고 싶지 않았다.

"알아요. 백부님이 여기서 울어서요."

"아……."

설정옹은 멈칫하다가 느릿느릿 눈을 깜빡였다. 눈가엔 깊은 상처가 나 있었다.

"네 백모가 알려 주었니?"

"네."

설정옹은 눈물을 닦고 깊게 숨을 내뱉었다.

"그랬구나. 그럼 내가 하고 싶은 말이 뭔지도 알겠구나. 괜찮으니까 힘들면 울어라. 대장부의 눈물은 군자의 탄알이다. 부끄러운 것이 아니야."

그러나 묵연은 눈물이 나오지 않았다. 아마도 두 번의 생을 겪으면서 심장이 단단해졌으리라. 사매가 죽었을 때 심장이 찢어지듯 아팠다면, 지금은 너무나도 침착했다. 심지어 무감각한 자신에게 더 놀랐다. 그는 자신이 이렇게 차가운 사람인 줄 몰랐다.

술을 다 마시고 우두커니 앉아 있던 설정옹이 일어났다. 너무 오래 앉아 있어서 다리가 저렸는지, 아니면 많이 마셔서인지 살짝 비틀거렸다.

그는 큰 손수건을 묵연 어깨에 올려 주었다.

"천열은 보완했지만 배후에 누가 있는지 아직 밝혀지지 않았어. 이번 일을 그냥 넘어가면 어쩌면 머지않아 두 번째 전쟁이 일어날 수도 있다. 연아, 적당히 있다가 내려와서 뭐라도 먹으렴. 굶다가 몸 상한다."

그 말을 끝으로 그는 뒤돌아 멀어졌다.

때마침 밤이 되어 상천전 밖에 잔월이 높이 떠올랐다. 설정옹은 만년설을 밟으며 소주 반병을 들고 갈라지는 굵은 목소리로 촉의 단가를 흥얼거렸다.

"고인이 귀신 되어, 오늘처럼 취한 날 만나기를 바라네. 월계수 아래에서, 함께 술잔을 기울이는 그의 머리가 세었네. 햇빛에 꿈에서 깨어 멀리 떠났고, 이 늙은 몸은 눈물을 머금네. 남은 세월 그와 함께하기 바라지만, 그는 술을 가지고 왔다가 다시 떠났네."[#13]

결국 전생과 다르게, 죽은 사람은 사매가 아니고 초만녕이었다. 그래서 설정옹이 더욱 탄식하는 것이리라.

묵연은 활짝 열린 상천전 대문을 등진 채, 쉰 목소리로 부르는 노래를 들었다. 쩌렁쩌렁한 대장부의 목소리는 어딘가 처량했다. 노랫소리는 독수리가 서서히 멀리 날아가듯 멀어지더니 결국 눈바람에 삼켜졌다.

천하가 하얗게 밝았고, 달이 높아지니 사람이 아득하게 보였다. 무엇이 됐든 전부 옅어졌고, 그저 세상을 왔다 갈 뿐이었다.

"이 늙은 몸은 눈물을 머금네……. 이 늙은 몸은 눈물을 머금네……."

얼마나 지났을까. 묵연은 그제야 느릿느릿 상천전을 나왔다.

백부의 말이 맞았다. 천열은 막았지만 여기서 끝이 아닐 수도 있었다. 초만녕은 이제 없으니, 또 한 번 격전이 일어나면 남은 그가 막아야 했다.

맹파당에 도착했을 때는 이미 늦은 시간이었다. 밤참 만드는

#13 고인이 귀신 되어, 오늘처럼 취한 날 만나기를 바라네. 월계수 아래에서, 함께 술잔을 기울이는 그의 머리가 세었네. 햇빛에 꿈에서 깨어 멀리 떠났고, 이 늙은 몸은 눈물을 머금네. 남은 세월 그와 함께하기 바라지만, 그는 술을 가지고 왔다가 다시 떠났네. 작가 주: '고인이 귀신 되어我拜故人半為鬼'는 두보의 〈증위팔처사贈卫八处士〉 중 '옛 친구를 찾으니 반은 귀신이 되었네访旧半为鬼'를 인용

할멈을 제외하고 아무도 없었다.

묵연은 국수 한 그릇을 달라고 하고는 구석 자리에 앉아 천천히 먹었다. 맵고 얼얼한 국수를 먹으니 속이 따뜻해졌다. 꾸역꾸역 먹다가 고개를 들자, 사방으로 퍼지는 자욱한 열기 속에서 맹파당의 어두운 등불 아래로 흐릿한 형체가 보였다.

전생에 사매가 죽었을 때 그는 지금보다 훨씬 멋대로 굴었던 것이 문득 떠올랐다. 삼 일 밤낮으로 떠나지도 않고 음식을 먹지도 않았다.

나중에 상천전에서 떠밀려 나와 음식을 먹으러 갔다가, 주방에서 초만녕의 분주한 뒷모습을 보게 되었다. 그는 서툰 솜씨로 만두피를 펴고 소를 만들었다. 탁자 위에는 밀가루와 물이 놓여 있었고, 물만두가 가지런히 놓여 있었다.

와르르.

탁자 위의 물건이 바닥으로 엎어지는 난폭한 소리가 지난 세월을 넘어 들려왔다. 지금 묵연은 수저를 들 수도, 음식을 삼킬 수도 없었다.

그는 그때 초만녕이 자신을 비웃는다고, 못된 마음으로 자신의 마음을 들쑤신다고 생각했다.

그러나 이제 와 생각해 보니, 아마도 초만녕은 그때 정말 죽은 사매를 대신해 그에게 물만두를 빚어 주고 싶었던 것 같다.

– 당신이 뭔데? 당신이 뭔데 사매가 쓰던 물건을 써? 당신이 뭔데 사매가 만든 걸 따라 만들어? 사매가 죽어서 만족해? 제자들을 다 죽이고 미치광이로 만들어야 만족하겠어? 초만녕! 이

세상에서 그 만두를 만들 수 있는 사람은 이제 없어! 당신이 아무리 따라 해도 똑같을 수가 없다고!

한 글자, 한 글자가 심장에 박혔다.

그는 더는 생각하고 싶지 않아 국수를 마저 먹었다.

그러나 그럴 수 없었다. 기억은 그를 쉽게 놔주지 않았다.

그는 그 어느 때보다 초만녕의 얼굴이 선명하게 떠올랐다. 기쁘지도 슬프지도 않았다. 그는 그 어느 때보다 그때의 모든 장면이 선명하게 떠올랐다.

손끝의 미세한 떨림과 얼굴에 묻은 밀가루가 생각났다.

먹음직스러운 하얀 물만두가 땅에 굴러다니던 것이 생각났다.

초만녕이 눈을 내리깐 채, 몸을 숙여 먹을 수 없는 음식을 천천히 주워 직접 버리던 것이 생각났다.

직접 내버렸다.

국수는 아직 반 넘게 남았다.

그러나 묵연은 더 먹을 수가 없어서 그릇을 밀어내고 그를 미치게 하는 그곳을 도망치듯 벗어났다. 그는 사생지전에서 길을 잃고 미친 듯이 뛰었다. 십여 년의 오해를 뒤로하고 황망했던 지난 세월을 되찾으려는 듯, 지난날 홀로 맹파당을 나간 남자를 잡으려는 듯 뛰었다.

그를 잡고 말하고 싶었다.

"미안해요. 내가 괜히 미워했어요."

묵연은 어둠 속에서 목적도 없이 뛰고 또 뛰었다……. 그러나 어디를 가나 초만녕이 있었다. 선악대에서는 그에게 글자를 가르치고 검 연습을 시켰다. 내하교에서는 우산을 들고 그와 함께 걸었고, 청천전에서는 벌을 받고 홀로 멀어졌다.

어두운 밤 아래 그는 점점 더 비참하고 무력해졌다.

어느덧 밝은 곳에 다다랐다. 갑자기 구름과 안개가 걷히고 밝은 달이 높게 떴다.

묵연은 숨을 몰아쉬며 걸음을 멈췄다.

통천탑이었다…….

그가 전생에서 죽었던 곳이자, 그와 초만녕이 처음 만난 곳이었다.

그의 심장은 북이 울리듯 빨리 뛰었고, 눈앞이 어지러웠다. 그는 물밀듯이 몰려오는 지난날에 쫓겨, 버틸 수도 피할 수도 없이 결국 이곳으로 내몰렸다.

그윽하고 아름다웠던 달밤에, 임과 처음 만났다.

묵연은 마침내 더는 달리지 않았다. 그는 자신이 다시 태어날 수 없다는 걸 알고 있었다. 그는 이번 생에 초만녕에게 빚을 졌다.

그는 천천히 계단을 올라 여전히 풍치 있는 해당화 나무 아래에 섰다. 손을 뻗어 말라 버린 나무를 쓰다듬었다. 심장에 박인 굳은살처럼 딱딱했다.

초만녕이 죽은 지 사흘이 지났다.

고개를 들자 문득 보들보들하고 변함없이 아련한 나무가 눈에 들어왔다. 그제야 밀려오는 참을 수 없는 슬픔에 그는 이마를 나무에 기대고 목 놓아 울었다. 눈물이 비처럼 쏟아졌다.

"사존, 사존……."

그는 웅얼거리며 같은 말을 반복했다. 초만녕을 처음 봤을 때

했던 그 말이다.

"저 좀 보세요……. 제발 저 좀 봐 주세요……."

모든 것이 그대로였고, 사람만 없어졌다. 통천탑 앞에는 그만 남았다. 아무도 그를 신경 쓰지 않았고, 아무도 다시 오지 않았다.

환생한 묵연은 비록 소년의 모습을 하고 있지만, 속에는 서른두 살 답선군의 영혼이 들어 있었다. 그는 너무나 많은 삶과 죽음을 마주했고, 세상의 단맛과 쓴맛을 보았다. 부활한 뒤로 그는 마음속의 희로애락을 분명하게 드러내지 않고 항상 가면을 쓴 것처럼 행동했다.

그러나 지금 이 순간, 그의 얼굴에는 아득함과 고통이 적나라하게, 치졸하게, 순수하게, 미숙하게 드러났다.

오직 이 순간 그는 스승을 잃은 평범한 소년처럼, 버림받은 아이처럼, 집을 잃어 돌아갈 곳 없는 외로운 강아지처럼 보였다.

그가 말했다. 저 좀 봐 주세요.

제발 저 좀 봐 주세요…….

그러나 그에게 돌아오는 대답은 그저 바스락거리는 나뭇잎과 무성한 꽃잎 소리뿐이었다.

지난날, 해당화 아래에서 미목[#14]이 수려하던 그 사람은, 이제 다시는 고개를 들어 볼 수 없었다. 마지막 한 번이라도.

#14 미목 얼굴 모습을 이르는 말

97장 사존의 세 번째 무기

이날 밤, 묵연은 해당화 나무에 기대어 잠들었다.

사생지전 수많은 곳이 초만녕이 살았던 흔적으로 가득했다. 추모하기에는 홍련수사가 더할 나위 없이 훌륭했다. 그러나 그는 오직 이 나무에 기대어 있을 때만 마음이 아프지 않았고, 조금이나마 속세의 기운을 느낄 수 있었다.

한때 그는 초만녕을 스승으로 모신 것이 가장 큰 불행이라고, 처음부터 잘못된 것이라고 생각했다.

그러나 오늘에서야 깨달았다. 불행한 사람은 묵미우 자신이 아닌, 무성한 꽃나무 아래에서 고개를 숙이고 깊은 생각에 잠긴 초만녕이었다.

'선군, 선군, 저 좀 봐 주세요.'

그는 처음으로 스승에게 했던 말을 희미하게 기억하고 있었다. 아마 이런 말이거나, 혹은 문장이 조금 다를 수도 있다. 너무 오래돼서 그도 선명하게 기억나지 않았다.

그러나 속눈썹을 들어 올리던 초만녕의 망연하면서도 살짝 놀란 얼굴은 또렷이 기억났다.

다정한 얼굴이었다.

묵연은 꽃나무 아래 누워서 만약 스승을 선택하던 날로 시간을 되돌릴 수 있다면, 무슨 일이 있어도 초만녕에게 제자로 받아 달라 매달리지 않겠다고 생각했다.

그 순간의 눈빛으로 치른 대가가, 무궁무진한 갈등과 초만녕의 목숨이 되었으므로.

두 번의 삶이었다.

그는 모두 자신의 손에 망가졌다.

두 번의 삶이었는데…….

목구멍에서 뭔가 울컥 치밀어 올라, 그는 흐느끼며 눈을 감았다. 그는 만 마리의 개미에게 심장이 뜯겨 나가는 듯한 아픔 속에서, 한참이 지나고 나서야 서서히 잠들었다.

그리고 환생한 뒤 함부로 건들지 못했던 기억이 꿈속에서 족쇄를 풀고 칼을 치켜들어 그의 심장을 후벼 팠다.

그때 이미 묵연은 정상에 올랐고, 초만녕도 이미 영핵을 다해 궁 깊은 곳에 연금되어 자유를 잃었다.

몇 차례 연속으로 암살 습격을 받았다. 마지막 암살은 심지어 설몽과 매함설이 연합까지 했다. 묵연은 법력이 강해 그 자리에서 목숨을 잃지는 않았지만, 중상을 입고 궁에서 한 달이 넘게 요양을 하고 나서야 기력을 회복할 수 있었다.

비가 많이 내리는 촉 땅은 그때도 비가 부슬부슬 쉬지 않고 계속 내렸다.

묵연은 두꺼운 비단 장포를 걸치고 옥 같은 손으로 겉옷을 잡은 채 복도에서 캄캄한 하늘을 내려다보고 있었다. 표정은 통쾌하면서도 광기 어렸다. 그는 아무 말도 하지 않았지만, 그 누구라도 그의 삐뚤어진 인성을 느낄 수 있었다. 그의 얼굴은 수려했지만 눈빛은 어둡고 난폭한 게, 온정이라고는 조금도 찾아볼 수 없었다.

높은 상석에 오래 앉아 있을수록 음산함이 더욱 선명해졌다.

뒤에서 들려오는 발걸음 소리에 그는 뒤돌아보지도 않고 말했다.

"왔어?"

"곤륜 답설궁을 가겠다고?"

초만녕의 목소리가 대전에 울렸다.

묵연이 말했다.

"그렇다면."

"……내게 약속한 걸 잊은 것이냐? 설몽의 목숨을 해하지 않겠다고 했잖아."

묵연이 차분하고 부드럽게 말했다.

"사존은 제 상처는 어떤지, 바람에 춥지는 않은지 물어보지도 않고, 오직 제가 누굴 죽이고 말지에만 신경이 쓰이시나 봅니다?"

"묵미우, 나중에 스스로 후회할 짓을 하지 말라고 알려 주려고 온 것이다."

"하, 후회? 후회할 사람은 사존이겠죠. 유풍문을 몰살할 때, 당신은 나와 생사를 건 싸움을 벌이다 영핵이 산산조각 났습니다. 이제 저는 답설궁을 도륙하러 가겠지만, 당신은 범인과 다를 바 없어서 저를 대적할 능력도 없겠죠. 예전에 괜한 참견을 한 게 아닌지 후회는 안 되시나 봅니다?"

그러고는 고개를 돌려 초만녕을 바라보았다. 그는 입가에 잔인한 미소를 띠고 반짝거리는 눈으로 말했다.

"초만녕, 당신은 이제 쓸모없는 인간일 뿐인데 뭘로 날 막을 생각이지?"

정말 아무것도 가진 것이 없어서인지, 초만녕은 한참 동안 아무 말도 하지 못했다.

천둥소리와 함께 쏟아지는 비는 기와와 대들보를 타고 흘렀다.

초만녕은 눈을 감았다가 다시 뜨면서 나지막이 말했다.

"가지 마라."

검은 장포를 펄럭이며 묵연은 뒤돌아 갔다.

그의 뒤로 사나운 날씨의 잿빛 하늘이 펼쳐졌다. 그는 대전 안에 있는 초만녕을 보다가 말했다.

"왜 가지 말라는 거지? 난 설몽에게 기회를 줬어. 그해에 당신이 그를 위해 기꺼이 내 앞에 굴복했을 때, 난 약속을 지켰지. 당신을 갖고 그의 목숨을 살려 줬어. 그런데 지금 그가 날 죽이려고 한다. 어디 말해 봐. 내가 왜 가면 안 되지?"

"……."

"왜? 왜 말을 못 해?"

묵연이 차갑게 웃었다.

"훈계하고 욕해 봐, 초만녕. 당신 잘났잖아? 다 알아, 설몽은 당신이 애지중지하고 가장 자랑스럽게 생각하는 제자지. 당신은 설몽은 순수하고 깨끗하게 여기면서, 나는 그의 신발 밑창의 진흙으로 생각하잖아."

"됐다."

초만녕은 애써 무언가를 참는 듯이 창백한 얼굴로 미간을 찌푸렸다.

"안 됐어! 되긴 뭐가 돼?"

그의 모습에 묵연은 마음속의 잔인함이 깨어나는 듯했다. 격노, 광희, 증오, 질투, 온갖 격렬한 감정이 불에 기름을 끼얹은 듯 그의 마음을 태웠다.

그는 번뜩이는 눈으로 서성거렸다.

"두 번째 기회는 없다. 초만녕, 그에게 두 번째 기회는 없다고. 난 그를 죽여서 가죽을 벗겨 밟고, 해골에 술을 따라 마실 거야! 난 그 녀석의 내장을 뜯어내고 살점을 다져서 국으로 만들어 먹을 거란 말이야! 당신은 날 막을 수 없어! 초만녕, 당신은 날 막을 수 없다고!"

그의 눈은 벌겋게 달아올랐다. 말할수록 통쾌함에 이성을 잃은 미치광이가 됐다.

별안간 손이 그의 옷깃을 잡고 뺨을 때렸다.

"언제까지 이럴 거냐!"

초만녕의 얼굴이 너무 가까이 있어서 그는 상대방의 떨리는 속눈썹도, 젖은 눈도 보였다.

"묵연…… 제발 정신 차려라, 정신 차려……."

"뭘 정신 차려!"

뺨이 화끈거렸지만 그는 더 미친 듯이 날뛰었다. 그는 초만녕을 노려보며 불같이 화를 냈다.

"내가 무슨 정신을 차려! 아직까지 꿈을 꾸는 건 당신이잖아! 눈이 멀었어?"

그는 상대를 밀쳐 내고 자신의 옷깃을 풀어 피가 배어 나온 붕대를 보여 줬다.

"눈이 먼 건 당신이야!"

그가 악을 쓰며 옷깃을 가리키다가 그것으로는 부족했는지 붕대를 찢어 피 묻은 상처를 보여 줬다…….

"누가 이랬는지 알아? 당신의 제자가! 설몽이! 그 녀석의 용성이 조금만 빗나갔어도 난 죽었다고! 말해 봐, 내가 왜 그놈을 놔줘야 하냐고!"

묵연은 악에 받쳐 소리 질렀다.

"당신 눈에는 걔 목숨만 목숨이고 난 아무것도 아니지, 그렇지?"

치밀어 오르는 원망에 묵연은 초만녕의 손을 낚아채 피가 흐르는 상처에 갖다 댔다.

"날 막고 싶어? 좋아, 기회를 줄게. 내 심장을 파내! 초만녕, 어디 능력 있으면 내 심장을 뜯어내라고!"

"……."

초만녕의 손끝이 떨렸다. 너무도 차갑고 너무도 싸늘했다.

그를 뚫어지게 보는 묵연은 너무 격분하여 포악했고, 목의 핏줄이 쉬지 않고 떨렸다.

묵연이 가라앉은 목소리로 말했다.

"꺼내라고."

기와와 처마에 억수같이 쏟아지는 빗소리는 불안했고 미쳐 날

뛰는 듯했다.

빗소리 외엔, 쥐 죽은 듯 고요했다.

그 누구도 아무런 기척을 내지 않았다.

한참이 지나서야 묵연은 초만녕의 손을 놓고 천천히 숨을 몰아쉬며 낮게 말했다.

"설자명과 매함설의 목숨은 반드시 내가 가진다."

"……."

"제가 밉겠죠, 사존."

묵연이 말했다.

"어쨌든 현생에서 저는 이 모양입니다. 우리도 이번 생은 그냥 이렇게 살아요. 돌아갈 수도 없으니 칠흑 같은 어둠 속을 걸어갑시다. 황천길에 옛 친구나 많이 데려가죠."

그날 초만녕은 멀어지는 어두운 뒷모습을 보며, 마지막 한마디를 뱉었다.

"묵연, 네가 답설궁을 멸하고 설몽을 죽인다면 나도 네 눈앞에서 죽을 것이다. 너와 거래할 것은 없지만, 적어도 난 죽음은 선택할 수 있어."

그의 말에 묵연은 멈칫했다가 잘난 얼굴로 돌아봤다. 어둑어둑한 비바람 속에서 활짝 웃었다.

"본좌가 있는 한, 당신은 죽을 수 없어."

"……."

"당신의 피가 싹 다 빠지더라도 나는 당신을 염라전에서 끌어낼 수 있어. 이번 생에 당신이 아무리 날 역겨워해도 나와 함께 해야 해."

광기를 분출한 묵연은 평소의 음침하고 차가우며 침착한 얼굴로 돌아왔다. 그가 말했다.

"내 소중한 사존, 얌전히 사생지전에 계세요. 내가 설몽을 잡아 오면 그에게 제대로 보여 줘야죠. 그가 밤낮으로 걱정하던 천신이 이제 내 아래에서 얼마나 음탕한지 말이에요. 그래도 한때 동문이었는데, 죽기 전에 알 건 다 알아야죠."

그러나 묵연이 생각하지 못한 것이 있었다. 초 종사는 그래도 초 종사였다.

한 달 뒤, 묵연은 자신의 호언장담을 실천했고, 그는 곤륜산의 천지 호수 앞에 우뚝 섰다. 매함설과 설몽은 이미 생포되어 얼음 기둥에 속박됐고, 진롱기국은 답설궁의 수많은 사람들의 정신을 지배하여, 매함설과 설몽이 보는 앞에서 그들이 서로 죽이고 죽게 만들었다.

우뚝 선 새하얀 설산은 순식간에 피로 물들었다. 피로 빨갛게 물든 천지는 산봉우리에 스며들었다.

묵연은 여유롭게 답설궁 궁문 앞에 앉아 시종이 가져다준 포도를 먹으며 배시시 웃는 얼굴로 눈앞의 광경을 구경했다.

그는 초점을 잃은 설몽에게 물었다.

"몽몽아, 예쁘지 않아?"

"……."

설몽은 청력을 잃은 듯 아무런 반응이 없었다.

이에 만족한 묵연은 더 정답게 웃으며 다시 물었다.

"형이 보여 준 공연은 마음에 들었어?"

"……답설궁은 놓아줘."

문득 들리는 미약한 속삭임에 묵연은 눈을 깜빡이며 물었다.

"뭐라고?"

"답설궁은 놓아줘."

설몽의 눈에서 항상 활활 타오르던 빛은 이제 사라졌다.

"그들이랑 매함설은 놓아줘……. 지난번 암살 때 널 노린 건 나였어. 죽이려면 날 죽여. 다른 사람은 건들지 마."

묵연이 실성한 듯 웃었다.

"나랑 흥정하려는 거야?"

"아니야."

설몽은 공허하게 두 눈을 뜨고 말했다.

"네게 부탁하는 거야."

하늘의 총아가 '네게 부탁하는 거'라고 말했다.

마음속의 악마가 즐겁다는 듯, 묵연의 눈이 흥미롭다는 듯 반짝거렸다. 그는 설몽의 턱을 움켜잡고 강제로 고개를 들어 자신을 보게 했다. 입을 떼려던 순간, 하늘가에서 옥색 빛이 빛났다.

"무슨 일이지?"

그가 데려온 호위가 대답하기도 전에 높은 설봉 위에서 눈부신 빛을 사방으로 내뿜는 법진이 수천 리를 뻗어 나가 곤륜산을 뒤덮었다.

법진 위에는 초만녕이 눈처럼 새하얀 옷을 펄럭이며 구름 위에 서 있었다.

그의 앞에는 기이한 모양의 고금이 펼쳐져 있었다. 그가 새카만 고금 끝을 들어 올려 빙그르르 돌리자 무성한 가지와 잎이 흩어졌고, 그 위로 해당화의 이슬이 떨어지며 빛이 여기저기로 흩뿌려졌다.

초만녕의 세 번째 무기, '구가'였다.

98장 사존의 마지막 말

묵연은 오싹했다.

묵연은 이생에서 초만녕의 구가를 딱 한 번 본 적이 있었다. 그런데 생사를 건 대결을 펼치는 지금, 초만녕이 고금 구가를 소환한 것이다. 악기 소리는 비단을 찢고 허공을 갈랐고, 가느다란 선율이 구름 속에 스며들었다.

진롱기국에 조종당하던 사람들과 요괴와 짐승들은 구가의 소리에 의식을 되찾았다. 긴 곡조는 묵연의 백만 바둑돌 군대를 혼란에 빠트렸다.

신무를 소환하려면 영핵을 제어하고 대량의 영력을 소모해야 했다.

초만녕은 항상 쓰던 천문을 소환할 수도 없는 지경인데, 어찌 갑자기 천문보다 강한 '구가'를 소환할 수 있는 거지?

천지 위에서 벌어진 치열한 전투의 기세는 스승과 제자의 목숨을 건 대결이나 마찬가지였다.

그러나 묵연은 그런 자세한 것까진 기억하지 못했다. 격전 끝에 그의 곁에는 대화할 수 있는 사람이 더는 남지 않았으니 말이다.

사실, 전생에서 묵연은 죽을 때까지 초만녕이 왜 혼백의 힘을 이용해 구가를 소환했는지 이해하지 못했다.

이는 그 어떤 신무와 주인에게도 없는 구속이었지만, 초만녕은 해냈다.

그날, 묵연이 만든 진롱기국은 고금 소리에 산산조각이 나서 가루가 되었다. 구가의 힘은 그가 수년 전 처음 봤을 때보다 더 순수하고 강해졌다. 너무 강해서 초만녕의 영핵이 전혀 부서지지 않았으며, 수년간 초만녕이 연기를 하며 큰일을 도모하기 위해 치욕을 참다가 설욕하는 것이라고 의심할 정도였다.

나중에는 심지어 차라리 그랬으면 좋겠다고도 생각했다. 만약 초만녕이 정말 연기한 것이라면, 그럼 일이 최악으로 치닫지 않았을 수도 있지 않을까 생각했다.

그랬다면 얼마나 좋았을까.

구가는 묵연의 금지 술법을 파괴하고, 정신을 잃은 채 서로 죽이던 수사들을 정신 차리게 만들었다. 심지어 설몽과 매함설을 가두고 있던 얼음 기둥까지 부쉈다.

구름 속으로 뛰어오른 묵연의 장포가 펄럭였고, 눈에는 분노와 기쁨이 동시에 담겼다. 그는 초만녕이 아직 보여 준 적 없는 놀라운 초식이 대체 얼마나 남았는지 궁금했다.

그는 결계 위를 밟으며 다가가 초만녕 앞에 섰다.

고금의 현을 쓰다듬는 창백하고 기다란 손이 느려지더니, 악기 소리가 멈췄다.

초만녕이 고개를 들었다. 하얀 얼굴은 햇빛이 반사된 눈얼음 같았다.

그가 말했다.

"묵연, 이리 와라."

묵연은 귀신에 홀린 듯 그에게 다가갔다.

초만녕이 손끝을 가볍게 움직이자 푸른빛이 묵연을 향해 날아가더니 그의 가슴으로 다가갔다. 묵연은 초만녕이 자신을 죽이려는 줄 알고 순간 철렁했다.

그러나 빛은 아프지도 간지럽지도 않았다. 그의 가슴팍에서 맴돌더니 서서히 피부 속으로 스며들었고, 표현할 수 없는 따스함이 느껴졌다.

"설몽이 너에게 남긴 상처는 내가 대신 치료했다."

초만녕이 조용히 한숨을 뱉었다.

"그를 놓아주거라, 묵연. 그마저 없으면 앞으로 지난 일을 이야기할 사람이 누가 있겠느냐……."

그의 말이 무슨 뜻인지 깨닫기도 전에 발아래에 있던 강력한 결계가 돌연 사라졌다. 그와 동시에 초만녕이 소환한 구가의 소리도 사라졌다.

묵연은 곧바로 손을 들어 맥도 불귀를 소환해 구름 끝에 섰다. 그러나 초만녕은 시들시들한 나뭇잎처럼 떨어졌다. 조금 전 그 곡으로 그에게 남은 마지막 기력을 모두 소진한 것이다.

"만녕!"

묵연은 아연실색하며 검을 타고 하강했다. 차가운 천지에 빠지기 전 그를 품에 안았다.

"초만녕! 다…… 당신……."

눈을 감고 있는 초만녕의 코와 두 눈 그리고 귀에서 끊임없이 피가 흘렀다.

그에게 있어서 존엄은 매우 중요했다. 무산전에 갇혀 있을지언정 변함없이 허리를 굽히지 않았고, 고통스러워하는 모습도 잘 보여 주지 않았다. 그런데 지금의 그는 얼굴의 모든 곳에서 피가 흘렀고, 항상 청렴하고 고상하던 자태는 꼴사납고 추했다.

초만녕은 입 속의 피를 삼키며 잠긴 목소리로 말했다.

"네가…… 난 생사를 결정하지 못한다고 했지……. 하지만 잘 봐라, 묵연……. 넌 결국 네 사존을 얕잡아 본 거다. 내가 떠나겠다고 마음먹으면, 네가 말려도…… 말리지 못해……."

"……사존…… 사존……."

그를 보던 묵연은 마음 깊은 곳에서 서늘함이 솟구치고, 온몸이 무감각해져 어쩔 줄 몰라 울부짖었다.

웃어 보이는 초만녕의 표정은 어딘가 후련했다.

"구차하게 살면서도 아쉬웠다. 줄곧 생각했어. 너와 몇 년을 더 보내면서 잘 가르치고 싶다고…… 더 많은 죄를 짓지 않도록……. 그런데 이제…… 이제는……."

묵연은 덜덜 떨면서 품속의 사람을 껴안았다. 그는 문득 두려움이 밀려왔다.

무서웠다.

십여 년 동안 느껴 보지 못한 감정은 갑자기 그를 덮쳐, 썩은 나무를 꺾듯 너무나 쉽게 그의 심장을 후벼 팠다.

"이제야 깨달았다. 내가 죽어야만 너를…… 더는 악하게 만들지 않을 수 있다는 것을……."

그는 너무나도 고통스러워 보였다. 억지로 구가를 소환한 그의 몸은 부담을 견디지 못했다. 내장을 다쳤는지 피가 울컥 쏟아졌다. 그를 안고 천지 가장자리로 내려온 묵연은 실성한 듯 고통스러워하며, 쉬지 않고 그의 가슴에 대고 영력을 불어넣었다.

강한 힘이 초만녕의 몸에 닿았지만 아무런 반응이 없었다.

묵연은 안절부절못했다. 답선군은 품에 안은 사람을 껴안았다. 죽을힘을 다해 껴안았지만 번번이 실패했다. 그래도 다시 영류를 그에게 나눠 주려 했다.

"소용없다……. 묵연, 나는 내 생명으로 마지막으로 구가를 소환했어. 죽음은 이미 정해졌다. 만약 네…… 마음속에 빛이 조금이라도 남아 있다면…… 부탁이니…… 놓아줘……."

누구를 놓아 달라는 거지?

설몽, 아니면 매함설?

곤륜의 답설궁, 아니면 수진계?

알겠어, 알겠다고……. 그는 다 놓아줄 수 있었다! 초만녕만 살 수 있다면, 자신이 뼛속 깊이 미워하는 사람이 이렇게 죽지만 않는다면 말이다.

초만녕은 떨리는 손을 들었다. 차가운 손끝으로 동정심으로, 또는 다정함으로 묵연의 이마를 살짝 건드렸다.

그가 말했다.

"제발…… 놓아줘……. 너 자신을 놓아줘……."

묵연의 표정이 일그러지더니 순식간에 굳었다.

누굴 놓아주라는 거야…….

그는 죽음을 앞두고 누구를 걱정하는 거지?

너 자신을…… 놓아줘…….

그가 이렇게 말한 게 맞아?

답선군은 그를 껴안았다. 막연하면서도 마음이 놓이는 듯했고, 고통스러우면서도 만족스러운 것 같았다.

"날 놓으라고? 당신의 유언이 날 놓아주라는 거야?"

웅얼거리는 묵연의 눈이 붉게 물들었다. 그는 갑자기 웃음을 터트렸다. 웃음소리는 사나운 불길처럼 하늘을 뚫고 모든 이성과 의식을 불태웠다.

"하하하…… 하하하하하……. 날 놓아주라고? 초만녕, 당신이 나보다 더 미쳤군! 당신도 참 순진해……. 하하하하하……."

곤륜산에 그의 새된 슬픈 웃음소리가 울려 퍼졌다. 비틀리고 흉한 두려운 소리였다.

초만녕은 광기 어린 묵연의 웃음소리 속에서 피를 삼켰다. 그에게 기력이 있었더라면 매우 고통스러운 표정을 지었겠지만, 얼굴을 찌푸릴 힘조차 남아 있지 않았다. 오직 봉안만…… 한때 날카로웠던, 또는 단호했던, 또는 매서웠던, 또는 부드러웠던 봉안만이 비통함을 가득 담고 있었다.

천지의 눈처럼 맑았고, 기와 위에 맺힌 성에처럼 흐렸다.

초만녕의 눈은 서서히 초점을 잃었고 서서히 힘이 풀렸다. 빛으로 반짝이던 예리한 눈은 조금씩 생기를 잃었다.

그는 마지막으로 묵연에게 조용히 말했다.

"그만 웃어라. 네가 이러면, 내 마음이 너무 아프다……."

"……."

"묵연. 이번 생에서 나중에 어떻게 됐든…… 애초에 내가 널 잘못 가르쳤다. 내가 널 저급하고 구제 불능이라고 말했고…… 내가 네게 야박했다. 살아서도 죽어서도 결코 널 원망하지 않겠다……."

창백한 초만녕의 얼굴에는 더는 핏기가 없었고 입술도 파랗게 변했다. 그는 애써 눈을 들어 묵연의 얼굴을 보려고 했다. 그는 눈을 뜨고 눈물을 흘리고 싶었으나 눈에서 뜨겁게 흘러나오는 것은 피였다. 피가 뺨을 타고 흘러내렸다.

초만녕이 울며 말했다.

"그런데 넌…… 정말 내가 그리도 미운 것이냐……. 마지막까지…… 잠시의 안녕도 나에게 줄 수 없느냐……."

그의 목소리는 점점 작아졌다.

"묵연…… 묵연…… 이러지 말고 정신 좀 차려 보거라. 고개를 돌려…… 얼굴을 돌려다오……."

정신 좀 차려 보거라…….

초만녕은 묵연에게 정신을 차리라고 해 놓고서 그 자신은 아득하게 뜬 눈으로 잠들었다.

묵연은 믿지 않았고, 믿고 싶지 않았다. 초만녕이 이렇게 죽다니.

일대종사가, 덕망이 높아 모두가 우러러본 자신의 사존이, 자신이 너무나도 미워하는 사람이 이렇게 죽어 버렸다.

자신의 품에 안겨, 피로 물든 천산 천지에서.

조금씩, 조금씩 서리로 변했고, 굳어서 얼음이 됐다.

초만녕의 얼굴은 온통 피투성이였다. 묵연은 고개를 숙여 잠시 보다가 소매로 깨끗이 닦았다.

그러나 피를 너무 많이 흘렸다. 깨끗하던 얼굴은 닦을수록 더 지저분해졌다. 묵연은 입을 꾹 다물고 화를 내며 세게 닦았다.

그렇게 얻은 것이라고는 피로 얼룩진 얼굴이었다.

더는 얼굴이 잘 보이지 않았다.

그는 결국 웃음을 멈췄다.

눈을 감고 나지막이 말했다.

"이번에는 당신이 이겼어, 초만녕. 당신의 죽음을 막지 않을게."

망설이던 그가 눈을 떴다. 깊게 가라앉은 눈은 오히려 심연의 불빛으로 활활 타올랐다.

묵연이 말했다.

"그런데 당신도 날 얕잡아 봤어. 살고 싶지 않다는 당신을 막을 수는 없지만, 당신을 죽게 둘 수 없는 나도 막을 수 없어."

묵연은 초만녕의 죽음을 알리지 않았고, 그를 사생지전으로 데리고 돌아갔다.

묵연은 이미 신통한 법술을 깨우친 뒤라서 시신이 영원히 부패하지 않도록 보존할 수 있었다. 그는 초만녕의 육체를 홍련수사에 보존하여 강제로 초만녕이 '살아 있게' 만들었다.

세상에서 그를 염려하는 마지막 사람을 그 자신이 죽였다는 걸 인정하기가 너무 힘들었다.

초만녕의 육신이 어느 날 잿더미로 변하지만 않는다면 매일 그를 볼 수 있었다.

그러자 초만녕이 죽지 않았다고 느껴졌다.

광기 어린 미움이라고 해도, 삐뚤어진 사랑이라고 해도 좋았다. 울분을 풀 수 있는, 의지할 수 있는 곳이 있었다.

답선군은 결국 완전히 미쳐 버렸다.

초만녕이 떠난 뒤, 그는 매일같이 홍련수사에 가서 그의 시신을 보았다. 처음 한동안은 악독한 눈으로 시체 앞에 서서 모진 소리를 내뱉었다.

"초만녕, 꼴좋다."

그를 비웃기도 했다.

"천하의 사람 모두를 제도하더니, 유일하게 나는 제대로 이끌지도 못했잖아. 위선자."

때론 욕을 퍼붓기도 했다.

"당신이 무슨 스승이야? 내가 눈이 삐어서 당신을 스승으로 모셨어! 이 금수 같은!"

나중에 그는 질리지도 않는지 매일 물었다.

"왜 이렇게 오래 자? 언제 일어날 거야?"

그러면서 고집을 부렸다.

"설몽은 이미 놓아줬으니까 당신도 그쯤 하고 일어나."

이런 말을 할 때마다 묵연의 곁에 있는 시종들은 그가 이성을 잃고 미쳤다고 생각했다.

묵연의 아내 송추동도 그가 미쳤다고 생각했다. 그녀는 너무 무서워서 모처럼 관계 후 기회를 엿보다가 귓가에 속삭였다.

"연아, 사람은 죽으면 환생할 수 없어. 네가 힘든 건 알지만 그래도……."

"누가 힘들어해?"

"……."

송추동은 눈치가 매우 빠른 사람이었다. 그동안 묵연의 곁에서 조심스럽게 살얼음판 위를 걷듯이 살았다. 그의 안색이 안 좋아지자 재빨리 입을 닫고 눈을 내리깔며 말했다.

"신첩이 실언했습니다."

"아니야."

묵연은 이번에 그녀를 쉽게 놓아주지 않고 눈을 찌푸렸다.

"끝까지 말해야지 왜 하다 말아? 말해 봐. 누가 힘들어해?"

"폐하……."

묵연의 까만 눈에 분노가 차올랐다. 그는 벌떡 일어나 한 손으로 송추동의 가느다란 목을 졸라 조금 전까지 자신과 뒤엉켰던 여인을 한 손으로 들어 올려 침상에 내동댕이쳤다.

그의 얼굴은 잔인한 맹수처럼 변했다.

"죽으면 환생을 못한다니, 누가 죽었는데? 누가 환생을 해야 하는데?"

묵연은 이를 악물고 사납게 한 글자 한 글자 내뱉었다.

"죽은 사람도 없고, 살아야 하는 사람도 없고, 힘들어하는 사람은 더더욱 없어!"

송추동의 입술이 파르르 떨렸다. 그녀는 발버둥 치며 가까스로 한마디 내뱉었다.

"홍련수사……"

그 한마디에 묵연은 두 눈에 핏발을 세우고 난폭하게 일어났다.

"홍련수사에 있는 초만녕은 기절했어. 무슨 말을 하고 싶은 거야! 본좌에게 무슨 지적을 하려는 거야!"

송추동은 이성을 잃은 그의 모습에 겁먹었다. 계속 이러다가 묵연이 미쳐서 무슨 짓을 저지를지 몰랐다. 그래서 도박하는 셈 치고 필사적으로 목소리를 높여 말했다.

"폐하, 홍련수사에 누워 있는 사람은 이미 죽은 사람입니다. 종일 거기에만 빠져 계시니 신첩이…… 신첩이 어찌 염려되지 않겠습니까?"

그녀는 교묘하게 묵연의 원망을 사지 않기 위해 자신의 사욕을 묵연을 걱정하는 말로 바꿔 말했다.

묵연은 그녀를 노려보며 천천히 호흡을 가다듬었다. 말이 먹혔는지 그녀에게 더는 화내지 않았다.

잠시 후 그가 말했다.

"널 걱정시켰구나."

송추동은 한시름 덜며 말했다.

"신첩은 폐하의 평안을 위해 목숨도 버릴 수 있습니다. 폐하께서 정이 깊으시다고 하지만 이렇게까지 의기소침하시면 안 됩니다."

"그럼 내가 어찌하면 되겠느냐?"

"신첩이 폐하를 위해 한 말씀 더 올리겠습니다. 제 생각에는 날을 잡아 초…… 초 종사를 묻는 게 좋을 것 같습니다……. 이미 떠난 사람이 남겨 둔 빈 껍데기를 볼수록 폐하만 고통스러우실 겁니다."

"그리고? 하지 못한 말이 있으면 오늘 다 해 보거라."

송추동은 부드러워지는 그의 안색에 마음이 놓였다.

그녀는 눈을 내리깔고 고개를 살짝 옆으로 돌렸다. 이렇게 했을 때가 사명정과 가장 닮았다는 걸 알고 있었다.

그녀는 사명정이 묵연의 약점이라고 굳게 믿었다. 그러나 어째서인지 사명정의 생김새를 모방하여 정교하게 꾸며도 묵연의 흥미를 끌지 못한다는 점이 이해되지 않았다.

변덕스러운 남자는 자신이 곁에 있는 걸 좋아했지만, 혼례를 치른 후로 고민이 있거나 술에 취해야만 만졌다. 송추동은 묵연이 여색을 매우 좋아하지 않는 것이라고 짐작했다. 어쨌든 사명정과는 큰 연관이 없는 것은 분명했다.

그녀뿐 아니라, 사생지전 전체가 몇 년 전 죽은 남자가 답선제군의 진정한 사랑이라는 것을 알고 있었다.

초만녕이 뭐라고.

송추동은 그저 그를 답선군이 애욕을 푸는 노리개라고, 이제 지긋지긋해진 남자라고 생각했다. 초만녕이 목숨으로 묵미우를 애달프게 만들고 밤낮으로 그리워하게 만들었다지만, 그녀는 이 또한 일시적인 죄책감이고 일시적인 허전함일 것이라고 생각했다.

그녀는 사명정과 빼닮은 얼굴을 가진 자신에게 홍련수사의 산송장은 상대가 안 된다고 자신했다.

그러나 묵연이 더는 미쳐 날뛰게 둘 수 없었다. 천하가 어지러웠고 사방에서 전쟁이 일어나고 있었다. 그녀는 군주를 잘못 선택한 것일까 봐 걱정됐다. 만약 묵연의 기세가 꺾인다면, 이제 더는 젊지 않은 그녀는 하늘 높이 타고 오를 수 있는 나무를 찾지 못할지도 몰랐다. 그래서 그녀는 진심으로 묵연이 다시 정신을 차리고 미친 짓을 하지 않기를 바랐다.

그래서 그녀는 망설이며 이해득실을 따지다가 용기를 내어 말했다.

“초 종사가 떠났으니 홍련수사에 어울리는 사람은 아무도 없습니다.”

묵연이 말했다.

“네 말이 맞다. 계속 말해 보거라.”

“제 생각에는, 이렇게 된 이상, 폐하께서 홍련수사만 봐도 추억에 잠겨 감정이 격해지시니 차라리…….”

“차라리?”

묵연이 인상을 썼다.

“차라리 홍련수사를 봉쇄하세요. 오직 한 주인만 모시는 정자, 그렇게 미담으로 남을 겁니다.”

99장 사존은 세상의 마지막 불꽃이다

묵연은 말없이 한참 있다가 방긋 웃었다.

"주인이 하나뿐인 정자? 그게 또 미담이라?"

그가 맨발로 차디찬 돌바닥을 천천히 밟았다. 길고 매끈한 발가락과 푸릇푸릇한 핏대가 선 발등이 송추동 앞에서 멈춰 섰다.

묵연이 다리 하나를 들어 발가락 끝으로 송추동의 아래턱을 들어 올리고는 시선을 맞췄다.

"이 말, 아주 오래전부터 하고 싶었던 거지?"

묵연은 아연실색한 그녀의 얼굴을 보며 눈을 가늘게 뜨고 미소를 흘렸다.

"송 황후, 그동안 많은 일이 있었지만 짐은 그대에게 단 한 번도 묻지 않았다. 기왕 마음속에 담아 둔 말을 쏟아 내기로 작정했으니 허심탄회하게 얘기나 해 보지."

그가 태연하게 물었다.

"최근에 있었던 일부터 시작할까. 답설궁에 갔던 날, 나는 분명 초만녕을 침전에 가뒀다. 그러니 대답해 보거라. 초만녕이 어떻게 곤륜산에 나타났을까? 누가 풀어 준 거지?"

송추동이 몸을 바들바들 떨기 시작했다.

"나는 몰라요."

그녀는 변명하기에 급급한 나머지 자신을 '신첩'이라 낮춰 부르는 것도 잊고 말았다.

묵연이 웃으며 말했다.

"좋다, 이 일은 몰랐다고 치지. 그럼 다른 일을 물어보마. 그 해 널 황후로 책봉하고 사생지전과 협력하라고 일렀다. 이후에 난 볼일이 생겨 음산으로 가야 했고, 갈 때 초만녕이 말을 듣지 않아 반성 좀 하라고 수옥[#15]에 가두었지……."

그가 이 일을 꺼내자 송추동의 낯빛이 창백해지더니 입술마저 파르르 떨기 시작했다.

"넌 감옥을 둘러본다는 이유로 초만녕을 보러 갔고, 거기서 그가 널 능멸했다고 했지……."

"네, 맞아요."

송추동이 서둘러 말을 받았다.

"하지만 폐하…… 아니 연아, 그 일은 이미 그때 다 말씀드리지 않았습니까. 초 종사가 절 수옥에서 쫓아내면서 모욕적인 말도 서슴지 않았어요. 제게 욕을 하는 것으로도 모자라 폐하까지 비난했습니다. 당시에 저는 화가 치밀어 올라서…… 그래서……."

"알겠군."

#15 수옥 水獄 물 감옥

묵연이 피식 웃으며 말했다.

"당시에 넌 화가 치밀어 올랐어. 하지만 중죄인인 초만녕을 본좌의 윤허 없이 함부로 처벌할 수도 없었겠지. 그래서 약한 체벌을 가하기로 한 거야. 그게 열 손가락의 손톱을 뽑고 손끝에 가시를 박는 거였지."

송추동이 당혹스러운 마음에 연신 변명거리를 찾았다.

"당시 폐하께서도 돌아오셨을 때, 제게 잘했다고 칭찬하셨어요!"

묵연이 옅게 웃었다.

"아…… 그랬나?"

"폐…… 폐하께서 상스럽게 말한 자에겐 그리 대해도 된다 하셨습니다. 게다가 신첩에게 형벌이 가볍다고 하시면서 그가 또 불손한 말을 하면, 열…… 열 손가락을 잘라도 된다고 하셨고요……."

그녀의 목소리가 갈수록 작아지다가 묵연의 섬뜩한 미소를 보고는 결국 온몸의 힘이 풀려 털썩 쓰러지고 말았다. 그녀의 눈에 눈물이 그렁그렁 맺혔다.

"연아……."

묵연이 얕은 한숨을 내쉬고는 웃으며 말했다.

"추동, 세월이 많이 흘러 본좌가 당시에 했던 말도, 하지 않았던 말도 잘 기억나지 않는구나."

"……."

여인은 이제 겨우 묵연의 마음속을 헤아렸다고 생각했으나, 이 말을 듣는 순간 사시나무 떨듯 몸을 떨었다.

"요 며칠 계속 꿈을 꿨어. 그날의 꿈도 꿨지. 본좌가 음산에서 돌아와 수옥에 들어가서 그의 손을 보니 온통 피범벅이 되어 문드러져 있더군…….”

묵연이 느릿느릿 말을 이어 가다가 결국엔 목소리를 쥐어짜냈고, 눈빛은 싸늘하게 빛났다.

“본좌는 달갑지가 않더군.”

송추동이 허둥대며 말했다.

“폐하, 폐하…… 아니, 연아…… 제 말을 좀 들어 보세요……. 진정하시고 좀…….”

“달갑지가 않았다니까.”

묵연은 아무것도 듣지 못한 듯 표정 없는 얼굴로 고개를 숙이고는, 몸을 한껏 웅크린 여인을 서슬 퍼렇게 바라보았다.

“나를 좀 달래 봐, 응?”

서릿발처럼 차가운 얼굴로 이렇듯 고자세로 떼를 쓰자, 오랜 세월 군주의 곁을 지킨 송추동도 닭살이 돋고 머리카락이 쭈뼛 곤두섰다. 폭풍우가 몰아칠 조짐에, 그녀는 진한 갈색 눈동자를 들어 비굴하게 무릎을 꿇고 그를 올려다보았다. 그러고는 묵연의 발아래로 기어가 납작 엎드렸다.

“알겠어요. 연아, 무엇이든 좋아요. 제가 무얼 해야 기분이 풀리시겠어요? 제가 뭐든…… 뭐든 다 할게요…….”

묵연이 허리를 굽혀 그녀의 턱을 움켜쥔 뒤 얼굴을 들어 올렸다.

그가 사랑스럽고 천진난만하게 웃었다.

마치 유풍문에서 그녀와 처음 만났을 때 지어 보인 웃음 같았다. 당시 묵연은 달콤한 보조개 미소를 지으며 그녀의 소매를 잡아당기며 지분거렸었다.

– 사매, 이름이 뭐야……? 아이참, 무서워하지 마. 해치지 않아. 그냥 얘기 좀 하자고, 응?

춥지 않은데도 몸이 저절로 떨렸다.

여러 해를 지나, 그는 그때와 같은 표정과 어조로 완전히 다른 말을 내뱉고 있었다.

묵연이 부드럽고 감미롭게 말했다.

"추동, 방금 그 말 진심일 거야. 그렇지? 본좌를 위해 무슨 일이든 다 하겠다니……."

그의 손끝이 송추동의 보드라운 입술을 훑고 지나갔다.

사명정과 꼭 닮은 얼굴이었다.

묵연의 속눈썹이 가늘게 떨렸다. 그가 태연자약한 얼굴로 꽃봉오리 같은 입술을 바라보며 마침내 입을 열었다.

"그럼, 황천길에서 본좌를 기다려."

"!"

그가 더없이 다정한 목소리로 쐐기를 박았다.

"알았지?"

송추동의 눈가에 일순 눈물이 가득 맺혔다. 슬픔이 아닌 두려움 때문이었다. 지금 묵연은 당시 그녀가 초만녕을 핍박한 일을 추궁하는 것이었고, 그녀 역시 이를 모르지 않았기에 제 결말이 아름답지 못하리라 각오는 했다. 다만 최악을 가정하더라도 장형이나 폐위에 그칠 것으로 생각한 게 문제였다. 제가 가진 용기를 모조리 쥐어짰는데도 묵연은 결국……,

그가 어떻게! 어떻게 이리도 잔인하단 말인가!

그는…… 그는…….

미친놈이었다.

미쳤다…… 미쳤어…….

묵연이 고개를 쳐들고 낮게 키득거리더니 웃음소리가 갈수록 거칠고 방만해졌다. 그는 연신 웃어 대며 문짝을 발로 걷어차더니 성큼성큼 밖으로 걸어 나갔다.

그는 풍류를 즐기듯 수천 명의 생때같은 목숨을 앗아 갔고 지금은 바로 그녀의 차례였다.

미쳤어…… 미쳤다!

묵미우가 미쳤다!

송추동은 차가운 전돌 위에 쓰러졌다. 침전 안에 신혼의 열정이 채 사그라들기도 전에 지옥의 화염이 타올랐다. 그녀가 입을 벌리고 머리를 젖히더니 바깥에서 쏟아지는 햇빛을 보려고 몸부림을 쳤다.

동틀 무렵이 되자 햇빛은 핏빛처럼 짙고 붉었다.

그녀의 눈은 실핏줄로 가득했다.

묵연의 목소리가 아득하게 들려왔다. 그는 마치 저녁 식사 준비를 분부하듯 대수롭지 않게 말했다.

"황후를 끌어내."

"폐하!"

바깥에 있던 수행 궁녀들이 아연실색하며 말했다.

"폐하, 그게……."

"기름이 펄펄 끓는 가마솥에 처넣어."

송추동은 별안간 아무것도 들리지 않았다. 망망대해에 가라앉은 것처럼 아무것도 들을 수가 없었다.

"산 채로 처넣어. 그래야 더 신나고 재미있지. 하하…… 하하하……."

그는 갈수록 멀어졌고 웃음소리와 말소리만 독수리처럼 사생지전을 오랫동안 맴돌았다.

떠오르는 해가 묵연의 그림자를 길게 늘어뜨리고, 쓸쓸한 흔적들이 땅 위에 스며들었다. 그는 느릿느릿 계속 걸어갔다.

처음에는 말쑥한 차림의 두 소년의 허상과 키 크고 호리호리한 흰옷의 사내 하나가 옆에 서 있는 듯했다.

나중에 두 허상은 사라지고 흰옷의 사내만 남았다.

다시 앞으로 걸어가자 마침내 그 흰옷의 사내도 금빛으로 일렁이는 아침 햇살 속으로 영영 사라졌다.

거룩하고 정결한 태양이 거룩하고 정결한 사람만 데려가고, 묵연 혼자만 지옥에 남겨 두었다. 그는 피의 바다에서 득시글대는 잡귀와 함께 천천히 가라앉았다.

홀로 남은 그는 걸을수록 고독하고 쓸쓸했다.

끝에 다다랐을 때, 묵연은 문득 자신이 이미 죽은 게 아닐까 의심이 들었다. 난 이미 죽은 걸까……?

그는 걸어가면서 점점 미쳐 갔다.

묵연은 자결하기 전 마지막 일 년이 떠올랐다. 간혹 구리거울을 볼 때마다 거울에 비친 괴물 같은 제 모습이 생소하게 느껴지던 때였다.

이어서 죽기 직전의 그날 저녁도 생각났다. 그는 홍련수사의 죽정(竹亭) 안에 기대어 앉아 있었고, 늙은 노복 하나만 그의 곁을 지켰다.

묵연이 나른한 목소리로 노복에게 물었다.

"유공, 본좌는 원래 어떤 사람이었느냐?"

노복이 대답하기도 전에 그가 연못에 비친 그림자를 바라보며 자문자답했다.

"본좌가 어렸을 때는 이렇게 머리를 묶지 않았던 것 같구나. 더욱이 이런 면류관은 아예 손을 대 본 적도 없었어. 그렇지 않으냐?"

유공이 탄식하며 대답했다.

"폐하의 말씀이 맞사옵니다. 이 면류관과 땋은 머리는 폐하께서 제위에 오르신 후 황후께서 고안하신 것입니다."

"아, 송추동 말이구나."

묵연이 피식 조소를 흘리며 고개를 젖히고 이화백주를 들이켰다.

"짐이 처음에는 황후가 하란 대로 했단 말이지?"

살날이 얼마 남지 않아 군주의 눈 밖에 나도 상관없던 것일까. 이 만년의 노인은 자칫 잘못하다가 목이 날아갈 수 있음에도 가감 없이 직언했다.

유공이 눈을 내리깔고 양손을 소매에 마주 넣은 채 말했다.

"맞습니다. 폐하께서 막 즉위하셨을 때 황후마마를 지극히 총애하셨습니다. 한때는 황후마마의 말이라면 모두 다 들어주셨지요. 전부…… 잊으신 것입니까?"

"잊었다?"

묵연이 웃었다.

"잊지 않았다. 어찌 잊겠느냐……."

송추동을 아내로 맞이한 후, 누군가 그녀에게 달려가 죽은 사명정과 닮은 외모 때문에 폐하의 총애를 받는 것이라고 일러 주었다.

그녀는 영리한 사람이었다. 시시때때로 사매의 행동 습관을 알아내고는 부부 생활에서 알게 모르게 써먹었다. 마치 죽은 사람이 돌아온 것처럼.

어떻게 잊겠어.

묵연이 구슬프게 미소 짓더니 면류관을 벗어 눈길도 주지 않은 채 연못에 버렸다. 깜짝 놀란 비단잉어가 물 밖으로 튀어 오르자 연못에 비친 그림자가 더 일그러졌다.

땋은 머리를 풀자 먹물처럼 새까만 머리카락이 흐트러졌고, 연못가로 몸을 기울이니 반짝이는 물빛이 그의 얼굴을 어지럽게 비췄다.

"됐다, 왕관도 버렸고 머리도 풀었다. 유공아, 본좌가 또 무엇을 해야 황제가 되기 전으로 돌아가겠느냐?"

"그건……."

"머리끈?"

묵연이 그림자를 보며 말했다.

"사생지전의 제자는 가장 평범한 파란 머리끈을 사용했었지. 그 머리끈, 궁 안에 있느냐?"

"있습니다. 폐하께서 제위에 오르신 첫해에 사생지전의 제복을 벗어 소인에게 주시고는 잘 보관하라 하셨습니다. 필요하시면 지금 가져다드리겠습니다."

"그래, 가져오너라. 머리끈 말고도 다른 게 있다면 다 가져와."

유공이 오래된 옷가지를 들고 돌아왔다. 묵연이 일어나 앉아 손끝으로 면과 마로 된 옷감을 만지자 너울진 옛 기억이 마치 시든 나뭇잎처럼 구멍 난 심장에 툭 떨어졌다. 묵연은 금세 신이 나 외투를 걸쳤다.

하지만 어릴 때 입었던 옷이라 너무 작았기에 아무리 애써도 입을 수가 없었다.

그가 불같이 역정을 냈다.

"어째서 안 맞는 것이냐! 왜 돌아갈 수 없냐고!"

묵연은 우리에 갇힌 야수처럼 제자리를 빙빙 돌았다. 얼굴은 광기로 물들었고 눈빛은 살기로 번뜩였다.

"이건 본좌의 옷이다! 본좌의 옷이 맞긴 한 것이냐? 잘못 가져온 게 아니냐! 본좌의 옷이 안 맞을 리가 없지 않느냐! 어째서 입을 수 없냐고!"

노복은 주인의 광기 어린 모습에 이미 이골이 난 상태였다.

한때 묵연이 이럴 때마다 두려움에 떨었지만, 지금은 어쩐 일인지 이 사내가 무척이나 가엾고 측은했다.

그가 옷을 찾는 건 돌이킬 수 없는 자신을 찾으려는 것이었다.

"폐하."

노복이 슬며시 한숨을 내쉬며 말했다.

"이제 내려놓으십시오. 폐하께서는 더 이상 소년이 아니십니다."

"……."

이 말에 길길이 날뛰던 묵연이 매섭게 고개를 돌려 고목처럼 거친 노인의 얼굴을 응시했다. 하지만 목이 멘 듯 아무 말도 하지 않았다. 그는 눈언저리가 벌겋게 달아오르고 가쁜 숨을 한참 몰아쉬고 나서야 겨우 입을 뗐다.

"더는 아니야?"

"네, 아니십니다."

"……돌아갈 수 없어?"

"돌아가실 수 없사옵니다."

서른두 살의 남자 얼굴에 처음으로 어쩔 줄 몰라 하는 어린아이의 모습이 떠올랐다. 그는 눈을 감았고, 목울대는 크게 꿀렁거렸다. 고개를 떨군 채 옆에 서 있던 노복은 그가 눈을 뜨는 순간 포악한 어금니를 드러내며 눈앞에 보이는 모든 것을 찢어발길 것만 같았다.

그러나 묵연이 다시 눈을 떴을 때, 눈가에는 눈물이 고여 있었다.

이 눈물이 묵연의 가슴에 타오르던 불길을 꺼뜨린 것인지도 몰랐다.

마침내 입을 연 묵연이 피로에 찌든 목소리로 말했다.

"그래…… 그렇지……. 돌아갈 수 없지……. 없을 거야……."

그가 지친 얼굴로 제복을 내려놓고 돌로 된 탁자 옆에 앉아 손바닥에 얼굴을 파묻었다.

한참이 지나 그가 입을 열었다.

"그럼 머리끈이라도 묶어야겠다."

"……폐하…… 또 어찌……."

"본좌는 이제 명을 다하였다. 죽을 때는 이롭게 가고 싶지 않구나."

이 말을 할 때도 묵연은 얼굴을 가린 손을 치우지 않았기에 어떤 표정을 짓고 있는지 알 수 없었다.

"이거라도 하면 고인이라도 같이 있는 것 같으니까."

유공이 탄식하며 말했다.

"진짜가 아니지 않습니까."

"진짜가 아니어도 상관없다."

묵연이 말했다.

"아무것도 없는 것보다 나으니."

긴 머리를 그러모아 머리끈으로 재차 동여맨 후, 해묵은 옷 무더기 속에서 가장자리 색이 바랜 머리 장식을 집었다. 어릴 때처럼 옆머리에 꽂으려고 했으나 물에 비친 그림자를 보더니, 손을 멈칫했다.

왼쪽이던가, 오른쪽이던가?

너무 오랫동안 머리 장식을 사용하지 않아 기억이 가물가물했다. 묵연은 눈을 감고 말했다.

"유공, 그때 내 머리 모양이 어땠는지 아느냐?"

"폐하, 소인은 폐하께서 즉위하신 이듬해에 입궁하여 잘 모르옵니다."

묵연이 말했다.

"나도 기억이 나지 않아. 누가 좀 알려 주면 좋으련만."

"……."

"말해 보아라. 어디에 그런 사람이 있을까? 내게 알려 줄 사람이."

묵연이 중얼거렸다.

"누가 알려 줄 수 있을까. 그때 내가…… 어떤 모습이었는지."

유공은 기다란 한숨만 내쉴 뿐 어떤 이름도 대지 못했다. 묵연도 이 노인이 대답해 줄 수 없다는 것을 잘 알고 있었다. 그가 검은색 머리 장식을 들고 좌우로 이리저리 대 본 후 마침내 왼쪽 옆머리에 꽂았다.

"여기가 맞을 거야."

묵연이 말했다.

"사존께 여쭤봐야겠다."

그는 홍련수사의 깊은 곳까지 걸어가 연못가에 다다랐다. 초만녕의 주검이 그곳에 누워 있었는데, 잠든 모습과 별반 다르지 않았다.

묵연이 땅바닥에 앉아 턱을 괴고 말했다.

"사존."

바람을 타고 연꽃 향이 은은하게 풍겼다. 붉게 물든 연못 안에 눈이 감긴 남자를 보며 그는 하고 싶은 말이 많았지만, 어떤 말부터 꺼내야 할지 알 수 없었다.

묵연은 초만녕에 대해 늘 필요 이상의 감정을 느꼈다. 그러나 온갖 감정이 뒤엉켜 너무도 복잡했기에 그를 향한 증오가 큰지, 다른 감정이 더 큰지는 분별하기가 어려웠다. 묵연은 이 사람을 어떻게 마주 봐야 할지 혼란스럽기만 했다.

예전에 그는 사무친 원한을 풀고 제 욕정을 채우기 위해 초만녕을 곁에 둔 것이라 자기합리화를 했다. 하지만 초만녕이 죽고 나서 그의 묘지도 만들었지만, 묵연은 다시는 저와 밤을 보낼 수 없는 그의 시체를 차마 묻을 수가 없었다.

차갑게 식은 채 움직일 수도, 말을 할 수도 없는 주검을 옆에 둔다 한들 무슨 소용이 있겠는가?

묵연은 스스로를 이해할 수 없었다.

수많은 일을 겪다 보니 조금이나마 남아 있던 처음 그 순수한 마음마저 이제는 완전히 잡아먹히고 말았다.

초만녕이 살아 있을 때, 두 사람은 편안하고 온화한 마음으로 함께한 적이 거의 없었다.

우습게도 초만녕이 죽고 나서야 오히려 죽은 자와 산 자 사이에서 잔인하리만치 따스한 온기가 피어올랐다. 묵연은 그를 자주 찾아갔다. 갈 때마다 이화백주가 담긴 술 단지를 들고 하염없이 바라볼 뿐, 말도 거의 하지 않았다.

이때 의병이 산을 포위했고, 그는 죽음이 임박했음을 느꼈다. 다른 건 변함없지만 사람만 달라진 사생지전에서 초만녕의 주검은 그와 함께한 유일한 친구가 되었다.

묵연은 문득 이 싸늘한 주검과 대화가 하고 싶었다. 어쨌든 초만녕은 이미 한 구의 시체가 되어 반항할 수도, 자신을 비난할 수도 없었고 묵연이 무슨 말을 하든 그저 얌전히 듣고만 있을 터였다.

그러나 묵연은 입술만 달싹일 뿐 목이 메어 말이 나오지 않았다.

마침내 그가 겨우 한마디를 내뱉었다.

"사존, 저 좀 봐 주세요."

100장 사존의 사존

“사존, 저 좀 봐 주세요.”

이는 두 사람이 통천탑에서 처음 만났을 때 묵연이 처음 건넨 말이었다.

그때 눈을 감고 있던 초만녕은 묵연의 부름에 눈썹을 스르르 들어 올렸다.

이는 두 사람이 홍련수사에서 이별할 때 묵연이 마지막으로 건넨 말이기도 했다.

그때도 눈을 감고 있던 초만녕은 묵연의 부름에 끝끝내 고개를 들지 않았다.

통천탑에서 떨어진 이 말은 그렇게 반평생을 떠돌다가 결국 홍련수사 연못가에 내려앉아 최후를 맞았다.

그동안의 원한도, 사랑도 다 흩어지더니 모조리 얼어붙었다

마지막 남은 이화백주까지 입에 몽땅 털어 넣은 묵연은 사생

지전의 남봉을 걸었다. 그의 마지막 날, 석양이 질 때까지 그렇게 걷고 또 걸었다. 이튿날 무산전을 공격한 의병은 십 년 넘게 천하를 벌벌 떨게 한 답선군의 주검을 발견했다. 스스로 생을 마감한 그의 나이는 고작 서른둘에 불과했다.

이제 두 번의 생이 지났다.

묵연이 눈을 떴다.

통천탑 앞에 있는 꽃나무 아래에서 하룻밤 자고 일어났을 때, 그는 여전히 망연자실한 모습이었다. 지금이 어떤 밤인지 알 수가 없었다.

그가 무의식적으로 중얼거렸다.

"사존…… 저 좀 봐 주세요……."

이제야 실감했다. 이번 생에서, 초만녕을, 다시 볼 수 없다는 걸.

전생에 묵연이 고된 나날을 습관처럼 보내는 동안 초만녕은 마지막까지 그와 함께했다. 이번 생에서 묵연은 더는 악인이 되지 않으려 했지만, 정작 초만녕은 그를 볼 수 없게 되었다.

하늘도 보기 안타까웠던 걸까, 아니면 그저 하늘의 섭리였던 걸까. 전생에 초만녕이 자신에게 진절머리가 나, 현생에서는 가장 먼저 자신의 곁을 떠났던 것일 수도 있다…….

묵연이 팔을 들어 얼굴을 가리고는 터져 나오는 울음을 참았다.

멀리서 조카를 찾는 설정옹의 애타는 목소리가 들려왔다.

"연아! 연아, 어디 있느냐? 연아!"

사매 역시 그를 찾고 있었다.

"연아, 어딨어……. 빨리 나와 봐……."

"연아, 옥형 곁에 있어 줘야지! 허튼 생각일랑 하지 말고. 연아!"

옥형 곁에 있어 줘야지.

그의 곁에…….

묵연은 자리에서 일어나 목소리가 들리는 쪽으로 비틀거리며 걸어갔다.

여기서 무너지면 안 돼, 여기서 무너지면……. 아직 할 일이 많아. 배후 세력은 찾지도 못했잖아. 천열이 재연될 수 있다는 것은 논외로 치더라도, 이번 재난으로 막대한 피해를 본 사생지전에서 해야 할 일이 산더미였다……. 설몽은 슬픔이 극에 달해 일어나기는커녕 정신까지 온전치 못했다. 그러니 자신은 무너지면 안 되었다.

그는 마음을 다잡았다.

스스로 암시를 걸었다. 아프지 않다, 아프지 않다.

초만녕의 죽음은 그전에도 한 번 겪었으니 아프지 않다.

아프지 않다…….

어찌 아프지 않을 수 있는가!

자신을 업은 채로 3천 개가 넘는 계단을 기다시피 올라간 사람인데, 어찌 아프지 않을 수 있을까…….

마지막 한 줌의 영력까지 전부 소진하고 모든 영류를 자신에게 준 사람인데, 어찌 아프지 않을 수 있을까…….

본인도 중상을 입었으면서 제자의 안위를 위해 냉혈한인 척 가장하고 홀로 떠난 사람인데…… 어찌 아프지 않을 수 있을까…….

전생에 초만녕이 입은 상처는 사실 사매와 마찬가지로 위중했다. 다만 그는 말을 하지 않았을 뿐이고, 말을 하지 않으니 묵연도 알 턱이 없었다.

그는 변함없이 초만녕에게 분노했고, 한없는 원망을 퍼부었으며, 완쾌되지 않은 몸으로 어렵사리 빚어 준 물만두조차 모조리 바닥에 던져 버렸다.

초만녕은 그 앞에서 몸을 구부리고 고개를 숙인 채 만두를 하나씩 주워 한꺼번에 버렸다.

어찌…… 아프지 않을 수…… 있겠어…….

어떻게 아프지 않을 수 있냐고!

내가 초만녕의 심장을 후벼 팠는데, 어찌 아프지 않을 수 있어? 어찌…….

묵연은 더 이상 발걸음이 떨어지지 않아 제자리에서 한참 동안 마음을 진정했다. 온몸이 오한이 든 것처럼 덜덜 떨렸다.

아팠다.

얼굴을 두 손에 묻고 입술을 꽉 물었다. 이내 울음소리가 붉은 피와 함께 입 밖으로 울컥 튀어나왔다.

긴 시간이 지나고 나서야 묵연은 가까스로 마음을 추스를 수 있었다.

눈가가 발갛게 달아오른 그가 고개를 들고, 깊은 한숨을 내쉬고는 끝없이 이어진 계단을 천천히 걸어 내려갔다.

무너지면 안 돼.

"백부님."

"연아, 대체 어딜 갔던 것이냐? 걱정돼 죽는 줄 알았다. 네게 변고라도 생겼다간 내 나중에 저승 가서 옥형 얼굴을 어찌 본단 말이냐?"

"제가 잘못했습니다."

묵연이 말했다.

"전 괜찮습니다. 심려 끼쳐서 죄송해요."

설정옹은 할 말을 찾지 못한 채 고개를 가로저었다. 그가 묵연의 어깨를 한참 토닥인 후 말했다.

"네 탓이 아니다, 네 탓이 아니야. 연이 네가 몽이보다 강한 아이였지…… 아……."

묵연이 갈라진 목소리로 물었다.

"설몽은요?"

"앓아누웠다. 열이 좀체 가라앉질 않아. 방금 약 먹고 잠들었다. 그나마 잠든 게 다행이야. 깨어 있을 땐 노상 울기만 해서 아무리 달래도 소용이 없어."

설정옹의 얼굴에 지친 기색이 역력했다.

"무간지옥의 천열 사건으로 수진계가 발칵 뒤집혔다. 상수진계도 사건의 전말을 조사하러 사람을 보냈어. 하나 배후의 인물이 워낙 일을 깔끔하게 처리하기도 했고, 채접진도 격전 중에 거의 폐허가 된 터라 작은 실마리조차 찾을 수가 없구나."

전혀 이상한 일이 아니었다. 배후 인물의 능력은 이미 모두의 예상은 물론이고 묵연 자신의 예상에도 한참 벗어난 수준이었다.

초만녕의 목숨을 앗아 갈 수 있는 사람이라면 단서를 쉬이 남길 리 없었다.

"상수진계, 그쪽 사람들은 어쩔 생각이랍니까?"

설정옹이 말했다.

"그쪽 각 문파와 영산에서 모여 이 일을 논의하기로 했다. 나도 내일 떠나야 하는데…… 단지 몽이가 저래서 그게 걱정이구나……."

그렇다. 채접진 사건으로 천하제일이라 불리는 대종사 초만녕이 유명을 달리했다. 상수진계가 제아무리 무관심하다고 해도 이번 일은 방관할 수준이 아니었다.

'진법으로 결계를 깬 사람이 대체 누구인가?'

'어째서 이런 일을 벌인 것인가?'

'그자가 다음에 또 무슨 일을 벌일까?'

이 세 가지 물음은 독수리처럼 각자의 마음속을 배회했다. 다들 답을 알고 싶어 했지만, 한참 조사해도 진전 없이 속수무책이라 어쩔 수 없이 협력을 도모하는 것이었다.

묵연이 말했다.

"백부님, 걱정하시지 마시고 다녀오세요. 출타 중이실 때 제가 백모님을 도와 문파의 일을 처리하겠습니다."

"그럼 되겠구나, 그럼 되겠어……. 아…… 그럼 좀 부탁한다."

설정옹이 떠나고 설몽은 온종일 넋을 놓고 있었기에 켜켜이 쌓인 문서들은 모두 묵연이 처리했다.

묵연은 공무에 몰두하며 한시도 게으름을 피우지 않았다. 일을 멈추고 생각을 하거나 잠깐 휴식이라도 취할 때면 극심한 고통과 사무친 회한이 그를 심연 깊숙이 밀어 넣어, 이미 넝마가 된 그의 영혼을 고문했기 때문이었다. 밤낮없이 일에 파묻혀서라도 끝없이 몰아치는 죄책감과 시달림에서 벗어나고 싶었다.

무간지옥이 갈라진 그때, 인간 세상에서는 음기가 왕성했다.

오랜 세월 숨죽인 채 살아온 사악한 요물들이 강호에 다시 나타나 사방팔방 해를 입혔다. 그동안 사생지전에는 도움을 청하는 서한이 산더미처럼 쌓여만 갔다. 묵연은 잠자고 먹는 것도 잊고 일에 몰두했다. 항상 동틀 무렵에 단심전에 가서 늦은 밤이 되어서야 돌아와 휴식을 취했다.

그러나 이런 갸륵한 노력에도 불구하고, 고서와 문서를 정신없이 읽다가 문득문득 초만녕이 남긴 파편에 찔리기 일쑤였다.

[……강시가 출몰하여 난동을 부리고 있습니다. 봉릉촌 여든두 집의 노인과 아이들이 무척이나 힘들어합니다. 다행히 귀 문파의 장로가 만들어 주신 '야유신'이 있어 잠시나마 막을 수 있었습니다. 그러나 이 역시 임시방편에 불과하니, 귀 문파에서…….]

촛농이 똑똑 흘러내리자 심지에서 불꽃이 부서졌다.

묵연은 정신을 차리고 나서야 이 서한을 한참 동안 넋 놓고 보고 있었다는 사실을 깨달았다. 그가 손가락으로 '야유신' 세 글자를 매만지며, 홍련수사에서 머리칼을 질끈 동여매고 줄칼을 입에 문 채 기갑인에 열심히 기름칠하던 초만녕의 모습을 떠올렸다.

묵연은 긴 한숨을 내쉬고는 손끝으로 이마를 짚어 살살 문질렀다.

이때 문 두드리는 소리가 들렸다.

"사매?"

순백색의 수수한 옷차림을 한 아름다운 청년이 걸어 들어와 손에 받쳐 든 쟁반을 묵연이 보던 문서들 옆에 놓아두었다. 그가 소매를 걷어붙이고 촛불을 밝힌 다음 부드러운 목소리로 말했다.

"연아, 종일 바빴지. 뭐 좀 먹고 해."

"……응."

묵연은 쓴웃음을 지으며 보던 것을 내려놓고 욱신대는 통증에 미간을 짚었다.

"닭고기탕을 좀 끓여 왔어. 볶음요리 몇 가지도 하고."

사매가 반찬을 놓고 그릇에 손을 대서 온도를 가늠했다.

"다행이다. 아직 따뜻해."

사매는 밥을 먹다가 문득 관자놀이 쪽으로 삐져나온 묵연의 잔머리가 눈에 띄었다. 그래서일까, 묵연의 얼굴이 여느 때보다 더 초췌해 보였다. 그가 손을 뻗어 잔머리를 살살 넘겨 주었다.

"연아."

"응?"

"그날…… 나한테 할 말 있던 거 아니었어?"

묵연은 머리가 몹시 복잡했기에 바로 이해하지 못한 채 그를 힐끗 보며 물었다.

"언제?"

"……."

사매가 입술을 다물고 눈을 내리깔며 말했다.

"천열이 일어난 그날."

"……."

"네가 그때…… 사존을 도와주러 간다고 하면서, 돌아오면 내게 할 말이 있다고……."

목소리가 갈수록 작아졌고 고개도 덩달아 아래로 꺼졌다.

촛불이 타닥타닥 일렁이는 가운데, 눈꽃처럼 하얗고 투명한 사매의 귓불이 발그레해졌다.

묵연은 그를 빤히 응시할 뿐 아무 말도 하지 않았다.

사매를 깊이 사랑하는 것은 틀림없지만, 지금은 그런 것을 생각할 마음의 여유가 전혀 없었다.

물론 천성이 뻔뻔하고 작은 일에 구애받지 않으며, 세간의 비난은 안중에도 없고 도리나 예의 따위가 무엇인지도 모르는 묵연이었지만, 그렇다고 양심까지 없진 않았다.

"미안."

긴 침묵을 깨고 묵연이 조용히 말했다.

"지금은 너무 괴로워서…… 그 얘기를 할 때는 아닌 것 같아. 나중에 얘기해 줄게, 괜찮지?"

사매가 고개를 홱 들어 올렸다. 아름다운 눈동자가 놀란 듯 흔들렸다.

묵연이 텁텁한 웃음을 지으며 손을 뻗더니 잠시 주춤하다가 사매의 머리를 쓰다듬었다.

"나는 늘 이렇게 바보 같네. 요즘 처리할 일이 많아서…… 내가 언제쯤 모든 걸 다 털어놓을 수 있을 만큼 편해질까. 자칫 경솔할까 봐 두려워."

촛불의 따뜻한 온기도 갈수록 창백해지는 사매의 얼굴을 가려 주지 못했다.

"경솔?"

말을 멈춘 그가 돌연 방긋 미소 지었다.

"연아, 그때는 생사가 걸린 중요한 때였어. 그래서 난 네가 충분히 심사숙고한 일인 줄 알았어."

"응."

묵연이 미간을 찡그리며 말했다.

"그때 내가 하려던 말이 오랫동안 가슴속에 간직했던 건 맞아. 지금껏 변한 적도 없어. 하지만……."

"하지만?"

"……지금은 아니야."

묵연은 소매 안으로 주먹을 말아 쥐고 말했다.

"지금은 아니야, 사매. 잘은 잘 모르겠지만, 정말 중요한 말이긴 한데 이렇게 힘들고 급박한 상황에서 말하고 싶지 않아. 나는……."

"소주님!"

제자 하나가 헐레벌떡 들어왔다가 단심전에서 공무를 보는 사람이 묵연임을 알아채고 얼른 고개를 조아렸다.

"아, 묵 공자님."

갑작스럽게 대화가 중단되자 사매 얼굴을 물들인 옅은 홍조도 금세 사라졌다. 그가 소매를 정돈하고 앞으로 기울인 몸도 다시 바로잡고 앉자, 예의 그 담담하고 말끔한 모습으로 돌아왔다.

묵연은 그의 감정 변화를 알아채지 못한 채 눈을 치켜떴다.

"무슨 일입니까?"

"산어귀에 귀빈이 찾아와 보, 보고드리려고 왔습니다."

"귀빈?"

묵연이 말했다.

"10대 문파에서 제법 이름난 사람은 모두 영산에 갔는데 어디서 온 귀빈이란 말입니까?"

그 제자는 공포인지 흥분인지 알 수 없는 모습으로 횡설수설하다가, 한참 뒤에야 붉어진 얼굴로 말했다.

"그, 그게…… 무비사(無悲寺)의 회죄대사라고 합니다!"

"뭐라고요?"

답선제군 묵연조차 화들짝 놀라 벌떡 일어났고 사매 역시 놀라기는 마찬가지였다.

"회죄대사?"

묵연이 경악하는 데는 이유가 있었다. 회죄대사는 수진계에서 전설로만 전해지는 인물이기 때문이다.

대사는 일찍이 득도하여 천계로 승천해야 했다. 그러나 천계의 문이 활짝 열린 순간, 그는 그 앞에 서서 합장하고는 어지러운 속세에서 깨달음을 얻지 못했고, 일평생 집착을 내려놓지 못하였으며, 지난날의 죄악도 씻지 못했다고 독백했다. 이윽고 하늘빛이 사라지고 연꽃이 시들었을 때, 회죄대사는 누더기가 된 가사 차림으로 망장[#16]을 짚으며 홀연히 떠나 결국 신선이 되지 못했다.

승천을 거부한 대사는 무비사로 가서 폐관 수련에 들어갔고, 눈 깜짝할 사이에 백 년이 지났다.

백 년 후 수진계에서는 그의 이름만 떠돌 뿐, 실제로 그를 본 사람은 없었다. 윗세대 중에서도 강호에서 그를 보았던 사람이

#16 망장 芒杖. 억새로 만든 지팡이

손에 꼽을 만큼 드물었다.

전생에 묵연이 세상을 쑥대밭으로 만들 때도 회죄대사와 얼굴 한번 마주친 적이 없었다. 묵연이 즉위하기 일 년 전에 워낙 나이가 많았던 그는 봄비가 추적추적 내리던 중에 입적(入寂)하였고, 당시 그의 나이를 아는 이는 아무도 없었다.

그러니 환생한 후 회죄대사가 늦은 밤 저를 찾아올 줄 생각이나 했겠는가.

한순간 머릿속에 오만 가지 상념이 스치고 지나갔다. 그가 찾아온 이유는 모르겠지만, 불현듯 회죄대사를 둘러싼 풍문이 떠올랐다.

회죄…… 회죄!

묵연이 어떻게 회죄대사를 잊을 수 있겠는가!

전생에 사매가 죽었을 때, 당시 지식과 견문이 부족했던 그는 수진계에 천지를 통달한 사람이 있다는 것을 알지 못했다. 제위에 오르고 수하의 보고를 듣고 나서야 3대 금지 술법 중 하나인 '환생'과 이를 연마한 사람이 있다는 사실을 알게 되었다.

그 사람이 바로 회죄였다.

묵연은 사매의 혼을 되돌리기 위해 곧장 무비사로 수하를 보냈으나 돌아온 말은 대사가 이미 돌아가셨다는 소식이었다. 그때 그는 사매를 되살릴 마지막 기회를 놓치고 말았다.

그러나 지금은 말로만 듣던 전설의 인물이 살아 있다! 살아 있어!

어떻게 잊을 수 있겠는가?

묵연의 심장은 크게 벌렁거렸고 온몸은 덜덜 떨렸다. 그가 벌떡 일어나 안광을 반짝이며 재촉하듯 말했다.

"얼른 대사를 모셔 오십시오!"

그러나 보고하러 온 제자가 대답하기도 전에 묵연이 다시 말했다.

"아니, 제가 직접 가겠습니다."

그가 몇 걸음 가기도 전에 밖에서 황혼 빛의 그림자가 쓱 스쳐 지나갔다.

양초와 촛불이 움직임을 멈췄고, 바람 한 점 불지 않았다.

남다른 시력을 지닌 묵연을 비롯하여 누구도 그가 어떻게 들어왔는지 제대로 보지 못했다. 삿갓을 쓰고 낡은 가사를 입은 승려가 어느새 단심전 안에 서 있었다.

그는 마치 번개처럼 묵연 앞에 멈춰서 있었다.

"밤늦게 폐를 끼쳐 송구하오. 묵 시주의 수고를 덜고자 내 이리 직접 왔소."

대나무 갓이 드리운 입에서 묵직하고 온화한 목소리가 울려 퍼졌다. 묵연과 사매는 깜짝 놀랐다.

이게, 어딜 봐서 백 살 먹은 노인의 목소리인가?

대전의 호롱불에 비친 이 승려는 대나무 갓만 빼면 겨우 서른 살 남짓한 사내로 보였다. 수척한 얼굴에 풍채는 정아하면서도 호방했고, 예리하지만 위협적이지 않은 눈빛은 강물에 고인 빛처럼 맑고 온후했다.

"……당신은……."

대사가 합장하고는 고개 숙여 인사했다

"아미타불, 빈승은 회죄라고 하오."

최소 백 살은 넘겼을 터라 예상한 회죄대사가 설정옹보다 더 젊어 보였다. 생각지도 못한 상황에 모두 할 말을 잃었다.

다만 묵연은 수행의 길을 걸어오긴 했지만, 어리숙하진 않았다. 회죄는 신선이 되어 승천하기를 포기하고 자진하여 속세에 남은 사람이었기에, 마지막 탈태(脫胎)와 도겁(渡劫)을 제외하고는 신선과 별반 차이가 없으리라 묵연은 판단했다. 이에 마음이 조금 놓이긴 했지만, 시선만은 그에게서 떨어질 줄 몰랐다.

괜한 소란을 피하고 싶은 회죄의 뜻에 따라 세 사람만 단심전에 들어와 앉았다. 묵연은 대사에게 따뜻한 차를 건넸고, 회죄는 찻잔을 받아 인사만 하고는 마시지 않았다. 그가 찻잔을 자단목 협탁 위에 두고 천천히 고개를 들었다.

대사는 온화하고 정중한 모습이었지만, 말은 돌려서 하지 않고 단도직입적으로 말했다.

"묵 시주, 빈승의 무례를 용서하시오. 오늘 이곳에 온 연유는 고인 때문이외다."

묵연의 심장이 두방망이질 치기 시작했다. 갑자기 눈앞이 아찔해진 그가 탁자 모서리를 덥석 잡았는데, 워낙 강한 힘이 들어간 터라 협탁이 부러질 뻔했다.

그가 회죄대사의 얼굴을 빤히 들여다보았다. 전생에 나눈 말들이 눈발처럼 그를 덮쳤다.

— 3대 금지 술법 중 하나인 환생 주술을 익힌 사람은 세상에 단 한 명뿐이라고 합니다. 하지만 풍문은 그저 풍문일 뿐, 참인지 거짓인지는 알 수 없습니다…….

– 그 회죄대사는 어디에 있느냐? 사매만 되살린다면 뭐든 다 주겠다고 전하라!

– 폐하, 회죄는…… 수년 전에 입적하였습니다. 그자는 평생 어떠한 저술도 남겨 놓지 않았습니다. 환생에 관한 것은 그저 '하늘을 거슬러 명을 바꾸는 것은 지극히 위험한 일'이라는 말만 남겼을 뿐입니다…….

말의 파편이 귓가를 빠르게 스치고 지나갔다.

– 회죄대사는 인간과 귀신의 윤회에 관해 심오한 지식을 갖춘 자입니다.

– 듣기로는 그가 귀계를 오갈 수 있다고 합니다. 그가 인간계에 있으면 명정 사형의 영혼을 불러올 수도 있겠지만, 안타깝게도…….

– 회죄대사는 아직 이승의 귀신으로 있으며, 이승과 저승의 일에 모두 관여합니다.

숨을 깊게 들이마신 묵연은 떨리는 제 목소리에 흠칫 놀랐다.

"고인…… 고인……."

그가 혼잣말하며 회죄대사의 맑은 눈동자를 좇았다.

묵연의 목덜미에서 땀이 배어 나왔다. 그가 모기만 한 목소리로 물었다.

"고인이 누구입니까?"

대사가 천천히 일어났다. 어슴푸레한 촛불에 비친 그의 발아래에는 그림자가 없었다.

얇은 황포의 소맷자락이 아래로 축 늘어졌고, 옷은 조금 낡았지만 주름은 없었다. 바람에 너울거리는 옷자락이 마치 귀신 같았다. 아무리 봐도 정체를 알 수가 없었다.

묵연은 심장 뛰는 소리에 귀가 먹먹할 지경이었다. 무의식적으로 회죄대사를 따라 일어선 그가 대사를 마주 보았다.

"대사님."

지금 이 순간 깨끗한 거울 하나가 있다면, 그는 거울에 비친 자기 얼굴에서 희망 한 가닥을 보았을 것이다. 그리고 이 희망 때문에 그는 애원이든 사정이든 할 터였다.

"고인이…… 누굽니까?"

그 사람입니까?

그 사람이에요?

회죄가 눈을 감고 탄식하고는 합장하며 말했다.

"빈승의 제자 초만녕이 이레 전에 죽었소. 오늘 밤이 그 아이의 영혼이 돌아오는 밤이외다. 내 자식 같은 제자를 먼저 보낼 수 없기에 이곳을 찾았소. 묵 시주께서 자비를 베풀어 빈승의 제자를 불러내 주시오."

101장 사존, 제가 찾으러 왔어요

어쩐지…… 그랬었군…….

제자였다니…….

사람인지 귀신인지 모를 이 고승이 초만녕을 가르친 은사일 줄이야! 묵연은 생각지도 못한 상황에 말문이 막혔다.

반면에 사매는 재빨리 예를 갖춰 인사했다.

“대사께서 저희 사존과 사제 간이셨는지 몰랐습니다. 사매가 사조님께 인사 올립니다.”

회죄대사가 말했다.

“사조라 부를 필요 없소. 초만녕은 내 일찍이 문파에서 축출한 제자라오.”

“아!”

사매가 깜짝 놀라 눈이 살짝 커졌다.

“그럼…….”

신중한 성격의 사매는 의아한 마음이 들었지만, 침울해 보이는 회죄대사의 모습에 더는 캐묻지 않았다.

그러나 마음이 딴 곳에 있던 묵연은 끓어오르는 심장을 부여잡고 그에게 다그쳐 물었다.

"대사님, 방금 사존 때문에 오셨다고 하셨는데, 그…… 그렇다면 사존을 되살릴 방법을 알고 계시는지요?"

"연아……."

"사존의 혼을 되돌릴 수 있습니까? 절 속이려 들지 마십시오! 대사님…… 정말……."

갑작스럽게 피가 끓어오른 데다 며칠간 쌓인 피로 때문인지 일순간 머리가 핑 돌고 눈이 가물거렸다. 묵연은 말이 목구멍에 걸려 아무리 애를 써도 입 밖으로 토해 낼 수 없었고, 눈가는 이미 발갛게 물들어 있었다.

회죄대사가 탄식하며 말했다.

"묵 시주, 진정하시오. 맞소이다. 빈승은 바로 그 일 때문에 온 것이오."

백지장 같았던 묵연의 얼굴에 점차 혈색이 돌아왔다. 그가 회죄대사를 뚫어지게 바라보며 하얗다 못해 새파래진 입술을 달달 떨더니 힘겹게 입을 뗐다.

"그…… 그럼…… 정말……."

"빈승이 오밤중에 농이나 치러 여길 왔겠소?"

묵연은 더 말하고 싶었으나 목울대만 꿈틀댈 뿐 목이 메어 말이 나오지 않았다.

한참 침묵이 이어지다가 회죄대사가 말을 꺼냈다.

"환생 주술은 하늘을 거슬러 명을 바꾸는 일이라 지극히 어렵소. 빈승이 만녕에게 빚진 게 없었다면 이런 우매한 짓은 시도조차 하지 않을 것이오. 이리 사생지전에 온 것도 실은 며칠 내내 심사숙고한 후 내린 결정이외다."

"하늘을 거슬러 명을 바꿔……?"

묵연은 그 말을 입 안에서 곱씹은 후 구슬픈 목소리로 말했다.

"하늘을 거슬러 명을 바꾼다……. 저 같은 나쁜 놈에게도 명을 바꿀 기회가 있었는데, 사존처럼 좋은 사람에게 기회가 없겠습니까?"

이때 묵연은 거의 제정신이 아니었던 터라 저도 모르게 '하늘을 거슬러 명을 바꿨다'는 사실을 말하고 말았다. 그러나 워낙 모호한 말이었기에 다들 '그 역시 환생했다'고는 생각하지 못했다.

사매가 말했다.

"사조님, 명을 바꾸는 환생 주술은 어렵기 그지없는 주술입니다. 그…… 그렇다면 성공하지 못할 수도…… 있겠지요?"

"그렇소."

회죄대사가 말했다.

"이 주술은 시전자와 망자 그리고 혼백을 찾아 줄 한 사람이 더 필요하오. 환생을 할 때는 갖가지 어려움이 따르는데, 자칫 잘못하면 혼백이 산산이 흩어져 영원히 돌아오지 못할 수도 있소."

"……."

"그리하여 빈승은 여러 사람에게 폐를 끼칠 것 없이 만녕의 세 제자에게만 묻으러 왔소이다. 시주들이 그 아이를 위해 불구덩이라도 뛰어들 각오가 없다면, 빈승이 환생 주술을 걸어도 만녕은 돌아올 수 없소."

묵연은 이미 대체로 짐작은 하고 있었다.

3대 금지 술법이 금기인 이유는 일반 주술에서 필요치 않는 것을 제물로 바치고, 평범한 주술이라면 굳이 할 필요도 없는 위험을 무릅써야 하기 때문이다.

그는 마음속으로 이미 결단을 내렸다. 전생에서는 사매를 위해서라면 목숨까지 내놓을 수 있었고, 현생에서는 초만녕에게 보은하기 위해 망설이지 않을 각오가 되어 있었다.

묵연도 양심은 있었다. 다만, 전생에서는 초만녕에게 마음 한 점 나누려 하지 않았던 것뿐이다.

그가 등불에 비친 회죄대사의 얼굴을 보며 말했다.

"대사님, 설몽에게 묻지 않으셔도 됩니다. 저 때문에 사존이 돌아가셨으니 이번 일에 다른 사람을 끌어들일 필요는 없습니다. 환생 주술이 아무리 위험해도 이 묵연이 혼자 감내하겠습니다."

"연아……."

사매가 중얼거리더니 고개를 돌려 회죄대사에게 물었다.

"사조님, 대체 어떤 겁난(劫難)이기에 이리 심각하게 말씀하시는 것입니까?"

회죄대사가 말했다.

"묵 시주가 홀로 감당하겠다고 했지만, 사실 이 주술의 첫 단계는 희생을 감수하는 사람이 많을수록 일이 수월해지오. 설 시주가 오면 소상히 알려 드리리다. 산을 오르기 전에 미리 설 시주를 불러오라 사람을 보냈소."

그가 말을 끊고 사매를 보며 방긋 웃었다.

"그리고 빈승을 사조라 부르지 마시오. 아까 말했듯이 나는 이제 만녕의 스승이 아니니."

이제야 조금씩 안정을 되찾은 묵연이 물었다.

"대사님, 그럼…… 어째서 사존을 내쫓으셨습니까?"

워낙 예의에 어긋나는 질문이라 사매가 조용히 그의 이름을 불렀다.

"연아……."

"괜찮소. 말 못 할 일도 아니니."

회죄대사가 한숨을 토했다.

"빈승은 어렸을 적 은인의 보살핌을 받았소. 그러나 그분이 단명할 운이었는지, 한차례 겁난을 겪던 도중 다른 사람을 보호하다가 목숨을 잃고 말았소. 혼백까지 산산이 흩어졌다오. 백 년이 지난 지금도 그때 일을 떠올리면 여전히 아프고 괴롭소. 하여 빈승은 따로 계율을 만들었소이다. 이중 가장 엄격했던 건, 제자는 수행에만 전념해야 한다는 규율이었소. 득도하기 전까지 속세의 일에 경솔하게 나서지 못하게 해 제 목숨을 지키게 하려던 것이었소."

묵연이 착잡한 마음에 한참 있다가 입을 열었다.

"사존이 그 계율을 어겼군요."

"그렇소."

회죄대사가 쓴웃음을 지었다.

"그 아인 내 은인과 같은 성정을 지녔소. 어릴 때 사원에서 자라 세상 물정에는 어두웠지만 자질만은 무척 뛰어났소. 그대로만 수행한다면 신선이 되어 승천할 수 있는 아이였지. 하나 관례를 치를 나이가 되던 해 산을 내려가 영석을 채집했고, 그날 공교롭게도 피난민을 만났소…….”

사매가 한숨을 쉬었다.

“그랬다면 사존은 절대 보고만 있지 않았을 거예요.”

회죄대사가 고개를 끄덕였다.

“방관하지 않았을 뿐만 아니라, 그들의 정착을 돕고 무단으로 산을 떠나 하수진계를 살피러 갔소.”

“…….”

당시는 사생지전이 막 생겼을 즈음으로, 하수진계는 지금보다 더 혼란스러웠다. 그때 초만녕이 무엇을 보았는지는 말할 필요도 없었다.

“그 아이가 돌아와 잠시 수행을 멈추고 속세로 나가 어려운 사람을 돕겠다고 하더군.”

사매가 물었다.

“허락하셨나요?”

“아니오.”

“…….”

“당시에 만녕은 고작 열다섯이었소. 순수하고 열정이 넘치지만, 사람에게 쉽게 속을 수도 있는 나이였소. 그러니 내 어찌 하산을 허락할 수 있었겠소. 게다가 그 아인 내공은 높지만 체질은 약한 편이었다오. 세상천지에 위험이 도사렸고 고수는 넘쳐나니 빈승은 안심할 수가 없었다오.”

묵연이 말했다.

“하지만 사존은 대사님의 말을 듣지 않았던 거로군요.”

"그렇소. 그 일로 한바탕 크게 언성이 오갔다오. 나더러 속세의 고통이 빤히 보이는데, 온종일 높은 곳에 앉아 현실을 외면하고 승천할 궁리만 한다고 꾸짖더군."

"아!"

사매가 화들짝 놀랐다.

이 말은 다른 사람이 했어도 매몰차다고 할 만한데, 하물며 당시 제자였던 초만녕이 했으니 도에 어긋나는 무례한 말임이 틀림없었다.

회죄대사의 담담한 표정 뒤로 쓸쓸함이 느껴졌다.

"당시 마음을 비우지 못했던 빈승은 만녕에게 자신도 돌볼 줄 모르면서 어찌 남을 돕겠냐고 화를 냈소."

"사존은 뭐라고 말씀하셨어요?"

사매가 물었다.

"남을 도울 줄 모르면서 어찌 자신을 돌볼 수 있겠느냐."

일순간 장내에 침묵이 돌았다.

마지막 말이 회죄대사가 아닌 묵연의 입에서 나왔기 때문이다. 그때 초만녕이 했던 말을 묵연이 내뱉자, 회죄대사가 눈빛을 반짝이며 그를 한참 보다가 길게 한숨을 내쉬었다.

"지금도 그리 가르치나 보오. 만녕은…… 조금도 변하지 않았구려."

회죄대사는 마음이 복잡했고 묵연의 심경도 그와 다르지 않았다.

그는 초만녕의 이 말이 위선이고 공허하게 염불이나 외는 소리라고 생각해 줄곧 코웃음을 쳐 왔다. 그러나 말을 뱉고 보니 마치 불에 덴 것처럼 마음이 아프고 고통스러웠다.

한참이 지나서야 회죄대사의 깊은 목소리가 다시 단심전에 울려 퍼졌다.

"부끄럽소만, 당시는 나도 무척이나 화가 났다오. 그래서 기어코 하산하겠다면 사제의 연을 끊겠다고 으름장을 놓았소."

과거의 일이 가시가 되어 목에 걸린 듯 그가 말을 멈췄다. 이야기하고 싶은 마음과 그렇지 않은 마음에서 잠시 망설이다가 마침내 그가 고개를 가로저으며 말을 이었다.

"알다시피 만녕은 이후 사제의 연을 끊고 문파를 떠났소. 빈승은 그 애와 추구하는 바가 달랐기에 같은 세상, 같은 하늘 아래 있었으나 그 뒤로 단 한 번도 마주치지 않았다오."

사매가 말했다.

"그건 사조…… 대사님의 잘못이 아닙니다."

회죄대사가 말했다.

"누구의 잘잘못이나 시시비비는 그리 쉬이 가늠할 수 있는 일이 아니오. 하나 만녕은 한때 내 제자였소. 어젯밤 그 아이가 격전 중에 전사했다는 소식을 들은 후 그날 일이 떠올라 밤에 잠도 오지 않더이다. 하여 빈승은 만녕의 넋을 되돌릴 수 있는지 운을 시험하러 이리 온 것이오."

쾅!

정교한 조각에 붉은색으로 옻칠한 대문이 벌컥 열렸다.

문밖에는 설몽이 서 있었다. 언제 왔는지 중요한 말은 이미 다 들은 것 같았다. 그는 회죄대사가 왔다는 말만 전해 들은 채 이곳에 온 이유는 모르고 있던 터라, 그저 탕약 그릇을 끼고 조금씩 마시면서 터덜터덜 걸어왔다.

회죄대사의 그 말을 들은 순간, 설몽의 손에 있던 그릇은 으스러져 산산조각이 났고 탕약은 전신에 어지럽게 튀었다.

어린 봉황은 뜨겁지도 않은지 꽉 잠긴 목소리로 물었다.

"되돌린다고? 명을 되돌려? 사…… 사존을 구할 수 있다는 거야?"

그가 비틀거리며 안으로 들어와 회죄대사를 힘껏 잡아당겼다.

"중놈아, 지금 뭐라 했어? 감히 여기서 농지거리를 하는 거야?"

사매가 얼른 그를 말렸다.

"소주님, 이분은……."

"아니지…… 내가 무례했소, 무례했습니다."

설몽은 회죄대사가 초만녕의 은사라는 사실은 몰랐지만, 스승을 구하러 온 사람이라는 생각에 황급히 손을 거두었다.

"대사님, 사존만 살려 주신다면 불구덩이라도 뛰어들고 만 번이라도 기꺼이 죽겠습니다. 그러니 제발…… 농이 아니라고 말씀해 주세요."

회죄대사가 말했다.

"설 시주, 이럴 필요 없소이다. 빈승이 야밤에 이리 찾아온 연유도 시주의 스승 때문이니."

그가 고개를 돌려 창밖의 달을 바라보았다.

"시간이 다 되었구려. 세 분이 모두 모였으니 빈승이 환생하는 방법과 이 주술이 어려운 이유를 알려 주겠소."

사매가 말했다

"말씀하십시오."

그러나 설몽이 초조한 얼굴로 외쳤다.

"무슨 설명이 필요합니까! 사람부터 구해요! 사람부터 살리자고요!"

회죄대사가 대답했다.

"설 시주, 이는 서두른다고 되는 일이 아니외다. 반드시 알아야 할 일이 있소. 이 중 하나라도 문제가 생겼다간 시주의 목숨은 물론이고 만녕의 혼백까지 사방으로 흩어져 육도윤회[#17]에도 들어갈 수 없게 되오. 그러니 조금만 참아 주시겠소?"

"저는……."

얼굴이 화끈 달아오른 설몽이 소맷자락을 꽉 움켜잡고는 한참 뒤에야 서서히 손을 풀었다.

"알겠습니다. 대사님의 말씀부터 듣겠습니다."

회죄대사가 행낭에서 하얀 비단으로 만든 등롱 세 개를 꺼냈다. 비단으로 만든 등롱의(燈籠衣)에는 가느다란 금실이 둘러 있고, 가운데는 열세 가지 색깔의 실로 주문이 어지럽게 수놓아져 있었다. 들쑥날쑥 고르지 않은 게 마치 떠나려는 혼을 붙잡는 거미줄 같았다.

"이것은 초혼등(招魂燈)이라 하오."

회죄대사가 세 사람에게 각각 하나씩 나눠 주었다.

"이것부터 받으시오. 빈승이 이제부터 하는 말을 잘 귀담아들어야 하오."

묵연이 등롱을 건네받았다.

"사람에게는 삼혼칠백(三魂七魄)이 있소. 삼혼은 또 지혼(地

#17 육도윤회 六道輪回. 선악의 업에 따라 천도 · 인도 · 수라 · 축생 · 아귀 · 지옥의 육도 세계를 끊임없이 윤회하게 된다는 의미

魂), 식혼(識魂), 인혼(人魂)으로 나뉜다오. 사람이 죽으면 삼혼이 각자 하늘이나 황천으로 간다는 건 다 아는 사실이나, 혼백마다 어디로 가는지 시주들은 아마도 모를 것이외다."

사매가 말했다.

"말씀 부탁드립니다."

"지혼과 인혼은 저승으로 가고 식혼은 시체에 잔류한다오. 속세에서는 이렛날 혼백이 돌아온다고 알고 있소. 하나 이승에서 식혼과 다시 모일 수 있는 건 사실 인혼뿐이외다. 인혼이 돌아왔다는 건 염원을 이루지 못해서요. 그 염원을 이루고 나면, 시체에 잔류한 식혼과 하나로 합쳐져 다시 저승으로 돌아가 혼태(魂胎)와 만난 후에 환생을 기다린다오. 대부분은 이를 알지 못한 채 얕은 지식으로 환생 주술을 탐구하고 있소만, 그들이 불러내는 것은 결국 반쪽짜리 잔혼일 뿐이라 금방 사라지고 만다오."

전생에 사매가 죽고 묵연도 초혼(招魂)을 시도했으나, 회죄대사의 말처럼 달빛 아래 나풀대는 흰색 조기(弔旗) 사이로 죽은 넋의 그림자가 희미하게 보이다가 이내 반딧불이처럼 순식간에 흩어져 사라졌었다.

묵연이 중얼거렸다.

"그래서 그랬구나……."

회죄대사가 말했다.

"만녕의 식혼은 아직 시체 안에 있으니 시주들이 신경 쓸 바가 못 되오. 지금 가장 중요한 것은 그의 인혼과 지혼이라오."

설몽이 다그쳐 물었다.

"어떻게 찾습니까?"

"이 초혼등으로 찾을 수 있소. 이 등롱은 영력으로만 불을 켤 수 있으니, 각자 영류를 주입한 다음 사생지전을 두루 돌아다니시오. 만녕이 세 시주를 거부하지 않으면 초혼등의 불빛이 그 아이의 인혼을 비출 것이오."

묵연은 저도 모르게 긴장하여 물었다.

"그럼, 만약에 사존이 저흴 보고 싶어 하지 않으시면요?"

"그게 바로 첫 번째 난관이오. 그래서 넋을 찾으려는 사람이 많을수록 유리한 것이외다. 만약 그가 이승에 미련이 없다면 이미 갈 곳은 정해진 것이오."

회죄대사가 말을 이었다.

"그렇다면 초혼등도 만녕의 그림자를 비출 수 없소. 환생 주술을 할 때 시기와 장소와 사람이 모두 딱 들어맞아야 하는 이유가 바로 여기에 있소이다. 망자가 속세에 미련이 없어 돌아가지 않으려 한다면 그를 찾더라도 강요해서는 아니 되오."

"……."

묵연이 손 안의 초혼등을 꽉 그러쥐었다.

설몽이 재차 물었다.

"사존은 생전에 저희를 가장 아끼셨습니다. 어찌 안 돌아오려 하시겠습니까? 대사님, 초혼등으로 사존의 인혼을 찾은 다음에는 무엇을 해야 합니까?"

"인혼을 찾으면 갈 곳이 있소."

"어딥니까?"

"저승이오."

세 사람은 저승을 가야 한다는 말에 경악을 금치 못했다.

사매가 '아' 하고 가벼운 신음을 내뱉더니 살짝 미간을 펴고 나지막이 물었다.

"그…… 산 사람이 저승에 들어갈 수 있나요?"

"그건 빈승에게 방법이 있으니 염려치 마시오."

회죄대사가 그를 바라보며 차분하게 말을 이었다.

"누가 먼저 만녕의 인혼을 찾든 간에 반드시 그가 이승으로 돌아오길 간절히 바라야 하오. 이를 위해 하늘이든 지옥이든 뛰어들 각오가 되어 있어야 한단 말이오. 혹여 도중에 의지가 흔들릴 경우, 만녕의 혼백은 뿔뿔이 흩어져 다시는 모을 수 없을 것이오."

사매가 말했다.

"그럼……."

설몽이 끼어들었다.

"사존께 입은 은혜는 하해와 같습니다. 저더러 무간지옥에 가라고 하셔도 기꺼이 따를 것입니다."

"……사존은 저 때문에 돌아가셨습니다."

묵연이 고개를 들었다.

"너무나 큰 빚을 졌으니 저 역시 기꺼이 따를 것입니다."

회죄대사가 말했다.

"알겠소. 그렇다면 이걸 꼭 기억하시오. 셋 중 한 사람이 인혼을 찾게 되면 나머지 사람은 더는 그의 그림자를 볼 수 없소. 또한, 그를 찾은 사람은 날이 밝을 때까지 초혼등을 꺼뜨리지 말고 그의 혼백을 비추고 있어야 하오."

설몽이 말했다.

"그게 무엇이 어렵습니까?"

"어렵소."

회죄대사가 말했다.

"분리된 삼혼은 각기 무언가를 잃게 되오. 청각이나 이성일 수도 있고 기억일 수도 있다오……. 운이 나빠 만녕의 혼을 찾아도 여러분의 말을 잘 듣지 않을 수 있소. 그를 구슬릴 방법도 생각해 두는 게 좋을 것이오."

"……."

묵연은 가슴이 아릿하게 죄어 오는 것을 느끼며 불안한 목소리로 말했다.

"……구슬려야 한다고요? 만약…… 말실수라도 하면요? 사존은 사람일 때도 의중을 살피기 어려웠는데, 하물며 지금은 귀신이지 않습니까?"

진정 걱정스러운 마음에 건넨 말이었으나, 설몽은 묵연과 오랫동안 반목해 왔기에 그가 초만녕을 조롱했다고 오해했다. 설몽이 노기등등한 눈으로 묵연을 쏘아보며 말했다.

"구슬리는 게 뭐 어렵다고 그래? 어쨌든 사존이 초혼등 주변을 떠나지 않게만 하면 되는 거야. 그것만 기억하라고!"

사매가 물었다.

"날이 밝은 후에는요?"

"날이 밝으면 만녕의 인혼이 초혼등 안으로 들어갈 것이오. 빈승이 뗏목을 준비하여 다리 근처에서 기다릴 터이니 그리로 오시오. 거기에 귀계 입구가 있소. 내하교 아래 굽이치는 급류가 황천으로 이어져 있지. 잔혼을 찾은 사람은 뗏목을 타고 귀계로 가게 될 것이오."

설몽이 물었다.

"뗏목을 타고 귀계로요?"

사매가 물었다.

"한 사람만 갈 수 있나요? 다른 사람은 도와줄 게 없습니까?"

"없소. 하여 만녕의 인혼을 찾은 사람이 귀계로 들어가 그의 지혼을 찾아야 하오. 여기서 포기하거나 주춤한다면 만녕의 인혼은 초혼등에 잠식된 채 더는 환생할 수 없소."

설몽이 화들짝 놀라 묵연에게로 고개를 홱 돌렸다.

"넌 가지 마. 믿을 수 없으니까!"

그가 어떻게 오해하든 묵연은 입을 굳게 다문 채 대꾸하지 않았다.

사매가 상황을 보더니 설몽을 달랬다.

"소주님, 연이는 도중에 꽁무니나 빼는 비겁한 겁쟁이가 아닙니다……. 그러니……."

"겁쟁이가 아니면 뭐!"

설몽이 사납게 으르렁거렸다.

"사존을 이미 한 번 죽인 놈이다. 두 번 죽이지 않는다고 어찌 장담하지? 쟤는 역병 같은 놈이야!"

사매가 조용히 말했다.

"대사님도 계신데 어찌 그리 말씀하세요."

"내가 못 할 말 했어? 사실이잖아! 사존이 저놈 때문에 얼마나 많이 다치셨는데! 쟤가 있어서 좋은 일은 한 번도 없었어!"

설몽은 눈가가 벌게지고 입술까지 파르르 떨더니 이내 감정이 격해져 묵연이 가진 초혼등까지 빼앗으려 손을 뻗쳤다.

"초혼등 내놔! 네놈 때문에 재수 옴 붙을라!"

"……."

"내놔!"

설몽의 욕설에도 묵연은 전혀 대꾸하지 않았다. 평생 처음으로 설몽의 말이 맞는다고 생각한 순간이었다.

귀신 주례를 만났을 때도, 금성호에 갔을 때도, 초만녕은 자신 때문에 다쳤다. 그동안 그의 몸에 얼마나 많은 상처를 남겼는가?

자신은 그야말로 재앙을 부르는 사람이었다.

아…….

맞다. 정말 맞는 말이었다.

하지만 저 말이 다 사실이고 사존을 뵐 면목도, 황천길에서 돌아오게 할 자격도 없지만, 그는 손에 든 초혼등을 포기할 마음이 없었다. 설몽이 욕을 하든 물어뜯든, 묵연은 창백한 등롱을 필사적으로 쥐고서 놓지 않았다. 실랑이를 벌이느라 손등에 피가 맺혔으나 그는 계속 고개만 수그린 채 꼼짝도 하지 않았다.

마침내 설몽이 거친 숨을 몰아쉬며 손을 풀고는 핏발 선 눈빛을 번뜩였다.

"묵미우, 너 언제까지 사존께 폐를 끼칠래……?"

묵연은 말없이 고개를 떨군 채 텅 빈 등롱만 바라보았다.

다들 묵연의 대답을 포기하려던 그때, 그가 불쑥 입을 열었다.

"나, 사존을 모셔 오고 싶어."

목소리는 무척이나 작았다.

죄책감과 부끄러움에 억눌린 듯 한없이 낮고 초라한 목소리였다.

이에 설몽조차 바로 알아듣지 못하다가 한참 뒤에야 깨닫고는 피식 냉소를 흘렸다.

"사존을 모셔 오고 싶다?"

"……."

묵연은 말없이 눈을 감았다.

설몽이 '퉤!' 하고 침을 뱉더니 잇새로 한 자 한 자 내뱉었다.

"네놈이 무슨 낯짝으로."

"소주……."

"손 놔, 말리지 마!"

설몽이 사매의 손을 확 뿌리쳤다. 슬픔과 증오가 담긴 눈을 번뜩이며 묵연을 죽일 듯이 노려보았다.

"네놈이 무슨 자격으로."

묵연의 손이 가느다랗게 떨렸고 눈썹은 한층 더 아래로 꺼져 갔다.

순간, 초만녕이 살아 있는 것 같은 이상한 착각이 들었다. 지금 그가 있었다면 '설몽, 소란 피우지 말거라' 하고 말했겠지.

생각해 보니 초만녕은 지금껏 자신을 위해 비바람을 막아 주고 있었다.

받는 것에 익숙해진 바람에 어느새 당연한 것인 줄 알았다.

묵연은 무슨 말을 해야 할지 몰라 마지막 남은 지푸라기를 잡듯 초혼등만 단단히 끌어안고 있었다.

그가 고개를 숙인 채 같은 말을 반복했다.

"사존을 모셔 오고 싶어."

"그 말밖에 할 줄 몰라? 이 자식……."

"그만하시오, 설 시주."

보다 못한 회죄대사가 한숨을 내쉬며 말했다.

"묵 시주도 죄책감에 이러는 것이니 그냥 놔두시구려. 정말 문제가 생기면 그때 다시 생각해도 늦지 않소. 아무것도 예측하기 어려운 판국에 이리 몰아세울 필요가 있겠소이까?"

설몽이 침통한 얼굴로 무어라 더 말하려다가, 회죄대사의 체면을 생각해 입을 닫았다.

그러나 잠시 뒤 결국 참지 못하고 한마디 쏘아붙였다.

"사존께 변고가 생기면 널 죽여서 사존께 바칠 테니 그리 알아."

회죄대사가 탄식하며 말했다.

"시간이 없소이다. 둘 사이의 은원은 나중에 풀고 어서 인혼부터 찾으시오."

묵연이 말했다.

"대사께서 주술을 걸어 주십시오."

"초혼등의 주문은 이미 걸려 있소."

이에 묵연이 영류를 주입하여 등불을 켜려고 하자 회죄대사가 말렸다.

"시주, 잠시만!"

설몽이 급히 물었다.

"또 무슨 일입니까?"

"빈승이 다시 한번 말하겠소. 만녕의 인혼을 찾게 되면 무조건 저승으로 가야 하오. 무를 수가 없다는 말이외다. 빈승이 보호 주술을 걸어 줄 것이나, 산 자가 망자의 땅에 들어가는 것 자체가 지극히 위험한 일이오. 자칫하면 살아서 돌아오지 못할 수도 있소."

회죄대사가 의미심장한 표정으로 세 사람의 얼굴을 차례로 훑었다.

"위험하다는 건 절대 빈말이 아니오. 저승에 있는 만녕의 지혼은 오히려 어렵지 않게 찾을 수 있소. 하나 혼자서 지옥을 가야 하는데, 무슨 일이 벌어질지도 모른다는 게 위험한 거요. 운이 좋으면 지혼을 금세 찾겠지만, 반대로 변고라도 생기면……."

"죽나요?"

사매가 물었다.

"그나마 죽는 게 낫지. 초만녕이든 시주든 재가 되어 사라져 환생할 기회조차 얻지 못할게요."

회죄대사가 말했다.

"그러니 조금이라도 망설여진다면 초혼등을 돌려주시오. 이 세상 어느 누구도 타인을 위해 목숨을 희생해야 한다는 법은 없소. 제 목숨을 소중하게 생각하는 것도 창피한 일이 아니라오. 지금 후회해도 늦지 않소."

"후회하지 않습니다."

가장 혈기 왕성하고 의욕적인 설몽이 말했다.

"후회하는 사람이 지는 거지."

그가 묵연을 죽일 듯이 노려보았다.

그러나 설몽은 묵연이 어떤 사람인지 끝내 이해하지 못했다. 그의 사촌 형은 그와는 전혀 달랐다. 어릴 때부터 겪었던 치욕

탓인지, 묵연의 애증은 날카로운 발톱처럼 잘 벼려져 있었다. 누가 자신에게 해를 입히면 배를 갈라 내장을 꺼냈고 자신에게 잘해 주면 작은 은혜라도 잊는 법이 없었다.

묵연이 설몽을 힐끗 보고는 다시 회죄대사에게 시선을 옮겼다.

"저도 후회하지 않습니다."

회죄대사가 고개를 천천히 끄덕이며 말을 이었다.

"그렇다면 좋소이다. 귀계에 도착하면 '지혼'부터 빨리 찾아야 하오. 인혼과 지혼이 등롱 안에서 하나가 되면, 초혼등이 이승으로 돌아오는 길을 밝혀 줄 것이오. 나머지 일은 빈승에게 맡겨 주시구려."

회죄대사는 갈수록 대수롭지 않은 일인 것처럼 말했지만, 세 제자는 지금부터 하는 모든 일이 변수가 많아 극히 위험하다는 것을 잘 알고 있었다. 특히 저승에 도착한 후 초만녕의 지혼을 찾지 못하거나 혼백이 이성이나 기억을 잃어 뜻대로 합쳐지지 못하면, 그를 찾으러 간 사람도 목숨이 위태로울 터였다.

이런 이유로 그들이 초혼등을 켜기 전에 회죄대사가 마지막으로 한 번 더 물었다.

"등롱에 불이 켜지면 이제는 돌이킬 수 없소. 이번 일은 어린애 장난이 아니외다. 빈승이 한 번 더 묻겠소. 조금이라도 후회되시오?"

세 사람이 동시에 말했다.

"후회 없습니다."

"알겠소……. 알겠소이다."

회죄대사의 얼굴에 서서히 미소가 번졌다. 반은 씁쓸하고 반은 안심한 표정이었다.

"만녕, 넌 나보다 훨씬 더 훌륭한 스승이구나……."

그가 속으로 주문을 외자 초혼등이 은은하게 두 번 깜빡이더니 불이 켜졌다. 설몽과 묵연의 등롱에는 거의 동시에 불꽃이 피어올라 하얀 등롱의를 발갛게 물들였다. 잠시 뒤 사매의 등롱에서도 희미하게 불이 켜졌다. 다만 물 속성의 영류라 불꽃이 푸른색이었다.

"이제 가도 좋소."

회죄대사가 말했다.

"성공 여부는 오늘 밤에 결정 날 것이오. 만약 실패하면…… 그렇다면……."

묵연은 초만녕이 생전에 자신에게 잘해 준 기억들이 떠올라 가슴 언저리가 뻐근해졌다. 그는 회죄대사의 나머지 말을 잘랐다.

"대사님, 더는 아무 말씀도 마십시오. 무릎을 꿇든 설설 기든 피가 나도록 머리를 찧든, 기필코 사존을 인간계로 데려오겠습니다."

그가, 그가 원하기만 한다면요.

그가…… 저와 함께 돌아오기를 원하기만 한다면 말입니다.

세 개의 빛이 각각 단심전을 나왔고, 저마다 끝없이 펼쳐진 어둠 속으로 감쪽같이 사라졌다.

102장 사존의 물만두

등롱 하나가 사생지전을 유유히 떠다니며 온전치 않은 외로운 혼백을 찾아다녔다.

초혼등이 켜진 후부터 묵연은 산 사람 눈에 보이지 않았다. 반 귀신이 된 그가 청석 계단을 올라 복도와 망루를 돌면서 사방을 두리번거렸다.

홍련수사, 상천전, 삼생대…….

모두 다 가 봤지만 그의 그림자조차 볼 수 없었다.

초만녕이 곡절 많은 삶에 지쳐 죽어서는 자신을 보기 싫어하는 건 아닐까, 묵연은 슬슬 불안해졌다.

이런 불안감이 그를 차가운 구렁텅이로 처박았다. 발걸음이 갈수록 빨라졌고 옷자락은 잡초를 쓸고 지나갔다. 불현듯 내하교 앞에 선 사람 하나가 보였다. 서늘하고 쓸쓸한 모습에 묵연의 손바닥에 땀이 맺히고 심장이 쿵쾅거렸다. 그는 내하교 쪽으로 발걸음을 재빨리 놀렸다.

"사존!"

혼백이 고개를 돌렸는데 모르는 얼굴이었다. 아마도 천열이 일어났을 때 목숨을 잃은 제자인 듯했다. 반쯤 돌린 얼굴이 온통 피범벅인 채로 멍하니 묵연을 바라보고 있었다.

"……죄송합니다. 잘못 봤어요."

묵연이 말을 우물거리며 재빨리 옆을 스쳐 지나갔다. 망령은 생각하는 법을 잊은 듯 경직된 얼굴로 묵연이 제 앞을 지나치는 모습만 물끄러미 응시한 채 미동도 하지 않았다. 창백한 껍데기 같은 형체가 마치 누에가 벗은 허물처럼 제자리에 붙어 있었다.

묵연의 가슴이 더 조여 왔다.

사존의 인혼도 저 망령처럼 산 송장이 되었다면, 그럼 어떻게 해야 할까? 그를 찾아도 날이 밝을 때까지 지켜 낼 수 있을까?

다급해진 마음에 발걸음이 점차 빨라졌다.

고개를 들자 어느새 맹파당 앞이었다.

곰곰이 생각해 보니 초만녕은 음식에 집착을 보인 적이 없어 그의 혼백이 돌아와도 굳이 식당을 찾을 것 같지는 않았다.

묵연이 몸을 돌려 다른 곳으로 가려는데 맹파당 안에서 가느다란 탄식이 들려왔다.

어렴풋이 들린 목소리였으나 묵연은 벼락이라도 맞은 듯 꼼짝할 수가 없었다.

그가 거의 비틀대다시피 문을 박차고 들어가 부들부들 떨리는 손으로 초혼등을 들었다. 막 떠오르는 태양처럼 따뜻하지만 희미한 등불이 하얀 옷이 나풀대는 그림자를 비추었다.

주먹 쥔 손가락의 마디마디가 새하얘졌고, 손톱은 손바닥 안을 파고들었다.

묵연이 웅얼거렸다.

"사존……."

초만녕의 반쪽 혼백이 황량한 주방 안에 홀로 서 있었다. 그림자는 오래된 먹물 자국처럼 옅었지만, 그가 틀림없었다.

죽었을 때 입고 있던 얇은 백의 차림이었다. 피로 얼룩진 옷자락과 이로 인해 더 도드라진 창백한 얼굴이 슬프도록 아름다웠다. 뿌연 안개처럼 하얗게 센 그의 혼백이 바람 한 점에도 흩어져 사라질 것처럼 위태로워 보였다.

묵연이 등롱을 들고 환영을 보았다.

늦으면 지레 달아날까, 빨리 다가가고 싶었다.

급하면 꿈이 깨질까, 천천히 가고도 싶었다.

만감이 교차하면서 저도 모르게 눈시울이 붉게 달아올랐다. 죄책감이 그를 덮쳐 왔다. 묵연은 그에게 큰 빚을 졌기에 그의 옆에 서기가 부끄럽고 미안했다.

등롱이 천천히 흔들거렸다.

가까이 다가가자 초만녕이 분주하게 무언가를 하고 있었다. 초조한 낯빛에 서툰 몸짓이었다.

지금 뭐 하는 거지?

묵연은 이 가련한 망자를 도와주려고 뒤에서 다가갔으나 눈앞에 펼쳐진 모습에 벼락이라도 맞은 듯 충격에 휩싸였다. 이 충격이 사그라들 즈음, 피를 뚝뚝 흘리는 거대한 아가리가 자신의 목덜미를 잔인하게 물어뜯는 것 같은 끔찍한 아픔이 찾아왔다.

묵연은 저도 모르게 뒤로 주춤 물러나 고개를 저었다. 아무 말도 나오지 않았다.

지금 당장 제 가슴에 송곳을 찔러 넣고 팔딱팔딱 뛰는 심장을 움켜잡아 뜯어내는 것이 그나마 덜 고통스러울 것 같았다.

묵연의 시선이 초만녕의 손에서 멈췄다. 죽기 전, 자신을 끌고 3천 개가 넘는 계단을 악착같이 올랐던 손이었다. 그렇게 피부가 찢기고 살갗이 터져 만신창이가 된 손이 탁자 위를 더듬거리고 있었다.

탁자 위에는 밀가루, 조미료, 만두소가 있었다.

그 옆의 솥에서는 물이 펄펄 끓고 있었다. 초만녕, 이 바보 같은 사람은 불을 줄이는 법도 모르는지 피어오른 수증기가 주변을 온통 뿌옇게 만들었다…….

어쩌면, 수증기 때문이 아니라 눈에 맺힌 눈물 때문에 흐릿하게 보이는지도 몰랐다.

초만녕의 인혼이 느릿느릿 만두피를 집었다. 그의 손은 원래 민첩하고 정교했다. 길고 가느다란 손가락은 각종 무기를 자유자재로 다뤘고 웅장한 결계가 그의 손안에서 탄생했다.

그러나 지금은 형편없이 망가진 채 바들바들 떨면서 조심스럽게 만두를 하나씩 빚고 있었다.

"……."

묵연은 얼른 팔을 들어 발갛게 달아오른 눈을 세게 훔쳤다. 여전히 할 말이 생각나지 않았다.

묵연을 등지고 선 초만녕이 마침내 솥의 물을 너무 오래 끓였다는 것을 기억해 냈다. 그는 계속 놔두면 물이 마를까 봐 솥을 찾기 시작했다.

그가 계속 더듬거렸다.

그렇다. 계속 더듬거렸다.

묵연은 질식할 것만 같은 고통에서 겨우 정신을 차리고, 재빨리 사존의 곁으로 다가갔다.

똑똑히 보였다.

삼혼이 분리되면 혼백마다 무언가를 잃어버린다. 상실의 대상은 기억일 수도, 이성일 수도, 육신일 수도 있다.

그리고 눈앞에 보이는 이 인혼이 잃은 것은 바로 감각이었다.

저승에서 돌아온 초만녕은 눈이 침침한 데다 청력도 좋지 못해, 물건을 떨어뜨려도 그게 어디에 있는지조차 몰랐다. 그런데도 그는 별 대단할 것도 없는 물만두를 만드는 데 열중했다. 만두 빚는 일이 생전에 가장 좋아한 일인 듯, 그는 자욱한 수증기 속에서 잠깐의 따뜻함을 만끽하고 있었다.

이를 지켜보던 묵연은 가슴이 찢어질 듯 고통스러웠고, 천지가 빙글빙글 도는 듯 어지러웠다. 순간 아무 생각도 나지 않아 제자리에 굳은 채로 모든 것을 지켜만 봐야 했다.

콰당!

눈이 거의 보이지 않는 혼백은 실수로 맹파당의 소금 단지를 떨어뜨렸다.

초만녕은 놀란 듯 조용히 손을 거두었다. 핏자국으로 얼룩덜룩한 얼굴에는 불안한 기색이 역력했다.

"뭐가 필요하세요……?"

꽉 잠긴 목소리가 그의 옆에서 들려왔다. 흐느낌에 가까운 목소리에는 더없이 미안한 마음과 애끊는 슬픔이 묻어 나왔다.

"제가 도와드릴게요."

초만녕은 살짝 놀란 듯했으나 혼백이 온전하지 않아서인지 큰 동요 없이 금세 침착한 모습으로 돌아왔다.

반대로 묵연은 말 하나하나가 고통이었고 애걸이었다.

"사존, 제가 도와드릴게요, 네……?"

솥의 물이 끓고 있는 주방에서 망자는 따사롭고 분주했지만, 산 자는 오히려 애처롭고 적막했다.

한참이 지나 드디어 초만녕의 반가운 목소리가 들렸다. 아름답고 은은하고 평온한 목소리였다.

"왔느냐?"

"……네."

"마침 잘 왔다. 옆에서 조금만 기다리거라. 만두를 솥에 넣기만 하면 끝이야. 다 익으면 묵연에게 갖다주거라."

"……!"

순간 얼이 빠진 묵연은 초만녕이 무슨 말을 하는지 알아듣지 못했다.

초만녕은 손으로 더듬거리며 통통하게 빚은 물만두를 솥 안에 하나씩 넣고 있었다. 늘 냉담해 보였던 그의 표정은 수증기에 옅게 흐릿해져 무척이나 온화해 보였다. 그가 입을 열었다.

"어제 내가 묵연을 너무 심하게 때렸다. 날 원망하고 있을 거야. 설몽한테 들으니 아직까지 음식을 입에 대지도 않았다던데, 줄 때 내가 만들었다는 얘기는 하지 마라. 그 애가 알면 먹지 않으려고 할 거야."

묵연은 머릿속이 뒤죽박죽이었다. 반평생 꼭꼭 숨긴 비밀이, 벌레가 꿈틀대며 땅을 뚫고 나오듯 서서히 모습을 드러냈다.

"사존……."

초만녕이 씁쓰레한 웃음을 지었다.

"내가 너무 모질게 대했나 싶다. 하지만 그 애는 하고 싶은 일은 꼭 해야 직성이 풀리지. 그런 성격은 꼭 고쳐야 하는데……. 됐다, 이런 얘기 해 봐야 무슨 소용이겠느냐. 그릇 좀 찾아주겠느냐? 두툼한 것이어야 한다. 바깥바람이 차서 가는 동안 식으면 안 되니까."

뚫고 나온다. 뚫고 나온다.

머릿속에서 미세한 파열음이 들렸다. 마침내 그때의 기억이 날카로운 이빨로 껍질을 까고 나온 악귀처럼 묵연을 향해 죽일 듯 덮쳐 왔다.

눈앞이 캄캄해졌다.

물만두.

사매.

사존.

…….

그것은 그가 처음으로 먹은 사매의 물만두였다. 그날 묵연은 왕 부인이 심은 꽃을 실수로 꺾어 초만녕에게 호된 벌을 받았다. 천문까지 소환한 초만녕은 그가 피 칠갑이 되도록 무자비하게 때렸다.

묵연은 침상에 누워 일어나지 않았다. 그저 초만녕에게 꽃을 주려고 한 자신의 호의가 그리 지독한 채찍질로 돌아오니 서럽기만 했다. 그는 자기가 눈이 멀어 초만녕을 좋아했던 것이고, 무지몽매하고 어리석어 초만녕이 자기를 아껴 주는 따뜻한 스승이라고 착각한 것이라 결론지었다.

그리고 그날 사매가 김이 모락모락 나는 마라물만두를 가져왔을 때, 그의 다정한 목소리와 상냥한 어투, 폐부까지 녹일 따끈한 물만두가 스승에 대한 실망을 사매에 대한 호감으로 바꿔 놓았다.

그런데 어째서…….

어째서 이런 일이!

망자는 묵연 옆에 오랫동안 서 있었다. 죽은 자의 인혼은 돌아오면 저마다 다른 행동을 보인다. 어떤 혼은 라섬섬처럼 죽고 난 후에 일어난 일을 보러 갔고, 내하교에서 마주친 그 사람처럼 아무 생각 없이 생전에 살았던 곳을 한 바퀴 둘러보는 인혼도 있었다.

초만녕의 인혼은 시력을 잃고 옆 사람의 목소리도 분간하지 못했으며 심지어 지금이 어떤 밤인지도 몰랐다.

그는 생전에 잘못한, 혹은 실수한, 그래서 미련이 남은 한 가지 일을 하러 온 것 같았다.

만회하고 싶어서.

그래서 초만녕은 결국 생전과 다른 결정을 했다.

만두를 꺼내 그릇에 가득 담았다. 푸릇푸릇한 파와 우윳빛 국물, 마라 양념이 어우러져 무척 먹음직스러웠다.

그가 그릇을 '사매'에게 건네더니 갑자기 멈춰 섰다.

"내가 그동안 너무 모질게 대했어."

초만녕이 혼잣말로 중얼거렸다.

잠시 침묵이 이어졌다.

"아니다. 내가 가는 게 낫겠다. 직접 보고 사과해야겠어."

묵연은 넋 나간 얼굴로 그를 지켜보았다. 낯빛은 그의 영혼처럼 창백했다.

그동안 사존을 심장마저 얼음장처럼 차가운 냉혈한이라고 생각했다. 그런데 그가 자신을 이리 생각했을 줄이야…….

그가 속세에 가진 미련은, 놀랍게도 자신이었다.

……직접 보고 사과해야겠어.

얼음이 녹아 물이 되어 흘러넘쳤다.

묵연은 천천히 손을 들어 얼굴을 감쌌다.

그의 어깨가 가늘게 떨려 왔다.

심장이 쇳덩이 같다고? 쇳덩이?

아니었다…….

묵연은 흐느껴 울다가 자신을 보지 못하는 잔혼 앞에 무릎을 꿇고 초혼등을 발밑에 두었다. 끅끅거리며 울음을 토하고 목이 갈리도록 오열하다가, 마침내 목 놓아 대성통곡했다.

그가 초만녕 앞에 무릎을 꿇었다.

아니었어…….

그가 먼지 속에 몸을 엎드려 피로 얼룩진 초만녕의 옷자락을 움켜잡았다.

당신의 심장은 차가운 쇳덩이가 아니었고 제 심장도 돌덩이가 아니었습니다. 그저 전생에 제가 너무 우매하여 당신을 많이 오해했어요……. 그저…….

"사존, 사존……."

묵연이 숨이 넘어갈 듯 통곡하며 몸을 말았다.

"제가 잘못했어요. 제발…… 제발 저랑 같이 돌아가요……."

그는 계속 간절히 애원했다.

"사존…… 제발 저랑 돌아가요. 제가 잘못했어요. 모두 제 잘못이에요. 사존을 탓하지도 않고 미워하지도 않아요. 제가 다 잘못했어요. 늘 사존을 화나게 했어요. 앞으로 절 때리고 욕하셔도 절대 뭐라고 하지 않을게요. 돌아오기만 한다면, 말도 잘 들을게요……. 사존을 존경하고 사랑하고, 잘해 드릴게요……."

그러나 초만녕의 옷자락은 희미하고 어렴풋해 손으로 잡을 때마다 잘게 부서졌다.

묵연은 제 가슴을 갈라 심장을 꺼내 주더라도 그의 심장 소리가 듣고 싶었고, 제 피를 남김없이 뽑아 주더라도 그의 얼굴에 혈색을 찾아 주고 싶었다.

어떤 대가를 치르든 자신이 저지른 잘못을 만회하고 싶었다.

"사존."

그가 흐느껴 울었다.

"우리 다시 시작해요, 네……?"

통천탑 앞, 해당화 나무 아래에서.

흰 고양이처럼 보드라운 종사가 고개를 들자 봉안이 살짝 커졌다. 나뭇가지에 앉은 매미가 맴맴 울어 댔고 눈앞의 소년이 해사하게 웃었다.

— 선군, 선군, 제가 얼마나 오랫동안 보고 있었다고요. 저 좀

봐 주세요.

눈 깜짝하니 이십 년이, 두 번의 생이 지났다.

후안무치에 몹쓸 놈이라도 이 말은 꼭 해야겠어요.

사존, 우리 다시 시작해요.

네?

제발, 저 좀 봐 주세요…….

103장 사존의 인혼

찬연한 등불이 두 사람을 비추었다.

이 시각 두 사람은 묵연의 침소에 다다랐다. 묵연은 앞이 잘 보이지 않는 초만녕의 손을 붙잡고 안으로 걸어 들어갔다.

혼백을 상실한 초만녕은 지금이 어떤 밤인지, 제 손에 깍지 낀 사람이 누구인지도 모른 채 어리벙벙한 얼굴로 그를 따라갔다. 묵연은 그와 함께 방에 들어가 눈물을 훔치고는 문을 닫았다.

초만녕이 만두 그릇을 내려놓고 주변을 더듬거리며 침상맡으로 다가갔다.

"묵연, 자고 있느냐?"

"……."

아무 대답이 없자, 초만녕은 묵연이 아직 자고 있다고 생각해 실망한 듯 한숨을 토했다.

이 모습을 가슴 아프게 지켜보던 묵연은 행여 그가 나갈까 봐 침상에 앉아 대답했다.

"저 일어났어요."

자신을 부르는 소리에 초만녕의 미간이 살짝 꿈틀댔다.

"……그래."

그가 살짝 대답하고는 잠시 머뭇거리다 입을 다물었다.

체면을 중시하는 초만녕이 이곳에 사매가 있다고 생각하는 이상 말을 제대로 할 리가 없었다. 몇 마디 나누지 못한 채 그가 나가 버릴 것 같아, 묵연은 탁자 위에 놓인 머리 장식을 집어 방문을 향해 던졌다. 사매가 문을 닫고 나간 것처럼 시늉한 다음 그에게 물었다.

"사존, 어떻게 오셨어요? 누구랑 같이 왔어요?"

아니나 다를까, 반쪽짜리 혼백만 남은 초만녕은 평소보다 더 잘 속았다. 그가 잠깐 멍하게 있다가 입을 열었다.

"사명정과 함께 왔단다. 그 앤 갔느냐?"

"갔어요."

"그래……."

잠시 침묵이 흐르다 마침내 초만녕이 말을 꺼냈다.

"등에 난 상처는……."

"등에 난 상처는 사존 탓이 아니에요."

묵연이 조용히 말했다.

"제가 함부로 귀한 꽃을 꺾은 것이니, 벌받아도 싸요."

생각지도 못한 대답에 초만녕은 약간 얼떨떨했다. 이내 섬세한 속눈썹이 파르르 떨리더니 그가 한숨을 흘렸다.

"아프냐?"

"아니요."

초만녕이 손을 들어 더듬거렸다. 차가운 손가락이 묵연의 얼굴에 닿았다. 한참 그대로 있던 그가 입을 열었다.

"미안하다. 그래도 너무 원망하진 말거라."

그때였다면 절대 없을 따뜻한 위로였다. 하지만 세상을 떠난 후 그가 저승을 떠돌며 지난날을 돌이켜 보니, 다른 것은 여한이 없지만 오로지 제자에게 너무 독하게 군 것이 마음에 걸렸다. 그래서 그의 혼령은 당시 상황을 재현하며 체면 때문에 꺼내지 못한 말을 자연스럽게 내뱉을 수 있었다.

묵연은 뜨끈한 온천물에 몸을 담근 듯 마음이 녹아내렸다. 환생 이후에 남았던 원망과 증오, 해묵은 상처와 불만이 가루가 되었다가, 지금 이 순간 그의 진심 어린 사과로 깨끗이 씻겨 나갔다.

은은한 초혼등 불빛 아래에서 그가 초만녕의 얼굴을 응시했다. 핏자국이 사라지고 창백한 얼굴에 생기가 도는 듯했다. 마치 되돌릴 수 없는 시간 사이로, 초만녕을 처음 만났을 때 보았던 온화한 모습을 본 것만 같았다.

묵연은 저도 모르게 따뜻한 손을 들어 차디찬 그의 손을 감싸 잡았다.

"원망하지 않아요."

그가 말했다.

"저한테 잘해 주시잖아요. 원망 안 해요."

초만녕이 잠깐 멍한 얼굴로 있다가 활짝 웃었다.

이미 죽은 사람인 것도, 얼굴이 얼룩덜룩 지저분한 것도 상관없었다. 그의 웃음에 얼었던 샘물이 녹고 따뜻한 봄기운이 온몸을 감싸는 듯했으며, 눈을 감자 속눈썹 사이로 수많은 보석이 반짝거리는 것 같았다. 죽고 나서 숙원을 풀었을 때 지을 수 있는 더없이 찬란한 미소였다. 도도하지만 방종하지 않고, 아름답지만 관능적이지 않은 해사한 미소였다. 나뭇가지마다 흐드러지게 핀 해당화가 고고하면서도 은은한 빛깔로 나뭇잎 사이에서 별처럼 반짝이듯, 그의 미소는 청아했다.

묵연은 어느새 넋을 놓고 바라보고 있었다…….

초만녕이 이토록 해맑게 웃는 모습은 두 번의 인생을 통틀어 처음이었다. 묵연은 멍청한 표정으로 생각에 잠겼다. '보조개가 꽃처럼 예뻐요.' 별로였다. '웃는 게 요염해요.' 어이없을 만큼 더 별로였다.

마지막까지 머리를 쥐어짰지만 이 아름다운 모습을 형용할 말을 찾지 못했다.

그저 연신 감탄만 할 수밖에. 아름답다!

이렇게 아름다운 사람인데, 어째서…… 지금까지 그걸 몰랐을까?

적당한 때를 만나면 생각도 유연해지는지, 묵연이 조용히 말을 툭 뱉었다.

"사존, 드릴 말씀이 있어요."

"응?"

"백모님의 해당화가 그리 귀한 것인지 몰랐어요. 그리고 그날 제가 꽃을 딴 이유는 사존께 드리려고 한 거였어요."

초만녕이 놀라 움찔했다. 갈수록 작아지는 묵연의 목소리에서 수줍음이 느껴졌다. 그는 다소 궁색해 보이는 어조로 같은 말을 반복했다.

"그러니까…… 사존께 드리려고 한 거였다고요."

"나한테? 왜?"

묵연의 얼굴이 화끈 달아올랐다.

"저, 저, 저도 모르겠어요. 그, 그냥 예뻐서. 그래서……."

그는 내심 의아한 생각이 들어 말을 잇지 못했다. 이토록 오랜 시간이 지났는데, 초만녕에게 꽃을 따다 준 그때의 마음을 간직하고 있었던 걸까?

혼백을 잃은 초만녕은 더없이 다정했다. 발톱을 잃은 고양이 발바닥처럼 말랑말랑했고 새하얀 눈밭에 새긴 통통한 발 도장처럼 사랑스러웠다.

그가 묵연의 머리를 쓰다듬으며 웃었다.

"바보 같기는."

"……네."

눈가가 뜨거워진 묵연은 고개를 들고 그를 바라보며 코를 훌쩍였다.

"정말 바보 같죠."

"다음부터 안 그러면 돼."

"다음부터 안 그럴게요."

전생에 자포자기한 후 곳곳에서 온갖 악행을 저지르고 사람들을 괴롭혀 초만녕을 화나게 했던 일이 불현듯 떠올랐다. 당시 크게 실망한 그가 묵연에게 천추의 한이 된 말을 남겼다. 저급하고 구제 불능이라고……. 만감이 교차하며 마음이 복잡해졌다. 묵연이 말했다.

"사존, 앞으로는 실망시켜 드리지 않을게요. 나쁜 짓도 안 하고 좋은 일만 할게요."

배움이 짧아 멋들어진 말은 할 수 없었지만, 가슴에 뜨거운 피가 끓어오르며 어릴 적 천진난만하고 순수했던 영혼이 깊은 잠에서 깨어난 것 같았다.

"사존, 이 제자가 어리석어 이제야 사존이 절 아끼셨다는 걸 알았어요."

그가 눈빛을 반짝이며 침상에서 일어나 초만녕 앞에 무릎을 꿇고는 머리가 땅에 닿도록 깊숙이 숙였다.

다시 고개를 들었을 때, 그의 표정은 무척이나 진지하고 엄숙했다.

"이 묵연, 다시는 사존 얼굴에 먹칠하지 않겠습니다."

스승과 제자는 얼굴을 맞대고 긴 이야기를 나누었다. 엄연히 따지면 거의 묵연만 재잘댄 것이나 다름없었다. 사실 누군가를 좋아할 때 묵연은 무척 사랑스럽게 변했다. 초만녕은 가만히 듣고만 있었고, 간간이 고개를 젓거나 미소를 짓기도 했다. 어느새 창밖으로 해가 서서히 떠올랐다. 새까만 먹물에 물을 탄 것처럼 어둠이 옅어졌다.

기나긴 밤이 끝나 가고 있었다.

돌다리 옆에 회죄대사가 서 있었다. 세차게 넘실대는 강물이 가사 자락을 적셨지만, 정작 본인은 전혀 알아채지 못한 채 하염없이 기다렸다.

동쪽에서 해가 서서히 떠오르자 눈부신 햇살이 나뭇잎 사이사이를 비집고 들어와 쉼 없이 굽이치는 강물을 비추었다. 강물은 순식간에 황금빛으로 변했고, 물보라는 용의 비늘처럼 촘촘하게 반짝였다. 굽이굽이 휘몰아 흐르는 물결 위에 빛이 고여 총천연색으로 반짝였다.

지금 회죄대사는 허무(虛無)의 경계에 있어 초만녕의 잔혼을 찾은 사람만이 그를 볼 수 있었다. 사매와 설몽은 이미 돌다리에 도착했지만 물가에 있는 노승을 볼 수는 없었다. 회죄대사는 그리 조급해 보이지 않았으나, 염주를 돌리는 손은 갈수록 빨라지고 분주해졌다.

좌악!

이때, 그동안 무수히 돌렸던 염주가 툭 하고 끊어져 버렸다. 보리수 열매로 만든 염주 알이 빗방울처럼 후두두 떨어져 알알이 흩어졌다.

회죄대사가 굳은 얼굴로 눈을 번쩍 뜨고는 입술을 꽉 물었다.

이토록 불길한 징조라니. 그는 양손으로 끊어진 염주 줄을 매만지며, 강물에 빠진 염주 알이 뭍으로 튀고 뭍에 있던 염주 알이 강물로 굴러가는 모습을 한참 멍하니 바라보았다……. 얼굴색이 점점 창백해졌다.

"대사님!"

불현듯 자신을 부르는 소리가 들렸다.

"대사님!"

신이 나고 흥분된 목소리였다.

회죄대사가 얼른 고개를 돌려 목소리가 들리는 곳을 쳐다보았다. 묵연이 금빛과 붉은빛이 뒤엉켜 흐르는 초혼등을 들고 멀리서 쏜살같이 달려오고 있었다.

청년의 눈동자는 눈부신 아침 햇살보다 더 밝고 수정처럼 반짝반짝 빛났다. 회죄대사 앞까지 단숨에 달려온 묵연은 얼굴이 발그레하고 호흡도 가팔랐지만, 감출 수 없는 흥분이 온몸에서 느껴졌다.

"찾았어요."

묵연이 이마의 잔머리를 대충 넘기며 초만녕의 인혼이 담긴 등롱을 품에 꼭 안은 채 말했다.

"절 보기 싫어한 게 아니었어요. 사존은…… 여기 있어요."

그가 품고 있는 등롱을 가리키며 말했다. 아쉬운 마음이 들었는지, 잠시 머뭇거리다가 마침내 등롱을 건네려는 순간 내밀었던 손을 다시 거두었다.

회죄대사가 슬며시 안도의 한숨을 흘리고는 그를 위아래로 훑어보더니 웃으며 말했다.

"시주가 찾았으니 그냥 가지고 있으시오. 굳이 나한테 주지 않아도 된다오."

묵연이 조심스럽게 등롱을 끌어안았다.

회죄대사가 나무 옆에 세워 둔 망장을 들어 강물을 살짝 건드렸다. 그러자 강기슭에서 청록색 대나무 뗏목이 불쑥 튀어나왔다. 하늘로 솟은 뱃머리에는 하얀 실이 묶여 있었다.

"한시도 지체할 수 없으니 시주는 뗏목에 오르시오."

사생지전의 강물이 귀계와 연결되어 있다는 것은 모두 다 아는 사실이었다. 그러나 결계로 막힌 이곳에서 강물을 따라 무사히 저승에 도착할 수 있을지는 아무도 장담할 수 없었다.

회죄대사의 뗏목에는 주술이 걸려 있어 이승과 저승을 오갈 수 있었다. 한 번에 천 리도 갈 수 있었기에 홀로 뗏목에 오른 묵연은 반나절 만에 폭포 앞에 도착했다.

황천 폭포수.

폭포는 위로 하늘과 맞닿고 아래로 저승과 이어진 채 끝도 보이지 않았다. 거대한 폭포수 물살이 주렴처럼 아래로 콸콸 쏟아져, 연기가 피어오른 듯 사방이 물안개로 자욱했다.

묵연이 자세히 살펴볼 겨를도 없이 그를 실은 뗏목이 전설 속 괴수처럼 거대한 물의 장막을 타고 그대로 급강하하기 시작했다. 사태 파악이 되기도 전에 거대한 물기둥이 무수한 칼날이 되어 산 자의 피와 살을 찢고 갈랐다.

"사존!"

위기의 순간에 묵연은 품 안의 초혼등만 염려한 채 더욱 단단히 끌어안았다. 소용돌이치는 거센 물살이 천지를 암흑 속에 빠뜨려도 그는 조금도 힘을 풀지 않았다.

얼마나 지났을까. 고막이 터질 듯한 폭포 소리가 순식간에 사라졌다.

무섭게 쏟아지던 물살도 돌연 기세를 꺾었다.

천천히 눈을 뜬 묵연은 초혼등이 무사한 것을 확인하고 안도의 한숨을 내쉬었다. 고개를 들어 주변을 둘러본 그는 시야에 들어온 절경에 입을 다물지 못했다.

이승과 저승을 관통하는 폭포는 더 이상 보이지 않았고, 대나무 뗏목은 광활하고 고요한 호수 위를 둥둥 떠다녔다. 짙푸른 수면 위로는 알알이 부서진 별빛이 흐르고, 아래로는 수많은 혼백이 고기 떼처럼 이리저리 떠돌아다니고 있었다. 호수 양옆은 갈대로 무성했고 은은한 빛이 감도는 갈대꽃이 사방에서 팔랑팔랑 가볍게 흩날렸다.

갈댓잎이 우거진 깊은 곳에서 남녀 한 쌍이 부르는 노랫소리가 마치 꿈속인 듯 아득하게 들려오더니 애절하면서도 잔잔하게 울려 퍼졌다.

"내 몸이 뇌연[#18]에 들어가면 사지가 문드러져 진흙과 기름이 되고, 내 정수리가 광활한 천지에 떨어지면 눈알은 물거품이 되고 머리카락은 시들어 먼지가 되네. 내 심장을 먹으러 불개미가 득실득실 끓고 오장육부를 쪼아 먹으러 독수리가 빙빙 도는구나……. 돌아오는 건 오로지 혼백뿐인 것을…… 혼백뿐인 것을……."

황천의 벽수가 동쪽으로 흘러가니, 살아생전 한이 있어도 쫓아갈 수 없구나.

묵연이 뗏목 위에서 한참 정처 없이 흘러가던 그때, 높다랗고 시커먼 패루[#19]가 묵직한 어둠 속에서 홀연히 모습을 드러냈다.

가까이서 본 패루는 압도적일 만큼 크고 웅장했으며, 세세한 부분은 매우 정교하고 화려했다. 마치 호박으로 만든 염주를 두르고 금과 옥으로 온몸을 치장한 괴수처럼 휘황찬란했지만, 음험하고 기괴했다. 그것은 캄캄한 밤에 웅크리고 앉아 피비린내가 진동하는 아가리를 벌린 채 외로이 떠도는 혼백이 배 속에 들어오기를 기다리고 있었다.

거리가 좁혀지자 흉물스럽게 생긴 각루[#20]가 보였다. 날카로운

#18 뇌연 雷淵, 중국 신화 속 연못의 이름
#19 패루 牌樓, 기둥에 지붕을 얹은 전통적인 중국식 대문
#20 각루 角樓, 성벽 위 모서리에 지은 누각

이빨을 드러낸 야수의 머리가 아래를 굽어보며 세상의 원한을 귀 기울여 듣고 있는 듯했다.

거리가 더 좁혀지자 초만녕의 잔혼이 불안한 듯, 등롱의 금빛이 시시때때로 점멸하다가 이내 희미하게 흔들렸다.

“괜찮아요.”

묵연이 그의 불안을 느꼈는지 등롱을 더욱 바짝 껴안고는 입술을 가까이 대고 속삭이듯 달랬다. 그가 초혼등에 자신의 영력을 더 불어넣었다.

“사존, 두려워 마세요. 제가 있잖아요.”

등불이 살짝 흔들렸다가 이내 안정을 되찾았다.

묵연은 눈을 내리깔고 등롱 안을 살펴보다가 저도 모르게 웃음이 나왔다. 그는 손을 뻗어 등롱을 쓰다듬고는 더욱 꽉 껴안았다.

‘귀문관’. 커다랗고 위엄이 서린 글자가 칠흑 같은 어둠 속에서 선명하게 빛났다. 산 사람의 피로 쓴 것처럼 강렬한 선홍색이었다.

뗏목이 기슭에 닿았다. 묵연은 진흙조차 피비린내가 진동하는 황천길에 발을 디뎠다.

앞으로 걸어가자 주변에 사람이 갈수록 많아졌다. 남자, 여자, 노인, 아이가 있었고, 태어나 얼마 지나지 않아 요절한 갓난아이는 응애응애 울고 있었다. 이들은 저승 깊은 곳으로 미끄러지듯 향했다.

살아생전에 지체 높은 인물이든 부귀영화를 누린 부호든, 일반 평민이든 가난에 시달린 빈민이든 상관없었다. 노잣돈이나

부장품을 얼마나 지고 왔는지도 중요하지 않았다.

지금 이곳에 온 이상 모두가 오롯이, 혼자서 끝까지 가야 했다.

묵연은 왁자지껄한 혼백의 행렬을 따라 귀계 입구에 도착했다.

그곳에는 한 사람이 손으로 부들부채를 부치며 앉아 있었다. 복장을 보니 군병인 듯했고, 죽을 때 배가 갈라졌는지 창자가 계속 흘러나왔다.

문지기는 몹시 성가신 듯 부채 손잡이로 자신의 창자를 배 속으로 꾹꾹 밀어 넣고는, 눈을 치켜뜨고 따분한 표정으로 새로 들어오는 망자를 심문했다.

"이름이 무엇이오?"

"손이오입니다."

"어찌 죽었소?"

"저, 저는 늙어 죽었습니다."

문지기가 큼지막한 도장을 들어 귀계의 호패(號牌) 위에 '자연사'라고 찍고는 손이오에게 건넸다.

"이 호패를 잃어버리지 마시오. 혹여 잃어버리면 십칠전(十七殿)으로 가서 재발급받아야 하오. 이제 가 보시오. 다음!"

손이오는 얼굴 가득 긴장한 기색이 역력했다. 방금 죽은 사람인지라 생전에 아무리 용감하고 박학다식해도 긴장하는 것은 어쩌면 당연한 일이었다.

"그, 그럼 저는 심판을 받으러 가나요? 저는 착한 놈입니다. 생전에 닭 모가지 한번 비틀어 본 적이 없어요. 저 같은 촌놈이 환생을 잘할 수 있을까요? 최소한 장가갈 돈이라도 있었으면 좋겠는데……."

노인이 불안한지 계속 중얼거렸다.

문지기는 질리도록 듣던 말이라 손사래를 치며 말했다.

"심판? 아직 멀었수. 귀계에 혼백이 얼마나 많은데. 줄 서서 환생할 때까지 기다리는 데 족히 팔 년, 십 년은 걸릴 거요. 차례가 올 때까지 귀계에서 기다리시오. 뭐, 이승에서 살 때랑 크게 다르지는 않을 거요. 당신 순서가 오면 그때 판관 나리한테 가서 생전에 닭 모가지를 비틀었는지, 장가를 갔었는지 고하면 된다오."

손이오가 깜짝 놀라 멍청한 얼굴로 더듬거렸다.

"파, 팔 년? 십 년이오?"

멀지 않은 곳에 있던 묵연도 놀라움을 금치 못했다.

'뭐? 그렇게 오래 기다려야 환생 심판을 받을 수 있다고?'

"물론 전생에 극악무도한 죄를 지었거나 좀 이상한 혼백이라면 얘기가 좀 다르지."

문지기가 결코 호의적이라고 할 수 없는 웃음을 지었다. 웃음과 함께 흘러나온 창자를 그가 다시 집어넣으며 말을 이었다.

"18층 연옥에 떨어진 망자는 오래 기다릴 필요가 없거든."

"……."

어리숙한 손이오는 더 묻고 싶은 것이 있었지만, 문지기의 인내심이 거의 한계에 다다랐는지 그가 연신 손을 흔들며 말했다.

"가시오, 가. 여기 전부 다 환생을 기다리고 있는데 노인이 이리 막고 있으면 어떡하오? 다음, 다음!"

손이오가 그의 부채질 한 번에 멀리 나가떨어졌다.

다음은 연지와 분을 바른 얼굴이 무척 아름다운 묘령의 여인이었다. 촉촉한 눈망울에서는 특유의 분위기와 차분함이 느껴졌다. 그녀가 나긋나긋한 목소리로 말했다.

"나리, 소녀는 김화아라고 하옵니다. 저는 불량배에게 맞아 죽었어요……."

귀신들이 쑥덕대기 시작했다. 이들은 저마다 죽은 이유가 있었고 각자 생각하는 바도 달랐다.

생의 무질서는 모두 이곳으로 귀결되기에 그 어떤 상황도 이보다 더 시끄럽고 혼잡할 수 없었다. 그러나 묵연은 이곳에서도 오로지 등롱만 바짝 껴안고 있을 뿐이었다.

그는 사존께 진 빚 말고는 다른 것에는 관심 없었다.

그저 사존의 나머지 외로운 혼백만 찾으면 그만이었다.

"이름?"

문지기가 늘어지게 하품하더니 눈을 치켜뜨고 묵연을 보았다.

묵연이 입을 떼려는 순간 문지기가 움찔했다. 상대에게 이상한 낌새를 감지했는지 느닷없이 벌떡 일어나 묵연의 얼굴을 뜯어보았다.

"……."

묵연은 속으로 아차 싶었다. 자신은 한 번 죽었던 사람이라 혼백이 기묘할 수 있을 터였다. 그게 아니라도, 지금 품 안에 있는 다른 사람의 잔혼은 충분히 의심할 만했다. 게다가 귀계의 입구는 여기밖에 없어 달리 고를 수 있는 것도 아니었다.

어쩔 수 없이 뻔뻔하게 나가기로 작정한 묵연은 문지기의 얼굴을 똑바로 바라보았다.

문지기가 눈을 가느다랗게 떴다.

묵연은 최대한 침착한 척하며 자기소개를 시작했다.

"묵연입니다."

문지기는 말이 없었다.

묵연의 심장은 줄달음질 쳤지만, 얼굴에는 아무 표정도 드러나지 않았다.

"수행하던 도중 주화입마에 빠져 죽게 되었습니다. 나리, 호패를 주세요."

작가의 말

자존심 강하고 비판 정신이 투철했던 중산층 청년이었던 루쉰(魯迅) 작가에 대한 존경의 마음을 담아 104장을 썼습니다. 여자 귀신과 서생 귀신의 인물 설정과 일부 대사는 그의 작품《축복(祝福)》에 등장하는 인물 '샹린댁(祥林嫂)'과《쿵이지(孔乙己)》를 모티브로 하였습니다.

104장 사존 찾아 3만 리

"주화입마로 죽었다?"

문지기가 천천히 묵연의 말을 반복하더니 흥, 하고 코웃음을 쳤다.

"수행하는 사람인가?"

"네."

"도를 닦다가 이토록 어린 나이에 여길 왔으니, 거참 억울하겠네?"

문지기가 겉웃음을 흘렸다. 속인 중에 많은 사람이 타고난 지혜가 부족하여 깨달음을 얻지 못했다. 이들이 도사를 조롱하는 말에는 '신 포도라서 어차피 따도 못 먹을 거야'라는 자기합리화가 녹아 있었다.

"당신, 혼백이 좀 이상해. 순수하지가 않아."

회죄대사는 묵연에게 주문을 걸어 산 자의 기운을 감추고 혼령과 접촉할 수 있도록 하였다. 이런 이유로 문지기는 그의 정체를 간파하지 못했지만, 알 수 없는 찝찝함을 느끼고 있었다. 그가 천천히 앉아 다리를 꼬더니 서랍 안에서 새까만 자 하나를 꺼냈다.

"장죄척."[#21]

그가 우쭐대며 말했다. 장죄척이 제 것도 아니면서 왜 우쭐대는지 알 수는 없었지만, 무릇 벼슬아치란 품계가 낮을수록 허세 떠는 것을 좋아하는 법이었다. 문지기가 장죄척을 탁자 위에 탁 내리치며 눈을 치켜뜬 채 묵연을 응시했다.

"손을 내어 보아라. 이승에서 네가 쌓은 공덕을 좀 알아봐야겠다."

"……."

이승에서 쌓은 공덕?

까딱하면 바로 염라대왕 앞에 끌려가 가루가 되겠는데?

하지만 이목이 쏠린 상태라 어쩔 도리가 없었다. 그는 한숨을 내쉬며 한 손은 초혼등을 안고 다른 한 손을 내밀었다.

문지기가 자를 그의 혈 자리에 갖다 댔다. 닿자마자 장죄척에서 날카로운 비명이 울리더니, 몸체에서 피가 콸콸 쏟아지고 수많은 사람의 곡소리가 울려 퍼졌다.

– 난 죽어도 눈을 못 감는다…….

– 묵미우, 네놈이 만 번을 죽어도 절대 용서 못 해!

– 아버님! 어머님! 이 개새끼야, 왜 그랬어? 왜!

– 살려 주세요……. 제발, 살려 주세요…….

#21 장죄척 丈罪尺. 생전에 지은 죄를 측정하는 도구

묵연이 재빨리 손을 뺐다. 얼굴이 순식간에 백지장처럼 새하얘졌다.

주변을 빙 둘러선 귀신들이 그를 알 수 없는 눈빛으로 바라보았고, 문지기의 눈빛은 특히 더 헤아리기 어려웠다. 그가 포식자의 눈으로 묵연을 물끄러미 쏘아보다가 조금 뒤에 고개를 숙여 장죄척을 확인했다.

장죄척의 붉은빛이 사라졌다. 피도 환영이었는지 어디로 흘러갔는지 알 수 없었고 탁자 위는 티끌 하나 없이 깨끗했다. 이때, 장죄척에 서서히 글귀가 떠올랐다.

[용서 불가한 죄, 호송할 지옥 층수는…….]

몇 층 지옥?

장죄척이 채 가늠하기도 전에 묵연이 손을 거둔 터라 글귀가 완성되지 못했다.

문지기가 재빨리 묵연의 팔을 움켜잡은 채 흉흉하고 살벌한 얼굴로 그를 매섭게 쏘아보았다. 긴긴 시간을 따분하게 살아온 사냥꾼은 마침내 전설의 맹수라도 잡은 듯 콧구멍을 벌렁거렸고, 눈동자는 기이한 빛으로 반짝였다. 창자가 거의 다 흘러나왔지만, 이번에는 집어넣지도 않았다.

"움직이지 마. 다시 해 볼 테니."

공을 세울 생각에 안달이 난 얼굴이 탐욕으로 번들거렸다. 지금 당장 염라대왕한테 달려갈 기세였다.

그는 묵연의 손목을 거칠게 움켜쥐고 강제로 끌어당긴 후 정신 나간 사람처럼 묵연의 살갗에 장죄척을 다시 갖다 댔다.

18층 지옥으로 떨어질 귀신을 잡으면 엄청난 공을 세운 것이기에 최소 3급 이상 단번에 승진할 수 있었다. 그렇게만 되면 매일 성문 앞에서 혼백의 왕래를 기록하는 따분한 일도 이제 끝이었다.

"알았어요! 자자, 해 보세요!"

장죄척이 다시 빛났다.

이번에도 피가 흘렀고 곡소리가 장내를 가득 메웠다.

묵연이 죽인 사람, 그가 저지른 죄업이 이 작고 검은 자 속에 고스란히 압축된 듯했다. 원망이 하늘을 찔러 장죄척이 곧 터질 것만 같았다.

– 증오해…….

– 묵미우, 내 죽어서도 반드시 복수할 것이다…….

낯빛이 갈수록 어두워진 묵연이 눈을 내리깔고 입술을 깨물었다. 눈동자는 알 수 없는 색으로 반짝였다.

– 파렴치한 놈! 네놈이 인간계를 연옥으로 만들었어!

– 내 귀신이 되어서도 네놈을 가만두지 않을 것이다!

– 아아아……!

흐느끼고 울부짖고 저주하고 원망했다.

이때, 이 악다구니 속에서 미약한 한숨이 새어 나왔다.

– 미안하다, 묵연. 다 내 잘못이다…….

눈을 번쩍 뜬 묵연의 눈동자에는 슬픔이 배어 있었다.

이는 전생에 초만녕이 죽기 직전에 한 말이었다. 이 평온하고 애절한 목소리는 마치 잘 벼려진 칼날처럼 그의 골수를 파고들어 영혼까지 갈기갈기 찢어 놓는 것만 같았다.
곡소리는 차츰 잦아들고 장죄척도 잠잠해졌다.
장죄척에 조그마한 글귀가 다시 떠올랐다.

[용서 불가한 죄, 호송할 지옥 층수는…….]

이번에는 묵연이 미리 손을 빼지도 않았는데 글자가 나오다 말았다!
문지기가 얼떨떨한 얼굴로 장죄척을 탁탁 내리쳤다.
"망가졌나?"
장죄척을 내리치자 미세하게 떨리더니 잠시 뒤 글자가 완전히 사라졌다. 곧이어 은은하고 신성한 기운이 감돌면서 눈부신 빛이 반짝 떠올랐다.
이번에는 곡소리가 아닌, 뭇 새들이 봉황을 칭송하는 듯한 노랫소리가 들려왔다. 마치 천상의 궁중악이 저승에 울려 퍼지는 것처럼 온갖 잡귀들을 사로잡았다. 문지기조차 넋을 잃고 귀를 기울였다.
아름다운 노랫소리가 그치고 나서야 문지기도 번뜩 정신을 차렸다.
장죄척을 다시 확인해 보니 다른 글자가 떠올랐다.

[정상 혼백, 통행 허가.]

문지기가 버럭 소리쳤다.

"말도 안 돼!"

분명 조금 전에 '용서 불가한 죄'라고 했다. 그런데 지금은 어찌 '정상 혼백'이라고 하는 걸까?

그가 불만스러운 얼굴로 여러 번 다시 시도해 봤으나 결과는 모두 똑같았다. 먼저 비명이 터져 나오고 곧이어 노랫소리가 들린 후 마지막에는 여지없이 '정상 혼백, 통행 허가'라는 글귀가 떠올랐다.

문지기의 실망감은 이루 말할 수 없었다. 정상 혼백이니 저승에 들어가는 것을 막을 이유가 없었다.

그가 제 창자를 다시 우악스럽게 집어넣기 시작하더니 이내 입을 열었다.

"쳇, 정말 주화입마로 죽었나 보군."

묵연도 이 결과가 의외이긴 마찬가지였다. 연유를 정확히 알 수는 없으나, 아무래도 회죄대사의 주문이 장죄척에 섞여 들어간 것이라는 생각이 들었다. 그가 낮게 안도의 한숨을 흘렸다.

"썩 꺼져. 호패는 여기 있다. 네놈 때문에 시간이 많이 지체됐어. 얼른 안 꺼지고 뭐 해?"

묵연이 다시없을 기회라 생각하며 얼른 초혼등을 안고 가려는데, 돌연 문지기가 안광을 빛내며 큰 소리로 그를 불러 세웠다.

"잠깐!"

묵연은 심장이 터질 듯이 뛰었지만 침착한 표정을 잃지 않았다. 그가 어쩔 수 없이 대답했다.

"무슨 일입니까?"

문지기가 아래턱을 까딱하며 물었다.

"안고 있는 거, 그게 무엇이냐?"

"아, 이건……."

초혼등을 쓰다듬다가 문득 좋은 생각이 머리를 스치고 지나갔다. 그가 방긋 웃으며 말했다.

"부장품입니다."

"부장품?"

"네. 법기(法器)거든요."

"아, 재미있네."

문지기가 탁자를 가리키며 눈빛을 번뜩였다.

"그거 여기 놔두고 다시 한번 해 봐야겠다. 그 법기가 장죄척을 헷갈리게 했을 수도 있으니까."

"……."

묵연은 속으로 욕을 한 바가지 했지만, 별다른 수가 없었기에 초혼등을 내려놓고 불안하게 손을 뻗었다.

문지기는 확신에 찬 얼굴로 재빨리 자를 갖다 댔다.

그러나 결과는 같았다.

여전히 '정상 혼백, 통행 허가'라는 글귀가 또렷하게 나타났다.

문지기는 물론이고 묵연조차 어리둥절했다. 어쨌든 이 정도까지 한 이상 상대방도 완전히 포기했는지 몹시 낙담한 모습으로 묵연을 놓아주었다.

묵연은 더는 뭉그적거리지 않고, 얼른 초혼등을 안고 기나긴 통로를 건너기 시작했다. 통로 끝에 다다르자 주변이 다른 색채로 바뀌었다.

귀계였다. 황량한 귀계가 눈앞에 끝없이 펼쳐졌다.

이곳은 지옥의 제1층으로, 얼핏 봐서는 그 끝을 알 수 없었다. 하늘은 타는 노을처럼 새빨갰고 기이한 넝쿨과 초목이 땅 위로 우뚝 솟아 있었다. 주변으로 기와집이 빽빽하게 늘어섰고 저 멀리 높다란 가옥이 다닥다닥 몰려 있었다. 입구에 있는 거대한 바위에 '너희 육신은 먼지로 돌아가고, 넋은 남가향으로 돌아간다'라는 글귀가 눈에 띄었다. 옆에는 붉게 옻칠한 패루가 위용을 뽐냈고, 그 위에는 황금을 녹여 만든 듯 금색으로 '남가향(南柯鄕)'이라고 새겨져 있었다. 글자 하나가 성인 남자의 키보다 더 컸다.

여기가 바로 지옥의 제1층 남가향이었다. 죽은 사람은 특별한 경우를 제외하고 이곳에 한동안 머물렀다. 팔 년, 십 년이 지나 판관이 자기를 부르면 다시 제2층으로 올라가 선고를 받는다.

묵연은 초혼등을 안고 두리번거리며 걸어갔다.

언뜻 보기에 이곳은 인간계와 큰 차이가 없었다. 거리, 가옥, 환락가가 있었고 열여덟 개의 길이 각각 가로로 아홉 개, 세로로 아홉 개가 나 있었다. 남자, 여자, 아이 할 것 없이 귀신들이 곳곳을 돌아다녔고 간드러진 웃음소리, 구슬픈 울음소리가 쉴 새 없이 이어졌다. 한마디로 귀신들 천지였다.

동쪽에서 이제 막 죽은 부인이 흐느끼고 있었다.

"이를 어쩐담? 재가한 여자는 머리와 다리로 반 토막을 내서 두 남편한테 나누어 준다는데, 정말일까요? 누가 얘기 좀 해 줬으면. 설마 아니겠지요?"

그녀 옆에는 옷섶 사이로 맨살이 드러나고 머리가 산발한 처녀가 눈물을 흘리고 있었다.

“기녀가 되지 않으면 생계가 막막한데 어쩌겠어요. 죽기 전에는 문턱[#22]을 바치려고 토지묘에도 갔었어요. 문턱이 제 대신 사람들 발에 밟히다 보면 면죄받을 수 있다잖아요. 하지만 촌장님이 제 문턱을 바꾸려면 금 400냥을 내라고 하더군요. 제게 그만한 돈이 있었다면 몸 파는 일을 했겠어요…….”

서쪽에서는 어떤 사내가 셈을 하고 있었다.

“사백일 일, 사백이 일, 사백삼 일…… 내가 가면 그 사람도 따라오겠다고 약속했는데. 분명 나랑 같이 죽었는데 어째서 사백사 일이나 지나도록 안 나타나는 걸까? 아, 연약한 여자니까 황천길에서 길을 잃었을지도 모르겠네. 근데 정말 길을 잃었다면 어떻게 해야 하지?”

갓 죽은 귀신들이 재잘대며 남가향 입구에 삼삼오오 모여 있었다. 그러나 다들 앞에서만 배회할 뿐 선뜻 들어가지 않았다.

그 안에는 모두 이승에 다녀와 죽음을 받아들인 노귀(老鬼)들이었다.

그들은 대체로 여유롭고 초연했다. 개중에는 각자 생계를 꾸려 심판이 다가올 때까지 길고 지루한 시간을 그럭저럭 보내는 귀신도 있었다.

세 번째 길에 도착하자 시끌벅적한 장터가 보였는데, 인간 세상 못지않았다.

도처에는 사지육신 멀쩡한 귀신들만 있었다. 맹파탕[#23]을 마시지 않았음에도 사람과 귀신을 분간할 수 없었다. 생전에 극단에

#22 문턱 중국에는 묘나 사찰에 돈을 주고 문턱을 만들면 자기 대신 사람들 발에 밟히며 죄를 속죄해 준다고 믿는 미신적 풍속이 있다.

#23 맹파탕 孟婆湯, 저승에서 먹는 망각의 약

있던 사람들은 여전히 길거리에서 공연을 했고, 살았을 때 바느질을 하던 사람은 죽어서도 지옥의 구름을 떼어다가 옷을 짰다. 더는 살생할 수 없는 백정도 칼이나 가위를 가는 것으로 생계를 이어 나갔다.

장사꾼 소리, 환호하는 소리가 여기저기서 끊이질 않아 무척이나 혼잡했다.

묵연은 서화를 파는 귀신 앞에 멈춰 섰다. 귀신은 생전에 그림 한 장 팔지 못해 굶어 죽은 것 같았다. 얼굴이 누렇게 뜨고 수척했으며, 광대뼈가 돌출된 데다 갈비뼈는 앙상하게 드러나 있었다.

좌판 앞에 선 손님을 보자 왜소한 서생이 흐릿한 눈을 들어 올렸는데 무척 절실한 표정이었다.

"공자님, 그림 사시게요?"

"초상화 좀 부탁드립니다."

서생이 안타깝다는 듯 말했다.

"인물화는 산수화보다 덜 운치가 있습니다. 그러지 말고 여기 태산연운도(泰山煙雲圖)를 좀 보시면……."

묵연이 대답했다.

"저는 산수화를 좋아하지 않아서요. 초상화를 좀 그려 주세요."

"산수화를 좋아하지 않는다고요?"

서생의 얼굴에 떨떠름한 기색이 묻어났다.

"어진 자는 산을 좋아하고 지혜로운 자는 물을 좋아한다고 하였습니다. 공자님처럼 한창나이에는 인격 수양과 글공부에 매진하셔야죠. 제가 그린 이 태산연운도는 사실 팔기가 아까울 정도입니다. 하나 저한테 오신 걸로 보아 공자님이 아예 까막눈도 아닌 듯하니, 이건 어떻습니까? 제가 조금 더 싸게 해 드릴…….”

“저는 초상화를 원합니다.”

“…….”

두 사람이 서로의 눈을 보며 대치했다. 하지만 서생 따위가 어찌 그의 상대가 되겠는가? 얼마 못 가 지레 겁먹더니, 슬슬 부아가 치미는 모양이었다. 뜻밖에도 죽은 귀신의 얼굴에 약간의 핏기마저 돌았다.

“소생은 사람을 그리지 않습니다. 그래도 필요하다면, 품삯의 열 배를 주시지요.”

묵연이 물었다.

“귀계에서도 돈이 필요합니까?”

“가족이든 지인이든 지전[#24]을 태울 거 아닙니까?”

서생이 냉랭하게 말했다.

“돈이면 귀신도 부리는 법입니다. 물론 저도 속물처럼 굴기는 싫습니다만, 어쨌든 군자가 부를 좋아하면 그걸 얻는 데도 도를 따진다는 말이 있잖습니까? 우리가 백아와 자기처럼 막역한 사이도 아니고[#25] 그냥 생판 남인데 제가 무슨 이유로 공자를 위해 수고를 해야 합니까?”

서생이 다다다 일장 연설을 쏟아 냈으나 묵연처럼 지식이 얕은 사람에겐 듣는 것마저 고역이었다. 그가 미간을 찌푸리며 말했다.

#24 지전 紙錢. 죽은 사람이 저승 가는 길에 쓰라는 뜻으로 만든 돈 모양 종이

#25 백아와 자기 춘추시대 거문고의 달인 백아는 그의 음악을 이해하는 종자기가 죽자 거문고 줄을 끊어 버리고 다시는 거문고를 타지 않았을 정도로 깊은 우정을 나눴다.

"방금 죽어서 아직 지전을 태워 준 사람이 없는데요."
서생이 말했다.
"돈이 없으면 안 팝니다."
묵연은 곰곰이 생각하다가 좋은 생각이 났는지 태산연운도를 가리키며 말했다.
"알겠습니다. 안 파신다니 어쩔 수 없죠. 하지만 저 역시 할 일도 없고 하니, 그럼 이 산수화에 대해 설명 좀 해 주시겠어요?"
서생이 멈칫하더니 분노가 금방 기쁨으로 바뀌었다.
"설명을 듣고 싶다고요?"
묵연이 고개를 끄덕였다.
"설명을 듣는 데도 돈을 내야 합니까?"
"필요 없습니다."
거만한 태도로 말하는 서생은 가소롭고 딱하다는 표정을 지어 보였다.
"배움을 논할 때는 돈을 언급해선 안 되지요. 그건 무척 저속한 짓입니다. 선비가 그런 속물근성을 가져서야 되겠습니까."
묵연은 고개를 끄덕였지만, 머릿속으로는 이 만년 서생이 왜 굶어 죽었는지 이해가 되고도 남았다. 아니꼬운 마음은 들었지만 주머니 사정만 괜찮았다면 얼마라도 쥐여 주고 싶을 만큼 딱해 보였다.
서생은 신이 나서 걸어 놓은 그림을 가져와 자세를 잡더니, 딱히 풀 필요도 없는 귀신 목을 푼 다음 거만하고 상기된 얼굴로 운을 뗐다.
"그럼 시작합니다."

만년 서생이 속임수에 넘어간 것을 보고, 묵연은 웃으며 대답했다.

"부탁드립니다."

105장 사존의 초상화

서생은 장장 네 시간 동안 공자 왈, 맹자 왈만 읊어 대며 케케 묵은 지식을 자랑했다. 묵연은 머리가 띵하고 눈도 침침한 것이 졸음까지 쏟아졌지만, 흥미로운 척을 해야 했기에 여간 고역스러운 것이 아니었다.

수업을 듣는 척하는 것은 사실 묵연이 꽤 잘하는 나름 특기였다.

처음에는 '아?' 하고 짧게 감탄사를 내뱉고 잘 모르겠다거나 의아하다는 듯이 미간을 찌푸린다.

그런 다음 상대방의 말을 잠시 듣다가 '아…….' 하고 말끝을 길게 늘이듯 빼서 조금씩 깨닫는 중이라는 암시를 주며 미간을 조금 편다.

마지막에는 반드시 눈을 크게 뜨고 눈빛을 반짝이며 '아~.'라고 내뱉어야 한다. 이는 빠질 수 없는 단계로, 그래야 서생이 불쌍한 중생에게 깨달음을 주었다고 착각하기 때문이다.

이 세 번의 '아'는 그가 초만녕의 수업에서 적잖이 써먹은 수법이었다.

다만 안타깝게도 이런 얄팍한 꼼수가 초만녕에게 통한 적은 없었다. 그는 매번 차가운 눈빛으로 응수하여 묵연의 입을 다물게 했다.

그러나 이 만년 서생이 어디서 이런 대우를 받아 보았겠는가? 설명을 다 마치자 두 눈에 생기가 돌고 신이 난 듯 싱글벙글했으며, 심지어 묵연을 진작 만나지 못한 것을 못내 아쉬워하기까지 했다. 아까 보았던 고고하고 거만한 모습은 온데간데없었다.

"알겠습니다."

묵연이 웃으며 말했다.

"설명을 듣고 다시 보니 정말 천금을 줘도 바꿀 수 없는 산수화가 맞군요."

만년 서생이 살아 있는 사람이었다면 분명 얼굴을 붉혔을 테지만, 지금도 그것 말고는 산 사람과 진배없이 흥분한 모습이었다. 그는 기뻐서 어쩔 줄 몰라 하며 아이처럼 환하게 웃었고, 야위고 핼쑥한 얼굴에서는 반짝반짝 빛이 났다.

묵연은 귀신 노릇이 이렇게 즐거울 수 있다는 것을 처음 알았다.

시간이 다 되자 묵연이 일어나 서생에게 예를 갖춰 인사했다.

"시간이 늦었습니다. 저는 잠시 머물 곳을 찾아 주변을 좀 돌아봐야겠어요. 내일 선생께서 시간 되실 때 또 찾아뵙겠습니다."

서생은 갑자기 '선생'이라고 불리자 얼굴에 기쁜 빛이 가득한 채 황송해했다.

"아, 선생이라니, 당치도 않습니다. 생전에 과거 시험을 봤는데 번번이 낙방하여 수재(秀才)조차 되지 못했는걸요. 저……
저는…….”

묵연이 웃었다.

“학문의 깊이는 이익이나 벼슬, 명성에 있는 것이 아니라 마음에 있습니다.”

서생이 매우 놀랐다.

“어, 어떻게 이런 말씀도 하실 줄 압니까?”

“제 사존이 하신 말씀입니다. 저는 그저 습인아봉 한 것뿐이지요.”

서생이 정정해 주었다.

“……습인아혜[#26]겠지요.”

“그렇습니까? 하하하.”

묵연이 웃으며 머리를 긁적였다.

“또 잘못 알고 있었네요.”

서생은 제법 늦은 시간이라 더는 손님이 없을 것이라는 생각에 나무 상자와 전대(纏帶)를 정리하며 말했다.

“근래 할 일이 없어 한가하던 참이었는데 모처럼 마음이 맞는 사람을 만났군요. 군자의 사귐은 물과 같다고 하지만 술은 막역한 지기와 마시면 천 잔이 부족하다는 말도 있지요. 저는…….”

묵연은 이 만년 서생이 또 안쓰러워 미소를 띤 채 그의 말을 자르며 말했다.

“날도 저물었으니 같이 술 한잔하자는 말씀이시죠?”

“아, 그, 그, 그렇습니다. 조촐하게 한잔하며 마음을 나누자는

#26 습인아혜 拾人牙慧, 남의 말을 그대로 인용하는 것

것입니다. 어떻습니까?"
"좋습니다."
묵연이 고개를 끄덕이며 덧붙였다.
"선생이 사시지요."
"……."

기름으로 번들거리는 탁자 위에는 땅콩 열댓 알 정도가 든 그릇과 술이 반만 채워진 작은 술잔 두 개가 놓여 있었다. 주점 안에는 하나밖에 없는 촛불이 초라하고 궁상맞게 타고 있었다. 험상궂은 인상의 주인장은 계산대 뒤에서 금이 간 그릇을 닦고 있었다.
"좀 낡았네요."
서생은 조금 불안해 보였다.
"하지만 저 역시 지전을 받지 못해 가 본 곳이 많지 않습니다. 여긴 그나마 괜찮을 거예요……."
"좋은데요."
묵연은 술잔을 들어 자세히 살폈다.
"귀신도 음식을 먹습니까?"
"모두 허상입니다. 제사상과 같다고 보시면 됩니다."
서생이 땅콩을 입에 넣었지만 그릇 안에 든 땅콩 개수는 줄지 않았다.
"보세요, 모두 이렇습니다. 한번 먹어 보세요."
묵연은 표정을 숨기며 술잔을 내려놓았다. 그는 망자가 아니었기에 이걸 먹었다가는 정체가 탄로 날 수도 있었다.

서생은 연거푸 석 잔을 들이켜는 것으로 생전에 포부를 이루지 못해 답답했던 마음을 조금이나마 위로했다. 묵연과 얘기를 나누던 그가 물었다.

"묵 공자는 아까 소생한테 초상화를 부탁했는데, 혹여 사모하는 사람이라도 그리려는 겁니까?"

묵연이 얼른 손사래를 쳤다.

"아, 아닙니다. 제 사존의 초상화입니다."

"아."

서생이 의외라는 듯 말했다.

"저승에서 좌판을 깐 지 수년이 지났지만, 미인도를 찾는 사람은 있어도 사존을 그려 달라는 사람은 없었습니다. 사존이 참 잘해 주셨나 봅니다?"

묵연은 죄책감이 들었다.

"네, 과분할 만큼이요."

"어쩐지."

서생이 고개를 끄덕였다.

"한데 사존 초상화를 왜 그리려는 겁니까?"

"찾으려고요."

서생이 '아' 하고는 의아한 듯 물었다.

"그분도 저승에 있는 겁니까?"

"네."

묵연이 말했다.

"죽은 사람은 남가향에서 팔 년이나 십 년 정도 버문다고 들었습니다. 그래서 사존이 걱정스러워 이리 찾으러 왔지요. 함께 있으려고요."

서생은 의구심이 풀린 데다 심지어 가슴이 뭉클하기까지 했다. 그가 한참 머뭇거린 후 탄식하며 말했다.

"사제 간에 이리 사이가 좋기도 쉽지 않은 법이죠. 좋습니다! 묵 공자, 소생이 도와드리죠!"

그가 일어나 나무 상자를 열어 화구를 꺼냈다.

묵연은 크게 기뻐하며 연신 고마움을 표한 후 그의 이름과 성을 물었다. 잘 기억하고 있다가 인간 세상으로 돌아가면 이 가난한 서생을 위해 금은보화라도 태워 줄 심산이었다.

두 사람은 서로에게 감동하며 다소 요란하게 종이를 깔고 먹을 갈았다.

그러나 막상 그림을 그리기 시작하자 얼마 못 가 말문이 막혔다.

"사존은…… 그러니까……."

묵연은 주먹을 쥐고 무릎 위를 여러 번 두드렸지만 할 말이 딱히 생각나지 않았다. 말주변이 없는 묵연이 한참 갑갑해하다가 마침내 한마디 던졌다.

"어쨌든 무척 아름다운 분이십니다. 이제 그리시죠."

서생이 그를 빤히 쳐다보았다.

"그리시라고요."

"……어떻게 아름다우시죠?"

"그냥 아름다우세요. 예쁘게 그려 주시면 됩니다."

"예쁘게 그려야 한다는 건 아는데…… 아, 됐고요. 그럼 얼굴은 어떻게 생겼습니까?"

"어떻게 생겼냐고요?"

묵연이 멈칫하더니 맹한 얼굴로 말했다.

"……그냥 얼굴처럼 생겼는데요."

서생은 슬슬 짜증이 치밀기 시작했다.

"아니, 갸름하다거나 턱이 뾰족하다거나 얼굴이 길다거나 거위 알처럼 동그랗게 생겼다거나, 뭐 이런 거 있잖아요?"

"그리 자세하게는 모릅니다. 어쨌든 되게 준수하게 생기셨어요."

"……."

"그럼 그냥 제 얼굴처럼 그려 주세요. 얼굴형이 비슷하거든요."

"……."

눈을 그릴 차례였다.

"눈이 어떻게 생기셨죠?"

묵연이 대답하려는데 서생이 얼른 말을 보탰다.

"눈처럼 생겼다는 말은 마세요."

묵연이 손을 휘휘 내저으며 말했다.

"그럼요! 사존 눈은 말이죠…… 그게, 뭐라고 해야 하지? 무섭게 생겼는데…… 예쁘다고 할까요? 차가우면서도 따뜻한 눈, 있잖아요."

서생이 발끈하더니 붓을 내동댕이쳤다.

"못 그리겠습니다! 다른 사람 찾아보세요!"

"안 됩니다!"

묵연이 얼른 그를 붙잡았다.

"선생보다 더 잘 그리는 사람이 어딨겠어요?"

서생이 씩씩대며 묵연을 노려보았다. 결국 그의 진심 어린 눈빛을 외면하지 못한 채 정색하며 말했다.

“그럼 잘 좀 말해 보시죠. 제가 물으면 성실하게 자세히 대답해 주시면 됩니다.”

묵연도 좀 억울했다. 방금 잘 대답하지 않았는가? 저이가 묻고 난 대답하고. 방금 한 건 뭐란 말인가? 하지만 아쉬운 사람이 참아야 하는 법. 묵연은 얌전히 고개를 끄덕이고는 몹시 가련한 얼굴로 품 안의 초혼등을 꼭 끌어안았다.

서생이 말했다.

“그러니까 눈 말입니다, 호랑이 눈입니까? 삼백안#27입니까? 행안#28? 아니면 봉안#29? 그것도 아니면…….”

묵연은 현기증을 느끼며 고개를 흔들었다.

“봉안#30이요? 그런 좁쌀눈이 아닙니다. 그게 아니고 눈꼬리가 살짝 올라갔는데, 그런 눈을 뭐라고 하나. 어쨌든…… 눈꼬리가 위로 올라가서 엄청 예뻐요…….”

“그게 봉안(鳳眼)입니다.”

서생의 언짢은 기색을 눈치챈 묵연이 불만스럽게 입을 떼다 말았다.

“네, 선생이 봉안(縫眼)이라면 봉안인 거겠죠.”

서생이 이어서 물었다.

“코는 높습니까, 낮습니까?”

“높습니다.”

“입술은 얇습니까, 두껍습니까?”

“얇아요.”

#27 **삼백안** 三白眼. 눈동자의 좌우뿐만 아니라 위나 아래에 흰자위가 드러나 보이는 눈
#28 **행안** 杏眼. 둥글고 큰 눈
#29 **봉안** 鳳眼. 가늘고 길며 눈꼬리가 살짝 올라간 새초롬한 눈
#30 **봉안** 縫眼. 가느다란 틈새처럼 보이는 눈

"눈썹은 진합니까, 옅습니까?"

"진합니다."

"두껍습니까, 얇습니까?"

"아, 눈썹이 어떻게 생겼는지 알겠어요. 그저 날카롭게 위로 올라간 눈썹입니다."

"그렇군요."

서생이 몇 번 더 붓질한 후 물었다.

"얼굴에 점은 있나요?"

고개를 갸웃거리며 생각하던 묵연이 점차 얼굴을 붉히더니 흘리듯 말했다.

"있습니다……."

"어디죠?"

"왼쪽 귀."

묵연이 천천히 말을 이었다.

"아주 작고 색깔도 옅어요. 그리고……."

그리고 거기가 특히 민감했죠.

서생이 눈썹을 추켜세웠다.

"그리고?"

"아닙니다."

세차게 고개를 흔드는 묵연의 얼굴이 더 빨개졌다.

"아무것도 아닙니다."

서생이 의아한 듯 그를 힐끗 쳐다보았지만, 다행히 등불이 어두침침해서 묵연 얼굴에 핀 홍조는 보이지 않았다. 그가 붓끝에 먹물을 묻히고서 물었다.

"옷차림은 어떻습니까?"

"흰옷을 즐겨 입으셨고, 머리에는 청옥관을 쓰거나 머리칼을 하나로 높게 묶으셨어요."

묵연이 잠시 생각하고 말을 보충했다.

"가끔 머리를 풀기도 하는데, 그때는 아주……."

"아름답다는 말은 그만하십시오!"

서생이 지긋지긋하다는 얼굴로 쏘아붙였다.

"네, 그럼 수려하다고 말하죠."

"……."

우여곡절 끝에 겨우 그림을 완성했다. 묵연이 덜 마른 먹물을 후후 불고는 그림을 들어 자세히 살펴보았다. 초만녕만큼 아름답지도, 똑같다고 할 만큼 닮지도 않았지만, 그럭저럭 써먹을 수 있을 것 같았다. 그가 웃으며 말했다.

"선생, 감사합니다. 정말 잘 그리셨네요"

"거의 반안(潘安)과 범려(範蠡), 서시(西施)와 초선(貂蟬)[#31]을 그린 것 같지 않습니까?"

"하하하."

묵연이 호탕하게 웃으며 말했다.

"사존을 찾게 되면 다시 인사하러 오겠습니다."

묵연은 서생과 술을 마시며 대화를 나누다가 날이 더 캄캄해지자 주점을 나와 서로 제 갈 길을 갔다. 그는 초만녕의 초상화를 들고 서생이 귀띔한 '순풍루(順風樓)'로 향했다. 순풍루는 다섯 번째 길에 있었는데, 이곳은 저승에 갓 들어온 외로운 혼백

#31 반안(潘安)과 범려(範蠡), 서시(西施)와 초선(貂蟬) 반안, 범려, 서시, 초선은 중국 고대 미남, 미녀의 대표적인 인물들이다.

에게 각종 정보를 알려 주는 곳이었다.

묵연은 그곳에 가 보기로 했다.

순풍루 입구에는 검은색 뱀 문양이 그려져 있는 붉은 깃발이 유유히 나부끼고 있었다. 묵연이 문을 밀고 들어가자 대청 안에 가로로 기다랗게 놓인 계산대가 눈에 들어왔고, 그곳에는 열이 좀 넘는 귀신들이 홍갈색 옷을 입고 앉아 있었다. 하나같이 험악한 모습의 나무 가면을 쓴 상태라 진짜 얼굴을 볼 수가 없었다. 가면 쓴 귀신들 앞으로 각각 길고 구불구불한 줄이 늘어서 있었는데, 저마다 표정도 다르고 원하는 바도 다른 망자들이었다.

천장에는 하얀 양초 수백 개가 둥실 떠다녔고, 겹겹이 이어진 등불이 겹겹이 이어진 망자를 비추었다. 이 안에서 귀신들이 분주하게 오가고 있었다.

"선생님, 제 동생이 어디에 있는지 알아봐 주시겠습니까? 이름은 장팔일, 소주(蘇州) 사람입니다. 스물하나에 죽었고요."

"초상화 있소?"

"없, 없습니다."

"초상화가 없으면 비용이 열 배로 불어나요."

다른 귀신은 이렇게 호소했다.

"형님……."

가면 쓴 귀신이 기침했다. 목소리가 카랑카랑했다.

"아, 죄송합니다. 낭자였군요. 낭자, 제 말 좀 들어 보십시오. 제가 죽었을 때 집사람이 절대로 재가하지 않겠다고 했어요. 그런데 쭉 지켜본 결과, 오랫동안 제 동생과 심상찮은 눈빛을 주고받는 게 아니겠습니까? 죽어서도 울화통이 터져 또 죽겠습니다. 그러니 제발 좀 찾아 주세요. 집사람이 과부로 수절한 채 살고 있는지, 제 동생과 붙어먹었는지 알아야겠습니다!"

"이승의 일을 조사하는 것은 여기 단가표가 있으니 잘 살펴보시오."

또 다른 귀신이 상담하는 이야기도 들렸다.

"실례하겠습니다. 소생은 생전에 한 처녀를 좋아했습니다. 하지만 그녀는 지체 높은 가문의 여식이라 저처럼 과거 급제도 못한 서생 따위는 거들떠보지도 않았어요. 소생은 담이 작아 지금껏 그녀에게 마음을 내보인 적이 없었습니다. 나중에 그녀는 혼인했고, 소생도 기꺼이 축하해 주었어요. 하지만 신랑이 그런 망나니일 줄 누가 알았겠습니까? 이미 마누라가 있는 사람이었거든요. ……아, 이후에 변고가 생겨 그녀는…… 소생보다 먼저 세상을 떠났습니다. 그래서 소생이 알고 싶은 것은 두 가지입니다. 하나는 지금 그 아가씨가 어디에 있는지, 다른 하나는…… 다음 생에 우리 둘, 연분이 있는지 알고 싶어요……."

"내세의 일은 조사할 수 있소만, 대가로 돈 대신 수명을 지불해야 하오. 그리고 그 아가씨의 행방을 알려면 이름을 등록하고 초상화를 보여 주시오."

"아, 초상화, 여, 여기에 있습니다. 성은 '요'씨고 이름은 외자인 '란'입니다."

계산대 앞에는 귀신이 소곤대는 소리로 시끌시끌했다. 몸이 썩어 문드러졌는데도 집착을 버리지 못한 망자들이었다.

등롱을 안고 이리저리 둘러본 묵연은 이곳에서 어떤 질문을 하든지 돈이나 수명을 대가로 지불해야 한다는 사실을 알게 되었다.

묵연은 수중에 땡전 한 푼 없던 터라, 그들이 수명을 대가로 원한다면 저승에 몰래 들어온 것이 발각될 위험이 있었다. 순간 불안해진 그는 미리 원보[#32]나 지전을 챙겨 주지 않은 회죄대사를 속으로 원망했다.

단가를 보니 생각보다 비쌀 것 같지는 않았다. 묵연은 어쩔 수 없이 주점으로 돌아가 부근에 있던 서생을 간신히 붙잡았다. 사정사정하여 약간의 돈을 빌린 다음에 다시 순풍루로 돌아갔다.

한참 줄을 서서 기다린 후에야 겨우 그의 차례가 돌아왔다.

묵연이 얼른 말했다.

"사람을 찾아요. 여기 초상화가 있습니다."

초만녕의 초상화를 건네고 다음 말을 하려는데, 앞에 앉은 사람이 초상화를 보고 싱긋 미소 짓더니 그림을 둘둘 말면서 물었다.

"이 사람을 왜 찾으시오?"

"네?"

묵연이 얼떨떨한 얼굴로 물었다.

"그림만 봐도 어디에 있는지 아십니까?"

"그렇소. 하나 이 사람을 왜 찾는지부터 말하시오."

"옛 친구라서요."

상대방이 묵연을 잠깐 보더니 말했다.

"잠시 기다리시오."

그가 옆에 있는 동료 쪽으로 몸을 숙여 귓속말을 속닥였다. 그가 몸을 다시 돌렸을 땐 어조나 태도가 훨씬 부드러워졌다.

#32 **원보** 중국에서 쓰던 화폐 중 하나로, 말굽 모양으로 된 은덩이

"초 선생님 친구라면 돈은 필요 없소."

그가 일어나 묵연에게 손짓했다.

"따라오시오."

106장 사존의 지혼

묵연은 어리둥절한 표정으로 그를 따라 올라갔다. 낡고 오래된 나무 계단에서 삐걱삐걱 소리가 났다. 그가 입을 열었다.

"여기서 그분을 초 선생님이라 부릅니까?"

"그렇소. 염라대왕께서 이곳 일을 맡기셨지. 우리 윗전이라오."

"……."

묵연은 대답하지 않았으나 내심 놀라긴 했다.

"여기요."

가면 쓴 귀신이 2층에 있는 반달 모양의 문 앞에서 걸음을 멈췄다. 그가 주홍색 문을 가볍게 두드렸다.

"초 선생님, 옛 친구라는 사람이 찾아왔습니다."

처음에는 조용하다가 이내 부드러운 목소리가 들렸다. 화로에 데운 따뜻한 술이나 포근한 베개처럼 기분 좋은 목소리였다.

"옛 친구? 또 그자더냐? 내 더는 만나고 싶지 않다고 말하지 않았느냐. 돌려보내거라."

가면 쓴 귀신이 헛기침했다.

"아닙니다. 초 선생님, 그자가 아닙니다."

"그럼 누구지?"

잠시 침묵하더니 말했다.

"됐다. 들여보내라."

난각 안은 아담하고 깨끗했다. 책상과 의자는 썰렁하리만치 단조로웠으나 바닥만큼은 제법 값비싼 융단이 깔려 있었다. 묵연이 안으로 발을 딛자 짐승 가죽 특유의 비릿한 냄새가 코를 찔렀다. 창문 옆에는 한 남자가 꽃가지를 잘라 내고 있었는데, 이곳 분위기와는 어딘지 어울리지 않았다.

남자는 검고 긴 머리카락을 늘어뜨린 채 소매가 길고 너른 흰 옷을 입고 있었다. 선홍색 꽃봉오리가 옥처럼 투명한 손가락 끝에서 가느다랗게 흔들렸다. 순풍루에 따로 규정이 있는지 그 역시 감색 귀신 가면을 쓰고 있었다. 날카로운 뻐드렁니에 눈알이 툭툭 불거진 모습을 한 흉측한 가면이었는데, 그가 써서 그런지 이상하게도 온화해 보였다.

그는 자신이 자른 잔가지를 모아 한꺼번에 버리고는 고개를 돌렸다.

묵연은 목이 바짝 말랐다. 조금 전 가면 쓴 귀신과 초만녕이 나눈 알 수 없는 대화에 그는 은근히 불안감을 느꼈다. 이 혼백이 무엇을 잃었는지 모르기에 더 그랬다. 만약 초만녕이 날 기억하지 못한다면…….

막연한 불안감에 빠져 있던 그때, 남자가 가위를 내려놓고 그에게 걸어왔다.

천하에 두려울 것이 없던 묵연도 흠칫 당황했고 등에서는 식은땀이 주르르 흘러내렸다.

"사존."

거리를 좁힌 남자가 걸음을 멈췄다. 그가 피식 웃는 것 같았다.

"사존?"

그가 말했다.

"사람 잘못 본 것 같네."

역시…….

우려했던 일이 현실이 되었다.

묵연의 심장이 쿵쿵거렸다. 가슴에 거대한 바위가 떨어져 그를 끝도 없는 나락으로 떨어뜨렸다. 그는 마주 선 남자의 얼굴만 멍하니 바라볼 뿐 어떤 말을 꺼내야 할지 알 수가 없었다.

묵연이 대답하지 않자 남자는 길고 하얀 손을 들어 천천히 가면을 벗었다. 가면 뒤에 감춰진 수려하고 단정한 얼굴이 드러났다.

묵연의 가슴을 짓누르던 천 근 같은 바위가 돌연 사라졌다.

깜짝 놀란 묵연이 확신에 찬 얼굴로 가면을 벗은 남자를 바라보며 말했다.

"초순?"

역시나 자신을 이곳으로 안내한 귀신이 초상화 속 인물을 잘못 판단한 것이었다. 두 사람은 무척 닮긴 했으나 초순이 전체적으로 서글서글한 인상이라면, 초만녕은 냉담하고 차가운 인상이었다. 그러나 이 차이는 두 사람을 잘 아는 사람만 겨우 분간할 수 있었다.

이를테면 묵연 같은.

마주한 사내는 이백여 년 전 환각 속에서 만난 적 있는 임안 태수의 공자 초순이었다. 의외의 만남에 묵연은 불쑥 그의 이름을 입 밖으로 내뱉었다.

하지만 실제 초순은 그를 만난 적이 없었기에 약간 의아하다는 듯 웃으며 되물었다.

"……절 아십니까?"

묵연이 황급히 손사래를 쳤다.

"아, 아닙니다. 제가 사람을 잘못 봤어요. 하지만 당신을 알고는 있습니다……."

묵연은 호기심 어린 표정으로 초순을 바라보았다. 초순은 이미 이백여 년 전에 죽은 사람이었다. 그런데 여태껏 환생하지 않은 것으로 보아 염라대왕이 일을 시키려고 윤회에서 잠시 배제한 것이 분명했다.

이런 곳에서 뜻하지 않게 초만녕의 선조와 만난 묵연은 기분이 복잡미묘했다.

초순이 고개를 끄덕였다.

"그렇군요."

그가 방긋 웃으며 말을 이었다.

"공자가 찾는 사람이 누굽니까? 이왕 예까지 올라오셨으니 제가 도와드리지요. 영혼만 해도 수천, 수만이 있는 남가향에서 어느 세월에 찾겠습니까?"

묵연은 상황을 설명하고 아래층으로 내려가 다시 찾아 달라고 청할 참이었다. 하지만 초순의 선량한 마음은 귀신이 되어서도 변함이 없었다. 그가 자진해서 도와주겠다고 하자 묵연은 무척이나 기뻤다.

"감사합니다. 그럼 부탁 좀 드리겠습니다!"

묵연이 초상화를 초순에게 건넸다.

초순이 그림을 펼쳐 보더니 웃으며 말했다.

"아래층에서 착각할 만하군요. 저와 참 많이 닮았네요. 이분 이름이 어떻게 됩니까?"

"초만녕."

묵연이 한 번 더 말했다.

"초만녕이라고 합니다."

"이분도 초씨라니……? 이런 우연도 있군요."

호기심이 동한 묵연이 물었다.

"선생님의 친척이 아닐까요?"

"글쎄요. 이승에 관한 일이 궁금하면 귀계의 구왕(九王)한테 가야 합니다. 하나 저는…… 구왕과 원한이 깊어 이승의 일을 물어본 적이 없습니다."

그가 말한 원한은 아마도 임안 결계가 무너졌던 일을 두고 한 말일 터였다. 당시 초순의 일가족은 귀왕의 손에 몰살당했다. 아픈 상처를 건드린 탓에 그처럼 의연한 얼굴에서도 착잡한 기색이 떠올랐다.

묵연은 이번 기회에 초만녕과 초순의 관계를 알 수 있으리라 여겼는데, 뜻밖의 사정을 알고 어쩔 수 없이 고개만 가로저었다.

"안타깝네요."

초순이 살짝 미소 짓더니 말없이 진열대로 가 음양 무늬가 새겨진 황금 나침반을 꺼내고는 묵연에게 자리를 권했다.

“이걸로 사람을 찾을 수 있나요?”

“8할이나 9할 정도는요.”

“그럼 나머지 1, 2할은요?”

“세상에는 혼백의 힘이 다소 기이한 사람이 있는데, 그런 경우 찾지 못할 가능성이 있습니다.”

초순이 덧붙여 말했다.

“하지만 그리 흔한 경우는 아닙니다. 설마 공자가 그리 운이 나쁘겠습니까?”

그가 점을 치자 나침반의 황금 바늘이 흔들흔들하더니 북쪽을 가리켰다. 그러나 잠시 뒤에 남쪽으로 방향을 바꾸었고, 또 어느새 동쪽을 가리키더니 다시 서쪽으로 바뀌었다. 그러더니 끝내는 뱅글뱅글 돌기 시작했다.

“…….”

묵연이 조심스럽게 물었다.

“어떤가요?”

“흠흠.”

낮게 헛기침을 한 초순이 약간 민망한 표정을 지었다.

“공자는…… 운이 좀 좋지 않군요.”

“…….”

묵연은 살면서 운이 좋은 편이 아니었기에 이번에도 순탄치 않으리라 예상했지만, 새어 나오는 한숨은 어쩔 수 없었다. 그가 초순에게 감사 인사를 건네고 초만녕을 찾으러 다시 거리로 발걸음을 돌리려던 참이었다.

갑자기 나침반 바늘이 격렬하게 회전하더니 돌연 뚝 하고 멈췄다. 바늘은 한 방향을 가리켰는데 잔떨림이 있는 것으로 보아 그리 확실한 것 같지는 않았다. 잠시 뒤 바늘이 다시 한 곳을 가리켰다.

초순이 재빨리 그를 불러 세웠다.

"잠깐만요!"

즉각 걸음을 멈춘 묵연이 탁자 옆에서 정신을 집중하고 숨을 죽인 채 나침반을 바라보았다. 지침이 좌우로 끊임없이 오락가락했지만, 대체로 한 방향을 가리키고 있었다.

초순이 눈살을 찌푸렸다.

"어찌 이런 일이……?"

"뭐가 잘못됐습니까?"

"잘못됐다기보다는 확실히 이상하긴 하네요."

나침반을 보는 초순의 미간 주름이 점점 깊어졌다.

"두 방향을 가리키는데, 두 군데에 있다는 건가?"

묵연은 경악했다.

어떻게 이럴 수 있지?

식혼은 초만녕의 주검 안에 있고 인혼은 초혼등 안에 있다. 남은 것은 귀계에 있는 지혼밖에 없는데, 초만녕이 어떻게 두 곳에서 동시에 나타날 수 있지?

초순이 말했다.

"어쨌든 동남쪽과 동북쪽입니다. 공자는 그쪽으로 가서 찾아보세요. 다만 나침반이 법술의 영향으로 정확하지 않을 수 있기에 이 역시 장담할 수 없군요."

묵연은 애타는 마음에 초순에게 얼른 인사하고 순풍루를 빠져 나와 동쪽으로 내달렸다.

한참 달리다 보니 갈림길이 나왔고, 자연스레 묵연의 발걸음도 그 앞에서 멈췄다.

동남쪽? 동북쪽?

초혼등을 매만지며 묵연은 애간장이 타들어 갔다. 길목에서 한참 갈팡질팡하다가 인혼이 담긴 등롱을 보는 순간 알 수 없는 묘한 기분이 들었다.

가까운 듯도 먼 듯도 한, 어렴풋한 감각에 의지해 가로세로로 교차한 좁은 길을 하나하나 지나 골목 깊숙이 걸어 들어갔다.

어렴풋한 느낌은 가면 갈수록 더 분명해졌다.

심지어 초만녕의 지혼이 깨닫지 못하는 사이에 초혼등을 부르는 것만 같았다. 아니면 자신을 부르는 것일 수도. 그는 한 곳을 향해 계속 걸어갔다.

마침내 그가 멈춰 선 곳은 2층 높이의 오래된 목조 건물 앞이었다.

"병혼관(病魂館)."

그가 고개를 들어 크고 육중해 보이는 편액을 눈으로 훑었다. 편액은 온종일 바람을 맞고 햇빛을 받아 옻칠이 벗겨졌고, 돈을 새김한 글자는 붉은색 칠이 거의 다 벗겨져 곰팡이 낀 거뭇거뭇한 나무 표면이 드러나 있었다.

묵연의 미간이 구겨졌다. 이 세 글자를 보자 불안감에 마음이 싸했다.

병혼이라……. 무슨 뜻이지?

초순의 나침반이 정확하지 않았던 이유가 이것이었나?

그가 문을 열고 높다란 문턱을 넘어 안으로 들어갔다.

답은 금방 알 수 있었다.

병혼관 안에는 수백 개의 침상이 놓여 있었고 그 위에는 의식 없는 영혼이 누워 있었다. 하얀 가면을 쓴 열이 좀 넘는 귀혼이 분주히 오가며 병상에 영기를 주입하고 있었다.

병혼관은 귀계의 의원이었다.

묵연이 가장 안쪽으로 들어가 이곳을 총괄하는 귀의관(鬼醫官)을 발견하고는 공수하며 말을 걸었다.

"의원님, 저기……."

귀의관은 바쁘게 움직이며 꽤 성가신 얼굴로 말했다.

"약방은 2층, 진료는 좌측에 줄을 서시오."

"사람을 찾으려면요?"

"사람을 찾으려면…… 아? 사람을 찾는다?"

묵연이 그림을 보여 주며 말했다.

"의원님, 이렇게 생긴 선군을 본 적이 있습니까?"

귀의관이 그림을 잠시 살피더니 다시 고개를 들어 묵연을 바라보았다. 가면에 까맣게 뚫린 구멍 사이로 연민 서린 눈빛이 반짝였다.

"친한 사이오?"

"네, 맞아요."

"이 사람은 지혼이 손상되었소."

귀의관이 계단을 가리켰다.

"위로 올라가서 가장 안쪽으로 가면 따로 방에 누워 있을 거요. 이건 우리가 치료할 수 없는 병이라 당분간 지켜보기로 했소. 가서 보시구려."

묵연이 화들짝 놀랐다.

"지혼이 손상되다니요? 어쩌다가요?"

"난들 알겠소? 육도윤회는 극한의 고통이 따르는 일이오. 기존에 몇 번의 환생을 거치면서 혼백이 다칠 수도 있는데, 이 사람은 전생에 도를 닦는 사람이었으니 주화입마로 인해 손상되었을 수도 있소. 어쨌든 혼백이 완전하지 않지. 자세한 건 나도 잘 모르오."

묵연이 초조한 얼굴로 물었다.

"그…… 그럼, 지혼이 손상되면 무엇에 영향을 주나요?"

"영향?"

귀의관이 잠시 생각하고는 대답했다.

"딱히 없소. 어쨌든 삼혼 중에 하나만 온전치 못한 것이니 윤회와 환생하는 데 큰 문제는 없다오. 하나 굳이 가능성을 찾자면…… 다음 생에서 수명이 줄거나 운이 나쁘거나 몸이 좀 허약할 수 있지."

"……."

묵연은 이 말이 불만스러웠으나 자기가 할 수 있는 일도 없었기에 어쩔 수 없이 귀의관에게 인사하고 위층으로 올라갔다.

위층의 병상은 아래층처럼 숨 막힐 듯 빽빽하진 않았다.

이곳에 안치된 혼백은 치유가 불가능한 잔혼이라 그리 세심한 간호가 필요 없는지, 귀의관 한 명만이 대청의 등나무 의자에 앉아 꾸벅꾸벅 졸고 있었다.

묵연은 그를 깨우지 않고 곧장 안으로 들어갔다.

넓은 공간에 열 개 정도의 병상이 황단나무 창가 쪽에 놓여 있었고, 병상 사이는 하얀 병풍으로 가려져 있었다.

사방은 적막했다.

바닥을 밟고 지날 때마다 삐걱 소리가 났다. 묵연의 시선이 맨 안쪽에 있는 병상에 닿았다. 반달 모양 문과 가까웠고 문밖으로 노대[#33]가 있었다. 달빛이 스며든 얇디얇은 비단 문발이 청량한 바람에 하늘거렸다.

위층에는 스무 명이 넘는 병든 혼백이 있었는데, 묵연은 눈길이 머문 곳에서 유독 알 수 없는 강렬한 느낌을 받았다.

초혼등이 어둠 속을 걷는 그에게 길잡이가 되어 주는 걸까? 묵연은 온 신경을 집중하며 맨 안쪽에 있는 그곳으로 걸어갔다. 맑고 은은한 달빛이 걸어가는 그를 감싸 안았다.

그가 손을 들어 문발을 젖혔다.

초만녕의 마지막 혼백은 과연 거기에 있었다. 눈을 감은 그의 얼굴은 상천전에 안치한 그의 주검처럼 더없이 창백했다.

그를 찾았고 다시 돌아갈 희망도 생겼지만, 묵연은 얼룩덜룩한 핏자국에 힘없이 늘어진 그의 모습을 보자 가슴이 미어지고 코끝이 시큰했다.

묵연이 걸어가 초혼등을 침상맡에 두었다.

그리고 초만녕의 차가운 손을 잡으려고 침상 옆에 앉았다.

그러나 이 잔혼은 앞서 본 인혼과 달랐다. 손상 정도가 심해서인지 그의 영체가 너무나 흐릿했다. 묵연의 손끝은 그에게 닿지

#33 노대 露臺, 발코니

못한 채 영체를 통과하여 새하얀 이불 위로 속절없이 떨어졌다.

닿을 수 없는 그를 보며 묵연은 끝없는 고통과 절망을 느꼈다.

실수가 조금이라도 있다면, 회죄대사가 나타나지 않았다면, 초만녕의 혼백이 더 많이 부서지면, 사존이 실의에 빠져 포기하면, 이승에서든 저승에서든 영원히 만나지 못한다…….

그는 몸을 숙였다. 초만녕의 이마를 짚을 수 없다는 걸 뻔히 알면서도, 그는 눈을 질끈 감은 채 흐릿한 지혼을 안아 주는 것처럼 침상 위에 엎드렸다.

"사존."

묵연과 초만녕의 망혼이 포개듯 겹쳐졌다. 쏟아지는 달빛 아래서 누가 누군지 구분할 수 없었다.

묵연이 탄식하듯 긴 한숨을 쉬었다. 마음은 여전히 무겁고 괴로웠다.

그는 초만녕의 주검과 인혼을 보았으며 병든 지혼도 보았다. 볼 때마다 매번 느낌이 달랐다. 그의 주검 앞에서 무릎을 꿇었을 때는 밀려드는 죄의식과 양심의 가책에 온몸이 갈가리 찢기는 것만 같았고, 인혼 앞에서는 회한에 휩싸여 그의 손을 붙잡고 돌아가자고 애걸복걸할 만큼 절절했다.

지혼은…….

묵연은 그의 지혼을 안으려고 했지만 잡히지도, 닿지도 않았다. 순간 끝없는 누려움이 몰아쳤다. 그는 이것이야말로 자신에게 마땅한 귀결이라 생각했다.

온몸에 죄악이 아로새겨졌고 손에서는 피비린내가 진동했다. 그런 그에게 무슨 덕이 있고 재주가 있다고 고인과 영원히 함께

할 수 있단 말인가?

묵연은 두 눈을 감았다. 눈썹 사이로 눈물이 고이더니 이내 얇은 이불을 적혔다.

예전에는 하늘이 자신에게 무심하다고 생각했는데, 인제 보니 참으로 터무니없는 착각이었다. 하늘은 지금껏 자신에게 극진했다. 다만 제 소갈머리가 밴댕이라 무엇이든 고깝게 보았던 것뿐이었다.

다 자신의 잘못이었다.

그러고 보니 그도 이런 돌이킬 수 없는 길을 걸은 적이 있었다. 그는 지금 되돌리고 싶었다. 남은 생을 바쳐 만회하고 싶고 남은 평생을 바쳐 보상하고 싶었다. 그렇게 하면 원점으로 돌아갈 수 있으리라 기대하면서.

답선군이 뭐라고, 인간계 지존이 뭐라고…….

다 필요 없었다.

그저 초만녕이 바라는 좋은 사람이 되고 싶을 뿐.

잘못을 알고 고치는 것만큼 위대한 것은 없다고 누군가 말했다.

하지만 그 잘못이라는 게 너무나 컸다.

세월이 얼마나 흘러야 보상할 수 있는지도 몰랐다. 어쩌면 죽는 그 순간까지 끝없는 회한에서 벗어나지 못할 수도 있었다. 물을 가른 흔적은 감쪽같아질 수 있어도, 나무를 찌른 상처는 영원히 흔적을 남기는 법이니까.

"사존."

한참이 지나 달빛에 젖고, 거의 투명한 그의 혼백에 젖어 든 묵연이 아이 달래듯 부드럽게 말했다.

"사존, 우리 돌아가요."

그가 몸을 일으켜 초혼등을 들었다.

주문을 외자 지혼이 초혼등 속으로 들어갔다. 옅은 그림자가 심지에 빨려 들어가 금세 온데간데없이 사라졌다.

묵연은 기다렸다.

지혼과 인혼이 하나로 융합했다. 그러나 이후에 한참을 기다려도 아무런 반응이 없었다.

그의 얼굴이 돌연 창백해졌다.

왜 이러지?

지혼과 인혼이 융합하면 초만녕을 데리고 인간계로 갈 수 있는 거 아니었어?

설마 회죄대사의 주술이 풀린 건가?

107장 사존의 두 번째 지혼

머리는 뒤죽박죽이 된 채 지끈거렸고 손발은 얼음장처럼 차가웠다. 묵연이 조마조마한 마음으로 초만녕의 혼백을 안고 아래층으로 내려갔다.

“의원님…….”

“또 오셨네? 왜 그러시오?”

“위에…… 그, 그것이 제 사존의 지혼이 맞습니까? 틀림없나요?”

귀의관은 조금 귀찮았다.

“그렇소. 내가 틀릴 리가 있겠소?”

묵연은 수긍하지 않은 채 재차 물었다.

“식혼이거나 아니면…….”

“아니면 뭐요?”

귀의관이 혀를 차며 말했다.

“보통 사람은 혼이 세 개라오. 지혼, 식혼, 인혼이 그것이지.

내 여기서 백오십 년간 의원 생활을 해 왔소. 삼혼조차 구분하지 못했다면 염라대왕께서 날 여기 놔뒀겠소? 진즉 윤회에 처넣었겠지?"

묵연은 입술을 굳게 다물었다. 돌연 확신할 수 없는 가능성 하나가 뇌리를 스치고 지나갔다.

"의원님, 백오십 년 동안 의원이셨다고 했죠? 그럼 혹시…… 그동안 지혼이 둘인 사람도 있었습니까?"

"미쳤소?"

귀의관이 버럭 화를 냈다.

"당신도 머리가 좀 이상한 거 아니오? 그러지 말고 예서 진맥 좀 받아 보시구려!"

진맥이라니? 당치도 않은 말이었다. 회죄대사가 주술을 걸어놓은 상태였지만, 자칫 잘못하면 정체가 탄로 날 수 있었다. 묵연은 얼른 사과하고 인혼과 지혼이 담긴 등롱을 안고 쏜살같이 병혼관을 나왔다.

귀계는 온종일 어두컴컴했기에 밤낮을 확인하려면 하늘을 올려다봐야 했다. 불그스름한 구름 뒤로 반은 따뜻하고 반은 차가운 태양이 나타나면 낮이었고, 서늘한 달이 높다랗게 걸려 있으면 그건 밤이었다.

지금은 밤이었고, 거리는 조금씩 한산해졌다.

초혼등을 감싸 안은 묵연은 고개를 숙인 채 쓸쓸히 거리를 걸었다. 걸을수록 막막하고 외로웠다.

이런 외로움과 막막함은 어릴 때부터 그를 따라다녔다. 그는 이런 기분이 너무도 싫었다. 문득 기루와 환락가를 전전할 때

만났던 사람들이 떠올랐다. 취옥루에 불이 나던 그해, 모두가 죽고 묵연만 살아남았다…….

시간을 따져 보니 그의 어머니만 빼고 다른 사람은 아직 윤회에 들어갈 때가 아니었다. 혹여 이곳에서 그들 중 누군가와 마주칠 수도 있지 않을까?

이번에는 설몽이 생각났다.

저승에 오기 전, 설몽은 묵연 손에 들린 초혼등을 빼앗으려 했다. 그가 욕을 하며 말했었다.

– 역병 같은 놈!

– 네놈이 무슨 자격으로! 네놈이 무슨 낯짝으로!

묵연은 초혼등을 끌어안은 채 길을 걸었다. 어느 순간 그의 발걸음이 갈수록 느려지더니 결국 담벼락 옆에서 멈추었다. 눈시울이 붉어진 그가 고개를 숙인 채 따뜻한 금빛 등불을 바라보며 작게 중얼거렸다.

"사존, 정말…… 저랑 돌아가고 싶지 않은 거예요?"

대답 없는 등불은 그저 소리 없이 타고 있었다.

그렇게 한참을 서 있었다.

그러다 보니 어느새 마음이 점차 진정되었다.

이 망망한 저승에서 어디로 가야 아는 사람을 찾을 수 있을까. 문득 초순이 떠오른 묵연은 지푸라기라도 잡는 심정으로 순풍루로 달려갔다.

순풍루에 도착했을 때는 이제 막 문을 닫는 중이었다. 가면을 쓴 귀신이 문을 닫고 자물쇠를 채우려는데 묵연이 황급히 달려와 불안한 얼굴로 물었다.

"죄송합니다. 잠시만요!"

"어?"

이 가면 쓴 귀신은 앞서 묵연을 위층으로 안내한 자였다. 그가 얼떨떨한 얼굴로 물었다.

"어찌 또 오셨소?"

"급한 일이 있어서, 죄송하지만……."

급히 뛰어오느라 숨이 턱 밑까지 찼고, 눈동자는 초조함에 일렁였다. 묵연이 침을 꿀꺽 삼키고는 쉰 목소리로 말했다.

"초순 선생님을 다시 뵙고 싶어요."

초순은 입구가 좁은 꽃병에 꽂혀 있는 해당화를 넋 놓고 보고 있다가 묵연이 돌아오는 것을 발견하고 깜짝 놀라 물었다.

"공자, 어찌 다시 오셨습니까? 사람은 못 찾았나요?"

묵연이 말했다.

"찾긴 찾았습니다. 하지만……."

초순은 묵연의 허둥대는 모습을 보며 말 못 할 사정이 있을 것이라는 생각에 그를 데리고 안으로 들어가 문을 닫았다.

"앉으시죠."

묵연은 초혼등을 들고 있으면 초순이 이상하게 생각할까 봐 건곤낭 안에 넣었다.

초순이 악귀는 아닐 테지만, 산 사람이 저승에 와 있는 사실 자체가 그리 바람직하지 못하니 부득이한 사정이 아니라면 이곳에 있는 귀신은 되도록 모르는 게 나았다.

"동남쪽으로 가 보셨습니까?"

"네."

초순이 잠시 생각하더니 다시 물었다.

"병혼관에 가신 거죠?"

묵연이 고개를 끄덕이며 잠시 생각을 정리하고는 입을 열었다.

"병혼관에서 사존을 만났습니다. 하나 불완전한 지혼이었어요. 움직일 수도, 말을 할 수도 없었고 심지어 다른 귀혼과 다르게 반쯤 투명했어요. 볼 수는 있지만 만질 수 없었습니다."

"지혼이 손상되면 대체로 그런 증상이 나옵니다."

초순의 낯빛이 어두워졌다.

"일부 충격을 받은 망자 중에 혼백이 흩어져 다시 모일 수 없는 일도 있지요."

묵연은 입술을 깨물고 우물대며 말했다.

"병혼관의 의원 말로는 불완전한 혼백이 환생하면 수명이 다소 줄어든다고 합니다. 하지만 제가 찾으려는 사람은…… 생전에 분명 말짱했어요. 아무래도 무언가 잘못된 것 같습니다."

그가 잠시 말을 쉬고 고개를 들어 초순을 바라보았다.

"초 선생님, 혹시 지혼이 둘인 사람도 있습니까?"

초순이 황당하다는 얼굴로 되물었다.

"지혼이 둘인 사람이요?"

"네."

그는 병혼관의 의원처럼 이 말을 곧바로 부정하지 않았다. 대신 눈을 내리깔고 곰곰이 생각한 후에 입을 열었다.

"제 생각에는…… 가능성이 아예 없진 않습니다."

묵연이 놀라 고개를 홱 치켜들었다. 그의 눈빛이 방 안의 어슴푸레한 촛불과 대조적으로 반짝 빛났다.

"정말입니까?"

초순이 고개를 끄덕였다.

"보통은 삼혼칠백이 전부이나, 식혼이 둘인 여자를 본 적이 있습니다."

"소상히 말씀 좀 부탁드립니다."

초순이 고개를 저으며 눈을 내리깔자 속눈썹이 파르르 떨렸다. 그는 잠시 숨을 고르고 입을 열었다.

"아주 오래전 일입니다. 굳이 꺼내고 싶지 않아요. 그 여인은 지금 제7층 지옥에 떨어져 온갖 고초를 겪고 있습니다. 혼백에 문제가 있는 사람이 일단 염라의 눈에 띄면 즉시 제7층 지옥으로 끌려가 잉여 혼백을 조금씩 떨어내게 되죠."

그의 말에 묵연은 더욱 애가 타고 눈앞이 아득해져 초순의 눈동자에 서린 아픔을 눈치채지 못했다.

"그 여인은 어째서 식혼이 하나 더 있는 겁니까? 보통 이레가 지나면 삼혼칠백이 모여야 하는데, 그럼 지혼이 하나 더 있는 사람이라면 네 개의 혼이 모여야 하는 거네요? 그래야 환생할 수 있고요."

"그렇지요."

"그렇다면 선생님이 말씀하신 그 여인은……."

"그 여인은 죽은 후에 구왕의 농간으로 강제로 이승에 갔습니다……."

초순이 말을 끊고 무릎 위에 놓인 가늘고 긴 손가락을 천천히 말아 줘었다.

"이승으로 가서 친자식을 먹었죠."

"!"

묵연은 도화원에서 보았던 임안 사건을 떠올렸다. 그제야 초순이 말한 '여인'이 누구인지 깨달았다. 그녀는 초순의 부인이자 그의 가장 고통스러운 기억이었다.

그렇다면 초순이 환생을 거부하고 여태껏 남가향에 남은 이유는 아내 때문이 아닐까? 잉여 혼백을 다 거둬 내고 제7층 지옥에서 돌아오면 그때 다시 만나 윤회에 들어가려고?

묵연은 차마 더 묻지 못했다.

초순 역시 입을 굳게 다물었다. '친자식을 먹었다'는 이 짧은 한마디가 이백 년이 지나 다시 입 밖으로 나왔을 때, 제아무리 귀신이어도 목구멍의 떨림은 감출 수가 없었다.

그가 눈을 감았다.

"그 여인의 혼령은 갈가리 찢겨 아이의 식혼과 하나가 되었습니다."

한참이 지나 그가 천천히 말을 이었다.

"그래서 하나 더 있는 혼은 사실 아이의 식혼이지요. 여인의 삼혼칠백 사이에 끼어서 천천히 동화된 겁니다. 완전히 그 여인의 모습이 되어서 떼어 놓을 수가 없게 되었죠."

이 사람은 살아서도 죽어서도 어려움에 처한 사람을 돕고 있었다. 제 고통은 꾹 참고 남을 도우려고 애쓰는 사람이 바로 초순이었다.

묵연은 그 모습에 마음이 더 괴롭고 아팠지만, 내색할 수노

없던 터라 겨우 말을 마무리 지었다.

"소상히 말씀하실 필요 없습니다. 저도…… 알겠습니다."

"어쨌든 제 말의 요지는 만약 공자가 찾는 그 사람이 정말 지혼이 둘이라면, 하나는 분명 그의 것이 아닐 겁니다."

묵연은 잠시 고심하다 물었다.

"그렇다면 하나의 지혼이 둘로 나뉠 가능성은요?"

"가능합니다. 하지만 지금 이 상황에서는 불가능하죠."

"어째섭니까?"

"혼이 둘로 나뉜 경우도 있긴 했어요. 극악무도한 죄를 지었거나 살인을 밥 먹듯이 한 사람 중에 종종 삼혼이 견디지 못하고 분열된 경우가 있습니다. 하지만 이럴 때 혼이 분열된다면 모두 선한 인품을 주관하는 인혼이지, 지혼이나 식혼이 아니었습니다."

"……그렇군요."

묵연이 중얼거렸다.

'극악무도'와 '살인'은 확실히 초만녕과 관련이 없는 단어였다. 하지만 자신은 달랐다. 훗날 진짜 죽음을 맞이하여 저승에 왔을 때, 자신도 혼이 두 개로 나뉘어 죄의 대가를 받게 될까?

초순이 말했다.

"더욱이 혼이 두 개로 분열되었다면, 반쪽짜리 지혼은 거동할 수 없어서 병혼관으로 옮겨졌을 거예요. 공자가 병혼관에서 손상된 지혼을 보았다면 아마도 다른 하나는 완전무결한 혼령일 겁니다."

묵연은 그의 말에 문득 깨달음을 얻은 듯 얼른 인사했다.

"감사합니다, 초 선생님! 그럼…… 그럼 전 찾으러 가 보겠습니다!"

"네. 아까 나침반이 동북쪽으로도 움직였습니다. 그쪽으로 한번 가 보시죠. 하지만 이곳 남가향은 끝없이 이어진 데다, 심판을 기다리는 망자들이 사방팔방으로 북적대는 곳이라……."

초순이 한숨을 내쉬었다.

묵연은 초순의 따뜻한 눈동자에 서린 연민을 보며 그가 무슨 말을 하려는지 알 것 같았다.

광활하고 아득한 남가향에는 수많은 혼이 정처 없이 떠돌아다닌다.

동북쪽으로 간다고 해도 그리 쉽게 그의 지혼을 찾을 리 만무했다.

인연이 없다면 밝은 등불이 대낮처럼 길을 밝히더라도 어깨를 스치고 반대편으로 지나가면서도 서로를 알아보지 못하고, 눈길 한번 주지 않을 것이다.

하물며 이곳은 어둡고 적막하니, 더 말해 무엇하겠는가.

그러나 초순은 늘 그렇듯 온정 어린 모습으로 묵연의 어깨를 토닥이며 말했다.

"공자는 의지가 강하니, 반드시 다시 만날 수 있을 겁니다."

초만녕과 무척 닮은 그가 이 말을 하던 순간, 촛농이 흐르며 불빛이 흔들리자 그의 얼굴이 더 흐릿해졌다.

그때, 묵연은 초만녕이 온화했을 때의 얼굴을 본 것만 같았다. 그리고 그가 자신에게 다시 만날 수 있다고 다독이는 것 같았다.

묵연은 울컥하는 마음에 눈물이 차올랐다.
그가 얼른 고개 숙여 읍을 한 채 둔탁한 목소리로 말했다.
"감사합니다."
초순은 아무 말 없이 묵연이 몸을 돌려 나가자 문을 닫았다. 불안한 얼굴로 제자리에 선 그는 당혹감에 눈동자가 흔들렸다.
저 청년…… 방금 저 청년 눈에…… 눈물이?
귀신은 눈물을 흘리지 않는다. 잘못 본 것일까? 아니면…….
그가 고개를 돌려 꽃병 안에 있는 해당화를 바라보았다. 잔잔하게 피어난 이 해당화는 인간 세상의 꽃이라 지옥의 음기를 버텨 내지 못했다. 그가 지금껏 정성을 다해 살폈지만 무심한 꽃잎 하나가 흩날리더니 소박한 탁자 위에 툭 떨어졌다.
초순이 다가가 꽃잎을 문지르자 금방 부서지고 가루가 되더니, 그의 손끝에서 흩어져 사라졌다.
"여봐라."
"초 선생님."
가면 쓴 귀신이 문을 열고 들어와 옆에 공손히 섰다.
초순이 고개를 돌리지 않은 채 해당화를 보며 낮게 물었다.
"그 사람, 요즘 순풍루에 온 적 있느냐?"
"없습니다. 하나 보통 열흘에 한 번씩 해당화를 가져옵니다. 감히 순풍루 안에는 발을 들이지 못하고, 멀리 떨어져 사람을 시켜 보내오지요."
"……."
"왜 그러십니까? 방금 왔던 그 공자한테 이상한 게 있었습니까? 그자가 사람을 시켜 선생님을 방해한 거라면, 염라대왕께……."

"아니다."
정신이 든 초순이 수하의 말을 잘랐다. 그가 고개를 돌려 수하를 향해 담담히 미소 짓더니 한숨을 내쉬었다.
"아무것도 아니다. 아까 그 공자는 그자가 보낸 게 아니야. 맞는다고 해도 그저 사람을 찾는 것뿐이니 나와는 무관하다."
"하지만 그자가 공자를 귀계에 보낸 거라면, 선생님은 어찌……."
"딱히 피해를 준 게 없으니."
눈처럼 하얀 의관 차림의 초순이 꽃가지 옆에 차분히 서 있었다.
"그냥 가게 놔두거라."

거리는 한산하고 적막했다. 묵연은 순풍루를 나와 동북쪽으로 걸었다. 그는 초만녕의 초상화를 들고 집집마다 돌며 행방을 물었지만, 바다에서 바늘 찾는 것만큼 무모한 일이었다.
초상화를 본 사람은 대부분 손을 휘휘 젓거나 자세히 보려고도 하지 않은 채 그를 피했다.
"초상화 속 사람이요? 아뇨, 못 봤어요."
"못 봤수, 못 봤수. 거, 장사하는 데 방해 마슈."
"길 막지 마! 귀찮아 죽겠네! 밤늦은 거 몰라? 얼른 꺼져! 꺼지라니까! 무슨 초상화? 보기 싫어! 빨리 가져가!"
남가향에는 모두 귀신만 있었지만, 육욕 칠정을 끊어 내기 전이라 대부분 무리 지어 살면서 점차 인간 세상의 방식을 답습했다. 팔 년, 십 년이라는 지루한 기다림 속에서 친구도 사귀고 가족도 만들었으며, 이것도 아니면 죽은 고양이나 개를 키웠다. 어쨌든 살아 있을 때와 변함없이 살아갔다. 이런 이유로 이들은 잠을 잘 필요가 없음에도 달이 버드나무 끝에 걸릴 때면 침상에 누워 휴식을 취했다.

땅거미가 지자 묵연을 무시하는 사람은 갈수록 늘어났고, 그에게 소식을 알려 줄 사람도, 길을 가르쳐 줄 사람도 점점 사라졌다.

끝없이 이어진 동북쪽 길 위에서 그는 혼자 집마다 문을 두드리고, 머리를 숙이고, 웃음을 지어 보였다…….

"말했잖소! 내가 잘못 봤다니까! 다시 생각해 보니까 그림에 있는 이 사람이 아니었소! 그만 좀 귀찮게 하슈!"

귀밑에서 아래턱까지 수염이 덥수룩한 남자가 귀계에서 연을 맺은 부인, 아이와 쉬려고 대문을 닫아걸려던 참이었다.

이 남자는 앞서 밖에서 돌아오는 길에 묵연을 만났다. 묵연은 초상화 속 남자를 본 적이 있냐고 물었고, 그는 잠시 생각하더니 며칠 전 동시장 부근에서 본 것 같다고 대답했다. 하지만 옆에 있던 부인이 눈치를 주자 입을 다물더니 무언가를 의식하듯 황급히 손사래를 치며 모른다고 잡아뗐다.

묵연은 그가 알고 있다고 확신하고는 포기하지 않고 집 앞까지 쫓아갔다.

남자는 거칠게 그를 문밖으로 밀치고는 나무 손잡이를 잡아당겼다. 묵연이 다급한 목소리로 사정했다.

"한 번만 더 생각해 보세요. 동시장 어딥니까? 그림 속 사람, 나중에 어디로 갔나요? 제발요……."

"모른다니까!"

주변에 있던 귀신들이 실랑이 벌이는 소리를 듣고 묵연 쪽을 바라보았다. 남자는 이에 아랑곳하지 않고 고래고래 윽박지르고는, 묵연의 손이 문틀에 있는 것도 상관하지 않은 채 문을 꽝 닫아 버렸다.

문틈에 낀 다섯 손가락에서 극심한 통증이 느껴졌으나 묵연은 끝까지 버텼다. 문틈이 갈수록 좁아졌지만, 손가락을 빼지 않은 채 전력을 다해 문을 밀었다.

"정말 죄송합니다. 제발 한 번만 다시 생각해 보세요. 그가 나중에 어디로 갔는지 제발……."

그러나 남자는 갑작스레 문을 벌컥 열더니 묵연의 손가락에서 피가 나든 말든 그를 우악스럽게 밀쳤다.

"모른다니까! 모른다는데 왜 이래? 꺼져!"

108장 사존이 모르는 젖먹이 강아지의 과거

묵연은 홀로 길을 걸었고 귀신들은 여전히 휘적휘적 지나다녔다. 발아래 청석이 깔린 길은 조용히 돋아난 이끼 때문에 밟으면 축축하고 미끄러웠다.

묵연은 실랑이를 끝내고 마음을 가라앉힌 후에야 손가락이 전부 까진 것을 발견했다. 조악하게 만든 대문에는 거스러미가 많았고 이것이 살점을 파고들었다. 다행히 주변이 어둡고 흐릿하여 엉망이 된 손을 들키지 않을 수 있었다.

그는 눈을 내리깔고 한동안 말없이 손을 바라보았다. 마음이 더 고통스러운 탓일까, 이런 끔찍한 상처를 입었음에도 그리 아프지 않았다.

고개를 돌려 굳게 닫힌 대문을 보았다. 안에 있는 남자는 절대 입을 열지 않을 것이다.

사실 이런 거절은 그에게 낯선 일이 아니었다. 묵연은 이런 악의적인 대우에 이골이 난 사람이었다. 그렇기에 타인의 눈빛이나 한두 마디 나눈 대화에서 자신의 간절한 부탁이 소용이 있을지 없을지 알 수 있었다.

남자가 말을 바꿔 '모른다'고 했을 때, 묵연은 본능적으로 이 자가 사실을 말하지 않으리라는 것을 알았다. 그러나 초만녕의 지혼과 관련된 일이기에 기분이 언짢아도, 문전박대를 당해도, 손이 끼어도, 그는 포기할 수 없었다.

이런 무자비한 거절은 실로 오랜만이었다. 그러나 이따금 세월의 길고 짧음이 아무것도 결정해 주지 못할 때가 있다. 어떤 것은 골수에 깊이 새겨진 바람에 시간도, 운세도 근본을 바꾸지 못하기 때문이다.

설몽은 그를 보고 '천한 놈'이라고 욕했다.

우습게도 하늘의 총아라는 사람이 내뱉은 이 졸렬한 단어는 묵연의 자존감에 어떠한 생채기도 내지 못했다.

맞는 말이었으니까. 사람들에게 자신은 본래 '천한 놈'이었다. 이보다 더 악독한 말도 귀에 못이 박이도록 들었으니 새삼 상처받을 것도 없었다.

그가 마지막으로 고개를 돌려 굳게 닫힌 대문을 한 번 더 보고는 구경 중인 귀신들의 비웃음을 뒤로한 채 천천히 자리를 떠났다.

비웃음, 욕지거리가 난무한 곳에서 그는 외롭고 고독했다.

지금처럼 극한으로 내몰린 처지가 오랫동안 방치해 둔 어릴 적 기억과 겹쳐졌다. 묵연은 걷고 또 걸었다. 현재 자신이 처한 상황이 옛일과 너무 닮아서, 어머니와 서로 의지하며 살았던 지난 기억들이 조각조각 떠오르기 시작했다…….

그때는 악방에 들어가기 전, 임기에서 떠돌이 생활을 하며 유풍문 주변을 배회하던 시기였다.

그리고 그때는 적어도 어머니가 있던 시절이기도 했다.

묵연을 무척 사랑한 어머니는 어린 아들을 밖으로 내돌리고 싶지 않았다. 그래서 그녀는 버려진 곳간 안에 아들을 놔두고 자신은 거리로 나가 기예와 노래를 팔았다.

그녀는 대나무 하나만 줘도 그 위에서 춤을 출 수 있었다. 그날그날 벌어들인 동전 몇 닢으로 유선병 하나와 죽 두 그릇을 사서 모자가 나눠 먹었다. 어머니는 늘 아들에게 더 먹이고 싶어 했지만, 묵연은 매번 몇 입 먹고 나서는 '유선병이 너무 딱딱하다', '죽이 맛이 없다', '배가 부르다'라는 핑계로 더는 먹지 않았다.

하지만 그녀가 한숨을 쉬고 묵연이 '남긴' 유선병과 죽을 먹을 때, 옆에서 웅크린 채 자는 척하는 어린 꼬마가 실눈을 뜨고 자신을 몰래 지켜보았다는 사실은 알지 못했다. 묵연은 어머니가 다 먹는 것을 봐야만 안심할 수 있었다. 배 속에서 꼬르륵 소리가 나도 마음만은 그렇게 편할 수가 없었다.

또한 그녀는 매일 임기의 동시장으로 돈 벌러 나갈 때마다 아들이 건초 더미 밖으로 몰래 기어 나와 자신과 골목 두 개를 사이에 둔 곳에서 음식을 구걸하러 다닌다는 사실도 알지 못했다.

어머니는 골목 어귀에서 구성진 노래를 부르며 10척 높이의 장대 위에 올라 가냘픈 몸으로 나풀나풀 춤을 췄다. 바닥에는 깨진 돌과 그릇 파편이 깔려 있어서 자칫 실수하여 아래로 떨어지면 이 파편들이 그녀의 살점을 뚫고 들어갈 터였다. 하지만 구경꾼들은 자극적이고 신선한 것을 좋아했기에 그녀는 제 목숨을 담보로 돈 있는 사람의 웃음을 얻기 위해 기를 썼다.

두 골목 너머에서 그녀의 아들은 동냥을 했다. 꾀죄죄한 얼굴로 집마다 찾아가 헤벌쭉 웃고는 늘 거기서 거기인 덕담을 하고 먹을 것을 구했다. 그러나 음식을 주는 사람은 없었고, 있다고 해도 자주 있지 않았다.

어느 날 아이를 가진 대갓집 며느리가 답답하고 우울한 마음에 한가로이 돌아다니다 장대 위에서 춤을 추는 묵연의 어머니를 발견했다.

그녀는 호기심에 잠시 구경하다가 제 몸종을 시켜 여자에게 말을 전했다.

“바닥에 깔린 것이 모두 돌 조각이나 깨진 그릇이라 왠지 눈속임 같고 성의도 없어 보여요. 저희 아씨께서 이 깨진 조각들을 칼날로 바꾸면 금 열 냥을 주겠다고 하시네요.”

이 가혹한 조건은 가난한 사람에게 목숨을 내놓으라는 요구나 다름없었다.

하지만 여자는 놀랍게도 딱 한마디 내뱉을 뿐이었다.

“제겐 칼을 살 돈이 없는걸요.”

대갓집 며느리가 크게 웃더니 즉시 대장간으로 사람을 보내 뾰족한 칼 100자루를 사서 바닥에 깔았다.

“춰 보게.”

온몸을 보석으로 치장한 여자가 불룩하게 나온 배를 쓰다듬으며 신이 난 얼굴로 말했다.

주변은 구경 온 사람들로 금방 득시글거렸다. 비단과 보석이 햇빛에 비쳐 눈부시게 반짝였다. 그들은 시체를 노리는 독수리처럼 피 냄새를 맡듯이 목을 길게 빼고 안광을 번뜩였다.

"춤춰라, 춤춰라!"

"잘 추면 돈 줄게."

"그래, 그래. 돈 줄게."

유풍문 관내에서 가장 풍족한 것이 부자요, 가장 부족한 것이 이처럼 목숨이 달린 짜릿한 구경거리였다.

능라 비단과 금은보화가 장대 든 여인을, 가진 게 아무것도 없는 빈털터리에 남루한 차림의 여자를 에워쌌다.

그들 눈에 여인의 목숨은 파리 목숨처럼 하찮았다. 그런데도 그녀는 시체에 모인 독수리 떼를 향해 웃음 지으며 복을 빌어주고, 감사 인사까지 올린 후에야 장대를 받쳐 한 마리의 제비처럼 가볍게 위로 올라갔다.

예리한 칼날이 솟아 있는 그 위에서 목숨을 건 가무를 선보였다.

목숨을 담보로 환심을 샀다.

그러나 아무리 실력이 좋아도 땅에 떨어지는 순간 아래에 번뜩이는 날카로운 칼날에 그녀도 몸서리를 칠 수밖에 없었다. 대나무 장대가 삐끗했고, 구경꾼들의 비명과 함께 그녀는 아래로 추락했다.

칼날이 빼곡한 곳을 아슬아슬하게 피했으나 옆을 스치는 바람에 다리를 베었다. 순식간에 피가 사방으로 튀었고 구경꾼들은 소스라치게 놀라 소리쳤다.

그녀는 제 아픔도 돌보지 않고 곧장 휘청거리며 일어나 웃는 얼굴로 고개 숙여 사죄했다.

구경하던 사람들이 웃으며 말했다.

"실력이 그저 그렇구먼. 더 노력해야겠어."

"그러게. 이런 일로 입에 풀칠하고 살려면 실력이 좋아야지. 어설픈 실력은 금방 들통나기 마련이거든."

개중에 그녀를 불쌍하게 여긴 사람이 눈물을 글썽이며 말했다.

"아, 그만해요. 저 불쌍한 여자 좀 보라고요. 저기요, 많이 다친 거 같은데 얼른 약 사서 발라요."

여인이 중얼거렸다.

"저는…… 약을 살 돈이 없어요……."

다들 멈칫했다. 어떤 사람은 탄식했고, 어떤 사람은 말없이 제 보석만 만지작거렸으며, 어떤 사람은 불쌍하다는 듯 눈가를 훔쳤다.

"참 불쌍하네."

"그러게."

"보아하니 그간 힘들게 살았겠구먼. 내, 돈을 주겠네."

통통하게 살이 오른 노부인이 선뜻 나서서 두툼한 두루주머니에 손을 넣었다. 엽자금이 나오자 따로 손에 쥐고 다시 주머니를 뒤지더니 동전 세 닢을 꺼내 가늠하듯 위아래로 흔들었다. 결국 그녀는 두 닢을 도로 주머니에 넣고 나머지 동전 한 닢만 여인의 손에 쥐여 주었다.

노부인은 선심 베풀 듯 그녀에게 돈을 주었고 그럴듯한 눈물도 몇 방울 흘려 준 다음, 더없이 자애로운 말투로 말했다.

"여보게, 여기 있네. 이 정도는 받을 만해. 받아 두게나."

여인은 자신이 목숨을 건 대가로 받은 동전 하나를 손에 쥔 채 망연자실한 얼굴로 중얼거렸다.

"감사합니다……."

감사합니다…….

그렇다면 여인에게 금 열 냥을 주겠다던 그 대갓집 며느리는? 그녀는 투덜대며 자리를 떠난 지 오래였다.

여인은 다리에 피를 흘리며 쓰러질 듯 비틀거리는 걸음으로 좇아갔다. 그녀를 붙잡고 돈 이야기를 꺼내려는데, 그녀 옆에 있던 몸종이 여인을 거칠게 밀쳤다. 몸종은 한 골목 너머에서도 들릴 정도로 악을 써 댔다.

"재수 없어!"

그러고는 자기 주인을 살폈다.

"아씨, 조심하시어요. 복중 아기씨가 놀라겠어요. 불경스럽게 피를 보셨으니, 이를 나리가 아시면 얼마나 가슴 아파하시겠어요?"

몸종이 다시 여인에게 욕을 해 댔다.

"감히 뻔뻔스럽게 돈을 요구해? 뭘 잘했다고? 네년 피가 우리 아씨께 튀지 않은 걸 감사하게 생각해. 튀었다면…… 네년은 벌써 죽었어! 꺼져!"

여인은 길바닥에 내동댕이쳐졌다. 그녀는 임기 대부호의 며느리였던 터라 여인을 위해 나서는 사람은 아무도 없었다. 여인은 하찮은 벌레가 꿈틀대는 것처럼 아픈 다리를 실룩거렸다.

아무도 그녀를 부축하려고 하지 않았다…….

아무도 그녀를 도와주려고 하지 않았다…….

여인은 제 목숨을 걸고 춤을 췄지만, 돌아온 것은 사갑고 너러운 동전 한 닢이 전부였다.

그녀에게 동전을 건넨 노부인이 말했다. 이 정도는 받을 만하다고.

여인은 제가 겪은 수모보다 오늘 벌이가 겨우 동전 한 닢이 전부라는 것에 더 억장이 무너졌다. 이것으로 무얼 사겠는가? 소가 없는 유선병 하나만 겨우 살 수 있을 뿐, 죽 한 사발 먹지 못할 터였다. 게다가 다리를 다쳐 내일은 춤도 추지 못할 텐데, 그러면 아들은 어쩌란 말인가……? 가뜩이나 작고 말랐는데 배까지 곯게 생겼으니…….

이 생각에 미치자 그녀는 더는 참지 못하고 울음을 터뜨렸다. 흙바닥에 몸을 웅크리고 흐느끼더니 이내 목 놓아 울기 시작했다. 주변 사람들은 차마 볼 수가 없어 탄식하고는 자리를 떠나려고 발길을 돌렸다.

이때, 사람들 틈에서 지저분한 차림에 악취가 진동하는 아이 하나가 불쑥 튀어나왔다.

묵연은 재빨리 달려가 궁지에 몰린 짐승처럼 울부짖었다.

"어머니! 어머니!"

어린 묵연이 어머니를 안았다.

비천한 아이가 비천한 어미를 안았다.

한낱 벌레가 지푸라기를 안은 듯이 초라하고 보잘것없었다.

아들을 보는 여인의 눈빛에는 놀라움과 의아함이 스치고 지나갔다. 여자는 약하지만 어머니는 강하다는 말처럼 그녀는 즉시 울음을 멈췄다. 매일 지옥에서 잠들고 연옥에서 일어나는 고단한 삶을 이어 가면서도 아들한테만큼은 약한 모습을 보여 주고 싶지 않았다.

그녀는 눈물자국이 마르기도 전에 활짝 웃으며 말했다.

"아가, 왜 여기까지 왔어? 엄마는 괜찮아. 조금 긁혔을 뿐이야……. 자, 이거 보렴……."

그녀는 손에 쥐고 있던 땀이 흥건한 동전을 묵연에게 쥐여 주었다.

묵연은 연신 고개를 흔들었고, 조그마한 얼굴에는 눈물만 하염없이 흘러내렸다.

"이걸로 유선병을 사 먹을 수 있단다. 어서…… 사 가지고 오렴. 예서 기다릴 테니 돌아오면 집으로 가자꾸나."

집?

집 어디?

다 쓰러져 가는 그 곳간?

아니면 며칠 잠만 잤다가 쫓겨난 양 우리……?

묵연은 목이 메었고 눈동자는 뜨겁게 달아올랐다.

"어머니, 여기 앉아 계세요."

그러곤 당부하듯 말했다.

"제가 뭘 하든…… 움직이시면 안 돼요."

묵연이 옆으로 뛰어가 칼을 집어 들고는 앳되고 낭랑한 목소리로 소리쳤다. 자리를 뜨려던 사람들은 다시 제자리에 선 채 소년을 응시했다.

"아저씨, 아줌마! 가지 마세요, 가지 마세요! 제게 재주가 하나 있는데, 보여 드릴게요! 한 번만 봐 주세요."

그는 어릴 때부터 체내에 영기가 있었기에 수련한 적은 없지만 평범한 사람보다 훨씬 힘이 셌다.

묵연이 튼튼하고 날카로운 칼날을 손에 쥐고 낮은 기합과 함께 힘을 주자 칼이 두 동강 났다.

구경하던 사람들은 화들짝 놀랐다. 주변에 있던 수사들도 신기하게 생각했다.

"저렇게 어린 아이가 할 수 있다니."

"한 번 더 해 볼게요!"

이번에는 두 자루를 가져와 아까같이 한꺼번에 부러뜨렸다.

"와! 대단하네!"

박수를 보내는 사람이 생겼다.

"이번엔 세 자루예요!"

아이가 하나씩 추가할 때마다 칼날은 두꺼워졌고 부러뜨리기는 그만큼 더 어려워졌다. 하지만 사람들은 여기에 열광했다.

"아저씨, 아줌마! 돈을 주시면 칼을 보태서 부러뜨려 볼게요."

사람들은 더 큰 재미를 위해 가장 값싼 동전을 꺼내 소년에게 던졌다.

묵연은 이 돈을 위해 칼을 하나씩 추가했고, 어느새 손은 피범벅이 되었다. 더는 부러뜨릴 수 없게 되자 시체에 모였던 독수리 떼가 새까만 날개를 푸드덕거리며 뿔뿔이 흩어졌다.

묵연이 돈을 주웠다. 땟국물이 줄줄 흐르는 손으로 조심스럽게 동전을 든 채, 멍한 얼굴로 눈물을 글썽이는 어머니에게 걸어갔다.

아이가 활짝 웃었다.

"어머니, 이걸로 약을 살 수 있어요."

결국 여자의 눈에서 눈물이 왈칵 쏟아졌다.

“아가…… 착하구나……. 엄마가 손을 좀 볼까…….”

“전 괜찮아요…….”

더없이 찬란하고 티 없이 맑은 아들의 미소가 그녀의 가슴을 후벼 팠다.

그녀는 묵연을 품에 끌어안고 울먹이며 말했다.

“이 엄마가 능력이 없어서 널 제대로 보살피지 못하는구나……. 아직 어린 네가 나 따라 고생만 하고…….”

“괜찮아요.”

묵연이 어머니 품에 안겨 차분하게 말했다.

“어머니랑 같이 있으면 별로 힘들지 않아요……. 제가 어머니를 잘 보살펴 드릴게요. 나중에 크면 호강도 시켜 드리고요.”

여인이 웃으며 눈물을 훔쳤다.

“호강 같은 건 바라지도 않아. 그저 네가 건강하게 잘 커 주기만 하면 돼. 엄마는 그걸로…… 족하단다.”

묵연이 힘껏 고개를 끄덕이고는 조용히 말을 꺼냈다.

“어머니, 나중에 제가 출세하면 다시는 이런 수모 겪지 않으실 거예요. 아무도 어머니를 괴롭히지 못하게 할 테니까. 아까 그 사람들, 제가 죄다 끌고 와서 어머니 앞에서 용서 빌게 할 거예요. 저들이 싫다고 하면 칼날 위에서 춤추게 할 거고요. 저는…….”

“아가, 그런 생각 말거라.”

착하고 순박한 여인이 그의 머리칼을 쓰다듬으며 혼잣말하듯 중얼거렸다.

“절대로 그런 생각은 해선 안 돼. 남을 미워하지 말거라. 엄마는 우리 아들이 좋은 사람이 되면 좋겠어. 약속할 수 있겠니? 꼭 좋은 사람이 되겠다고."

그때의 묵연은 바람 한 점에 이리저리 나부끼는 풋풋한 새싹처럼 무척이나 어렸다. 배움은 얕지만 심성이 고운 어머니는 그의 첫 번째 등대였기에 어린 묵연은 갸우뚱하며 잠시 생각한 후 진지하게 대답했다.

"네, 그럴게요."

그가 다시 한번 말했다.

"어머니, 약속할게요."

그러곤 어머니를 보며 말을 이었다.

"그, 그럼 나중에 제…… 제가 출세하면 많은 집을 지어서 갈 곳 없는 사람들한테 나눠 줄게요. 농사도 부지런히 지어서 배고픈 사람과 나눠 먹고요……. 어머니, 그렇게 되면 아무도 오늘 우리가 겪은 수모를 당하지 않아도 될 거예요."

잠시 넋을 잃은 그녀가 마침내 탄식하며 말했다.

"그럼 좋겠구나."

아이도 고개를 끄덕이며 말했다.

"네, 그럼 좋겠어요."

그때만 해도 두 사람은 전혀 상상도 못 했다. 이 약속을 한 사람이 먼 훗날 손에 피를 가득 묻힌 채 온 세상의 시체를 밟고 서리라는 것을. 하늘을 빙빙 도는 시커먼 독수리 무리에서 피바람을 몰고 나와 만백성을 신음과 고통에 빠뜨린 답선제군이 되리라는 사실도…….

그러나 만민을 도탄에 빠뜨린 답선제군은 그때의 기억을 아주 조금도, 아니 아예 떠올리려고 하지 않았다. 당시 어머니 품 안에서 앳된 목소리와 맑은 눈빛으로 굳게 약속했던 그때 그 말을 지킬 수가 없었기 때문이다.

그때의 묵연은 어머니의 당부가 있었기에 사는 게 힘들고 괴로워도 남을 미워하지 않았다. 그러나 마음 한구석에는 늘 못마땅함이 있었다.

똑같은 나날을 하루하루 견뎠다. 어머니는 전과 다름없이 기예와 재주를 팔았으나 사람들은 처음에만 열광할 뿐, 두 번째부터는 흥미를 잃었고 세 번째 봤을 때는 지루하다고 생각했다. 모자는 갈수록 벌이가 줄자 결국 생계를 위해 동냥에 나설 수밖에 없었다.

그 당시 마을에서 세도가로 꼽히는 가문이 있었다. 거기에는 묵연과 같은 또래에 입가에 커다란 사마귀가 있는 아이가 살고 있었다. 어느 날 아이가 큼지막한 대문 앞에 그릇을 들고 앉아, 서툰 젓가락 대신 대나무 꼬챙이를 사용하여 노릇노릇하게 튀긴 만두를 먹고 있었다. 편식하는 아이였던 터라 안에 있는 만두소만 먹고 만두피는 도로 뱉어 개에게 던져 주었다.

그때 묵연이 조심스럽게 다가가 옆에 서서 바라보았다.

아이는 온몸에서 악취가 나고 더러운 묵연을 보더니 깜짝 놀라 소리쳤다.

"누구냐?"

묵연이 조용히 물었다.

"도련님, 그 만두피…… 저…… 주시면 안 될까요?"

"달라고? 왜 널 줘야 하는데?"

"그게…… 도련님이 먹지 않아서 여쭤본 거예요……."

"내가 안 먹어도 우리 집 왕재는 먹어야지."

아이가 털에 윤기가 나고 뒤룩뒤룩 살찐 개를 가리키며 식식댔다.

"개도 먹고 살아야지. 어떻게 널 주겠어?"

묵연이 미소를 쥐어짜며 말했다.

"그럼 개가 먹다 남은 거라도……."

"어떻게 먹다 남길 수 있겠어? 얘들한테 매일 홍소육[#34]을 먹여도 부족할 판인데, 이건 겨우 만두피잖아. 한 입 거리도 안 된다고. 너한테 줄 거 없으니 얼른 가, 가!"

묵연이 홍소육이라는 말을 듣는 순간 개 두 마리로 시선이 떨어졌다. 이 통통한 개를 삶아 먹으면 분명…….

그가 개를 보며 저도 모르게 군침을 삼켰다.

이 모습을 용케 포착한 아이가 멍한 표정을 짓더니 뒤이어 크게 놀란 듯 말했다.

"너, 지금 무슨 생각 했어?"

"아무것도요……. 전 그저……."

"왕재와 왕복이 먹으려고 했지?"

묵연이 크게 당황하며 말했다.

"아, 아니에요. 그냥 너무 배가 고파서, 저도 모르게 생각만 한 거예요. 죄송합니다……."

아이는 묵연이 무슨 말을 하든 '저도 모르게 생각이 났다'라는 말에만 꽂혀 순간 낯빛이 변하였다.

#34 홍소육 紅燒肉. 간장과 여러 향신료를 넣고 조린 삼겹살

집 지키는 귀여운 애완동물이 음식으로 비칠 수 있다는 것을 대갓집 도련님이 무슨 수로 이해하겠는가? 아이는 대경실색하며 묵연을 변태나 괴물 보듯 하더니 고래고래 소리치기 시작했다.

"여봐라! 어서! 이놈을 쫓아내!"

하인들이 우르르 달려와 다짜고짜 묵연을 주먹으로 때리고 발로 차기 시작했다. 정신없이 내리박히는 주먹질과 발길질 속에서 묵연은 땅에 떨어진 만두피 몇 개를 집었다. 그는 하인들이 때리든 말든 만두피만 손에 꽉 쥔 채 놓지 않았다.

아이는 놀란 마음에 입맛도 떨어졌는지, 남은 만두를 꼬챙이가 꽂힌 그대로 바닥에 버리고 곧장 다른 곳으로 뛰어갔다.

묵연은 그쪽으로 힘겹게 기어갔다. 작고 왜소한 몸이 시퍼렇게 멍들고 한쪽 눈은 발에 차여 뜰 수조차 없었지만, 아이가 남긴 만두를 잡았을 때 그는 너무 기뻐 웃음이 절로 나왔다.

남긴 만두 두 개는,

만두소가 꽉 찬 것이었다…….

하나는 자기가 먹고, 하나는 어머니께 드릴 생각이었다.

어머니께 두 개 다 드리고 자기는 만두피만 먹어도 괜찮았다…….

하지만 만두를 미처 들고 나갈 새도 없이, 옥신각신하던 도중 하인 하나가 꼬챙이에 꽂힌 만두를 밟아 버렸다. 바삭하게 튀긴 만두피가 으스러지고 고기소는 진흙투성이가 되었다.

묵연은 부러지고 더럽혀진 꼬챙이를 멍하게 쥐었다. 폭우처럼 쏟아진 주먹질과 발길질 세례에도 그는 전혀 아프지 않았다. 그러나 더 이상 먹지 못하게 된 만두를 보자 눈물이 후드득 떨어졌다. 퉁퉁 부어오른 눈꺼풀 안에서 눈물이 빠져나와 새까맣게 더러워진 작은 얼굴을 타고 흘러내렸다.

그는 그저 다른 아이가 먹고 남긴 것을, 버린 것을 먹고 싶었던 것뿐이었다.

버려지고 부서지고 진흙이 될지언정, 자기 것이 될 수 없는 이유를 이해할 수가 없었다.

훗날 묵연이 사생지전의 공자가 되었을 때, 문파에서 수많은 사람이 그의 비위를 맞추고 치켜세웠다. 심지어 생일에는 말 몇 마디 나눠 본 적 없는 사람조차 그를 찾아와 선물을 건네고 생일을 축하했다.

땅에 구른 만두피조차 궁했던 아이가 찬양과 찬미의 대상이 되었다. 하지만 정작 그는 정성이 담긴 선물 더미 앞에서 알 수 없는 두려움에 휩싸였다.

이 선물들이 금세 사라지고 부서질까 봐 무서웠고, 느닷없이 불운이 닥칠까 봐 두려웠다. 눈앞의 모든 것이 그때 손에 쥔 만두처럼 입에 가져가기도 전에 엉망으로 짓밟힐 것만 같았다. 그래서 그는 선물 더미 안에서 쓸 수 있는 것은 쓰고 먹을 수 있는 것은 얼른 먹어 치웠다. 나머지 쓸 수도, 먹을 수도 없는 것들은 숙사 안에 암실 하나를 만들어 선물들을 꼼꼼하게 보관한 뒤에 매일 세어 보고 또 세어 보았다.

그때 설몽은 그에게 삿대질하며 박장대소했다.

"하하하, 기껏해야 임안 청풍각에서 파는 과자 한 상자 가지고 낭비하고 자시고가 어딨어? 꼭 먹다 죽은 귀신이 붙은 것처럼 죄다 배 속에 처넣었네. 누가 네 것 뺏어 먹는대?"

당시 묵연은 사생지전에 막 왔을 때라 마음속 깊은 곳에 늘 불안이 도사리고 있었다.

그래서 사촌 동생의 조롱에도 실실 웃을 뿐, 아랑곳하지 않았다. 그는 입가에 부스러기를 가득 묻힌 채 다른 상자를 열어 머리를 파묻고 계속 먹었다.

설몽이 깜짝 놀라 말했다.

"엄청난 먹성인데? 그게 다 들어가냐?"

묵연은 먹는 것에만 집중했다.

"……못 먹겠으면 먹지 마. 나도 생일 때마다 과자 선물 많이 받는데, 그걸 어떻게 다 먹어……."

과자를 욱여넣다 보니 묵연의 뺨이 빵빵해졌다. 너무 급하게 먹었는지 목이 멘 얼굴로 눈물이 그렁그렁한 채 설몽을 쳐다보았다.

불현듯 어릴 적 만난 그 대갓집 도련님이 생각났다. 거리낌 없이 튀긴 만두의 소만 골라 먹고 만두피는 개에게 먹이로 주었던 그 아이의 모습이 겹쳐졌다.

설몽도 그렇게 자랐겠지. 그러니 '못 먹겠으면 버려', '네 것을 빼앗아 먹을 사람 아무도 없어'와 같은 말을 저리 간단하게 뱉을 수 있는 거겠지.

묵연은 정말, 정말로 이들이 부러워 죽을 것만 같았다.

지금은 풍족한 명문가의 공자가 되었으니 편안하게 흥청망청 써도 괜찮았다.

그러나 그는 그러지 못했다.

결국 묵연은 옆에 있는 물을 벌컥벌컥 들이켜고는 퍽퍽한 과자를 목구멍으로 집어삼켰다.

그 후, 묵연은 답선제군이 되었다.

온 세상이 그의 것이었다.

각지의 사람들이 미인, 술, 음식, 금은보화, 진귀한 보물 등을 끊임없이 그에게 바쳤다.

어느 날 임기의 한 구리광산 거상이 광석을 채취하다가 귀하디귀한 만년 화현옥(火玄玉)을 얻어 답선제군에게 바치겠다며 찾아왔다.

사실 이 거상처럼 벼슬자리를 구하거나 보살핌을 얻고자 보물을 싸 들고 오는 사람이 차고 넘쳤기에 묵연은 그리 관심이 가지 않았다.

그러나 그날 공교롭게도 초만녕이 감기에 걸렸다. 인상이 구겨진 묵연은 화현옥이 감기에 좋다는 사실을 생각해 냈다. 이 약골이 매일 침상에 누워 골골대는 모습이 여간 거슬리는 게 아니었는데, 차라리 감기를 빨리 낫게 하는 것이 나을 것 같았다. 묵연은 귀신에 홀린 듯 화현옥을 가져온 거상을 만나러 나갔다.

상인은 묵연과 비슷한 또래였다. 토실토실 살이 오른 얼굴에 입가에는 털이 삐죽 나온 커다란 사마귀가 나 있었다.

묵연은 무산전 옥좌에 앉아 기다란 양손을 겹쳐 손가락 끝으로 아래턱을 짚은 채 말없이 그를 응시했다. 통통한 상인은 다리가 후들후들 떨리고 등에는 식은땀이 흘러내렸다.

한참이 지나서야 비들비들 떨던 그가 쿵, 하고 무릎을 꿇더니 연신 머리를 땅바닥에 찧으며 더듬더듬 말했다.

"제군 폐하, 소인은…… 소인은……."

그 소인이라는 자는 시간이 꽤 지나도록 할 말을 생각해 내지 못했다. 그의 뚱뚱한 몸이 금실로 만든 옷 안에서 사시나무 떨듯 떨고 있었다.

묵연이 갑자기 웃음을 터트렸다.

한 번 만났을 뿐이지만 묵연은 그를 잊을 수가 없었다.

그 옛날 으리으리한 저택 앞에서 입가에 사마귀를 달고 있던 그 아이였다. 묵연이 제 평생 절대로 가질 수 없다고 여긴 특유의 사치스러움과 당당함을 장착한 채 꼬챙이에 끼워진 노릇노릇한 만두를 먹던 그 아이였다. 기름에 잘 구워진 만두피처럼 그때 아이의 입가도 기름에 번들거렸다.

그가 얕은 웃음을 지으며 말했다.

"그거 아는가. 자네 집의 튀긴 만두가 일품이라는 거."

묵연은 아예 먹어 본 적도 없지만, 그때의 일은 똑똑히 기억하고 있었다.

옥좌에 앉은 그는 발아래에 있는 상인의 표정 변화를 지켜보았다. 두려움에서 놀라움으로 바뀐 얼굴이 금방 멍해지더니 이내 간사하게 변하면서 알랑거리기 시작했다. 곧장 자기 집 주방장을 사생지전으로 데려와 답선제군께 바치겠다며 묵연의 환심을 사려 했다.

그 순간 묵연은 이 세상에 강자의 신발을 핥을지언정 약자에게 한 줌의 동정이나 선의조차 베풀 생각이 없는 사람이 너무나 많다는 사실을 그 어느 때보다 분명하게 깨달았다.

묵연은 머리를 가로저으며 머릿속을 채운 과거의 기억을 떨쳐냈다.

그는 과거의 일을 거의 떠올리지 않았다. 그건 자신의 약점이라 생각조차 하기 싫었다.

하지만 집마다 돌면서 묻고 거절당하는 이 상황이 과거의 그때와 너무 닮아, 머릿속에 단단히 채운 기억의 빗장이 저절로 열리고 말았다. 그리고 그 캄캄한 기억은 묵연을 잠식해 나갔다.

묵연은 막막한 마음에 잠시 멍하니 서 있었다.

어릴 적 어머니께 '남을 미워하지 않겠다', '넓고 큰 집을 지어 가난한 사람을 돕겠다'라고 약속한 말이 떠올랐다.

그러나 그는 지키지 못했다.

오히려 이 세상에서 마지막까지 자신을 아껴 준 사람을 죽였다. 초만녕을 죽였고 자신의 사존을 죽였다.

초만녕…….

묵연은 그를 떠올리자 가슴이 저릿했다. 무의식적으로 초만녕의 얼굴이 그려진 얇은 종이를 품속에서 꺼냈다. 종이가 구겨졌다는 생각에 그는 입술을 악물고 종이를 펴려고 천천히 손을 갖다 댔다. 그러나 종이를 쓰다듬는 순간 피가 묻고 말았다.

황급히 손을 거둔 묵연은 초상화가 더러워질까 봐 다시 만지지 못했다.

다섯 번째 길에서 세 번째 길로 오는 동안 일일이 붙잡아 질문했지만, 귀신들은 하나같이 '초상화 속 남자를 본 적 없다'고 대답했다.

묵연은 홀로 끝도 없는 밤을 걸었다. 어둠은 너무나 짙고 길었기에 아무리 열심히 걸어도 영원히 새벽녘에 다다를 수 없을 것만 같았다. 마침내 묵연도 피로감을 느꼈다. 하기야 물도 마시지 않고 밥도 먹지 않은 상태라 이대로 버틸 재간이 없었다. 때마침 만둣국을 파는 노점이 보였다. 그는 만둣국 한 그릇을 시키고는 주변의 무관심 속에서 조용히 먹었다.

귀계의 음식은 차가웠는데, 이 만둣국도 마찬가지였다.

초혼등을 꺼낸 묵연이 만둣국 한 숟가락을 떠서 등롱 앞에 내밀었다.

"사존, 좀 드시겠어요?"

대답할 리 없었다.

묵연은 그냥 자기가 먹었다.

"그러고 보니 사존은 만둣국을 안 좋아했죠. 단걸 좋아하셨잖아요. 돌아가면 매일 과자 사 드릴게요."

적막한 밤, 그는 등불을 벗 삼아 쓸쓸한 노점 앞에 앉아 있었다. 휘휘 부는 밤바람이 이따금 바짝 마른 나뭇잎을 스치고 지나갔다. 이때의 저승은 놀랍게도 평화로웠다.

"도화떡, 계화사탕, 호두과자, 구름떡……."

묵연은 초혼등 앞에서 하나하나 나열했다. 혹여 제 말을 들은 초만녕이 대답이라도 하지 않을까 기대하면서. 그러다가 돌연 쓴웃음을 지으며 말했다.

"사존의 다른 지혼은 대체 어디에 있을까요?"

길고 풋풋한 손을 뻗어 초혼등의 등롱의를 조심스럽게 쓰다듬었다. 묵연이 서른이 되던 해, 초만녕이 죽은 그날이 떠올랐다. 그의 주검을 안고 정신이 나간 얼굴로 '초만녕, 난 당신이 너무 싫어.'라고 말하면서도 고개를 숙여 그의 얼굴에 입을 맞췄었다.

"아가야, 방금 왔니?"

갑자기 날카롭게 긁는 목소리가 들려왔다. 훈툰[#35]탕을 파는 노인이 눈이 침침한지 더듬거리며 묵연 옆에 앉았다. 노인은 천수를 다 누리고 죽은 듯했다. 검버섯이 낀 얼굴은 황량한 사막지대에 사는 호양목처럼 거칠고 쪼글쪼글했다. 수의를 더듬어 담배를 찾아 입에 물고는 노인 특유의 자상함과 오지랖으로 묵연에게 말을 걸었다.

묵연이 코를 훌쩍인 후 고개를 돌려 방긋 웃었다.

"네. 첫날이에요."

"그렇군. 어쩐지 낯설다 했네. 어쩌다 이리도 어린 나이에 왔느냐?"

"주화입마에 걸려서요."

"아……."

노인이 불 없는 담배를 빨았다.

"선군이었구나."

"네."

묵연은 고개를 끄덕이며 노인을 살폈다. 딱히 기대는 안 했지만, 혹시나 하는 마음에 초상화를 꺼내 보여 주었다.

"할아버지, 제가 사람을 찾고 있는데요. 이 사람이 제 사존이거든요. 이분도 여기 온 지 얼마 되지 않았어요. 혹시 보신 적 있어요?"

노인이 그림을 받아 등불 아래에 비춰 보더니, 눈을 거의 감다시피 가느다랗게 뜨고 천천히 한참 동안 살폈다.

묵연이 얕은 한숨을 내쉬고는 그림을 도로 가져가려고 말을

#35 **훈툰** 餛飩. 한자 독음으로는 '혼돈'. 중국식 물만두

걸었다.

"괜찮아요, 이미 많이 물어본걸요. 모르셔도 괜찮아요. 어쨌든 여기서는 모두……."

"본 적이 있는데."

"!"

화들짝 놀란 묵연은 순간 온몸의 피가 약동하듯 끓어올랐다. 그가 노인을 끌어당기며 물었다.

"할아버지, 정말 보셨어요? 잘, 잘못 보신 건 아니고요?"

"틀림없어."

노인이 긴 의자에 책상다리를 하고 앉아 발가락 사이를 문지르며 말했다.

"이렇게 생긴 사람은 일 년에 몇 명 볼까 말까 해. 틀림없어. 네 사존이 맞을 게야."

묵연은 어느새 일어나 있었다. 뜻밖의 희소식에 그는 얼른 노인에게 절부터 올리고는 고개를 들어 간절한 눈빛으로 말했다.

"제발 어디에 있는지 알려 주세요."

"아이고, 아가, 절까지 할 필요 없어. 우리 모두 귀신이고 눈 깜짝할 사이에 환생할 게야. 전생의 기억은 팔 년, 십 년이 지나도 기억에 남는 법이지. 이 늙은이 아들도 일찍 세상을 떠났어. 그래서 네 나이 때 아이만 봐도 마음이 짠하단다."

노인이 눈물을 훔치고 소매로 코를 풀었다.

"앞에 첫 번째 길로 가 보면 아주 으리으리한 궁전이 하나 있거든. 오다가 보았느냐?"

"봤어요. 거기에 사존이 있나요?"

"응. 거기에 있다."

"거긴 어떤 곳인가요?"

"넷째 귀왕의 별궁이다."

노인이 한숨을 토했다.

"넷째 귀왕, 그러니까 사왕은 그곳에 살지 않아. 한데 일부러 수하를 시켜 남가향에 행궁을 짓게 했지. 다름 아닌 저승에 온 미인을 잡아 가두려고 말이야. 사왕은 음험하고 성욕이 왕성한 난봉꾼이란다. 한 번씩 이곳에 와서 시중들 첩실을 구해. 남녀 가리지 않지. 간택당한 사람은 제4층 지옥으로 끌려가고 그렇지 못한 사람은 수하들 장난감으로 준다는구나. 아, 네가 말한……."

노인이 말을 마치기도 전에 묵연이 제 등롱을 안고 부리나케 뛰쳐나갔다. 마치 한 마리 늑대처럼 아득한 어둠 속을 뚫고 들어갔다.

노인은 멈칫하다가 이내 조금 부러웠는지 느릿느릿 혼잣말했다.

"젊다는 건 좋은 거야. 팔팔 날아다니는군……."

109장 사존은 단단한 칼이요, 그대는 흐르는 물이로다

사왕의 행궁은 입구가 하나밖에 없었고 주변은 경비가 삼엄했다. 바보가 아닌 이상 정문으로 들어갈 리 없기에, 묵연은 당연히 대들보 위에 숨어서 잠입을 시도했다. 혹여 초혼등의 불빛이 불필요한 주의를 끌까 봐 건곤낭에 잘 감춘 뒤였다. 가로세로로 교차된 기와지붕을 넘나드는 날쌘 그림자가 밤하늘에 떨어진 벼락처럼 재빠르게 나타났다 사라졌다.

행궁은 밖에서 볼 때도 웅장했는데 안은 더 대단했다. 수많은 회랑이 겹겹이 이어져 미궁처럼 복잡하게 얽혀 있었다. 묵연은 궐루[#36] 꼭대기로 훌쩍 뛰어오른 다음 납작 엎드려 짙푸른 기와와 한 몸이 되어 눈만 빼꼼 내밀고 아래를 굽어보았다. 행궁은 마치 작은 성처럼 넓고 으리으리하여 한눈에 다 볼 수 있는 곳이 아니었다.

#36 궐루 闕樓, 바깥의 동태를 살피고 보초를 서던 곳

묵연은 애간장이 타들어 갔다.

그는 이제야 아까 그 남자가 사존의 행방에 대해 입을 다문 이유를 알 것 같았다. 귀왕의 미움을 사는 게 두려웠던 것이다. 그래 봤자 묵연도 초만녕이 행궁 안에 있다는 것만 알아냈을 뿐 여전히 대책 없고 막막하기는 마찬가지였다.

행궁 안에는 전각이 천 개는 못 돼도 족히 900개는 되어 보였다. 이 많은 처소 중 초만녕은 대체 어디에 있을까?

그는 진귀한 보물을 눈앞에 둔 사람처럼 심장과 손이 갈수록 심하게 떨렸다.

사존…….

대체 어디 계신 거예요?

묵연이 생각에 골몰하고 있을 때, 모퉁이 쪽에서 홍등을 든 일행이 우르르 지나갔다. 그들은 모두 금빛 갑주에 전투화를 신고 있었는데, 동문에서 한 사람씩 줄지어 나오더니 구불구불한 길을 지나 눈에 잘 안 띄는 별채로 들어갔다.

별채에는 오래된 홰나무가 하늘을 찌를 듯 높다랗게 솟아 있었다. 이 고목의 무성한 나뭇잎이 묵연의 시야를 가린 터라 그는 겨우 반 정도만 볼 수 있었다.

병사들이 안으로 들어갔다. 책상과 의자 부딪치는 소리가 나더니 곧 시끌벅적하고 어수선한 소음이 들리기 시작했다. 갑자기 날카로운 비명이 허공을 갈랐고, 머리를 산발한 여자가 붙들려 나와 마당에 내동댕이쳐졌다. 병사들이 우악스럽게 밀친 바람에 여자의 옷은 반쯤 벌어졌고, 그 사이로 눈처럼 뽀얀 피부가 드러났다.

"감히 도망을 가? 네년이 감히 도망을?"

무자비한 채찍질이 가해졌다. 이곳의 채찍은 귀계의 형구였기에 귀신이어도 그 고통은 말도 못 했다.

여인이 바닥에 엎드려 온몸을 바들바들 떨었다. 사방이 전부 관병들이라 도망치고 싶어도 도망갈 곳이 없었다.

"망할 것, 사왕궁에서 감히 도망갈 생각을 해?"

"살아생전 청렴결백했어요! 죄를 지은 게 없다고요! 저한테 어찌 이러시는 거예요?"

여자가 악다구니를 써 댔다.

"절 내보내 주세요. 환생하러 가야 해요! 전 이곳에 있기 싫다고요!"

다시금 채찍이 날아왔다. 그녀의 고통스러운 신음이 계속 이어졌다.

"사왕야의 시중을 들면 윤회의 고통을 면할 수 있다! 기회를 줬는데도 감사할 줄 모르다니, 뻔뻔한 것!"

"사왕야께서는 절 고르지 않으셨어요! 그런데 왜 못 나가게 하는 거죠? 저는…… 으악!"

채찍이 또 한 번 날아들어 그녀의 얼굴을 때렸다. 엄청난 고통에 그녀는 울부짖었고 온몸을 부들부들 떨면서도 밖으로 나가려고 기를 썼다.

그녀가 궁지에 몰릴수록 사왕의 수하들은 즐거운 듯 더 크게 낄낄댔다. 이 와중에도 별채 안의 '진상품'들은 줄줄이 밖으로 끌려 나왔다.

이때 우두머리로 보이는 병사가 말했다.

"애들아, 수고 많았다. 저 안에 있는 애들은 모두 사왕야께서 버린 것들이다. 그동안 참느라 괴로웠지? 각자 마음에 드는 걸 골라서 놀아. 특별히 더 좋은 게 있으면 나한테 와서 등록하고 집으로 데려가도 좋다."

사왕 수하의 그 음귀가 긴 환호성을 내지르더니 방종한 웃음을 지으며 방으로 들어가 미인을 골랐다. 바깥에 있던 여인도 상황을 모면할 수 없었다. 나무 아래에서 포위하고 있던 병사들이 굶주린 이리처럼 영혼까지 씹어 먹을 기세로 그녀에게 우르르 달려들었다.

삽시간에 거친 숨소리와 말소리가 뒤섞여 방 안을 울리기 시작했다. 흐느끼는 사람도 있었고 소리치는 사람도 있었으며 살려 달라고 애걸복걸하는 사람도 있었다.

어떤 이는 잔혹한 형벌을 감당할 수 없자 여기서 벗어나려고 영혼까지 팔아 가며 비위를 맞추고 아부를 떨었다. 인간의 추악함은 이승이든 저승이든 다 마찬가지였다.

날렵한 동작으로 궐루에서 내려온 묵연은 어둠을 틈타 별채 지붕 위로 몰래 숨어들었다. 아까 훈툰탕 파는 할아버지의 말대로라면 초만녕은 이제 막 왔으니 귀왕의 간택 후보에 오르지 않았을 터였다. 묵연은 이곳에 그가 있을 리 없다고 판단했지만 안심할 수 없었기에 짙푸른 기와 반쪽을 조심스럽게 들어내고 숨을 죽인 채 아래를 내려다보았다.

방 안은 욕정의 열기로 가득 차 있었다. 난잡하게 뒤엉킨 공간에서 문득 낯익은 얼굴이 시야에 들어왔다.

용구였다.

전생에 묵연의 총애를 받았음에도 그걸 이용해 내공을 빼앗으려 했던 남창이 뜻밖에도 이곳에 있었다.

그는 굉장히 영악했다. 사는 법도, 하물며 죽는 법도 알았다.

방 안에서 수많은 사람이 반발하고 저항하고 발버둥 쳤다. 이들 중에는 정신이 흐릿한 상태에서 사랑하는 사람의 이름을 부르는 망자도 있었고, 정절을 지키려고 끊임없이 욕을 하며 반항하는 망자도 있었다. 하지만 용구는 달랐다. 묵연은 용구가 어떤 인간인지 누구보다 잘 알았다. 그는 돈에 환장했고 제 목숨을 끔찍하게 생각했다. 물론 죽었으니 애지중지할 목숨도 없어졌지만 대신 영혼이 있지 않은가. 이제 용구에게는 제 영혼이 가장 중요했고 학대받지 않는 삶을 소원했다.

어지럽게 흐트러진 커다란 침상 위에서 간택받지 못한 진상품들은 거의 빌거나 발악했지만, 유일하게 용구만 눈을 감은 채 남자가 욕망을 분출하도록 내버려 두었다. 입에서 토해 낸 나른한 신음이 고양이처럼 부드러웠다.

묵연은 열락에 들뜬 그의 얼굴을 보며, 저도 모르게 가슴 깊은 곳이 서늘해졌다.

초만녕이 생각났다.

용구는 유순한 사람이지만, 초만녕은 정련한 강철처럼 단단한 사람이었다.

얼핏 현철처럼 차갑고 단단한 사람이 누구도 부러뜨릴 수 없을 만큼 강해 보이지만, 오히려 이런 상황에서는 이야기가 달랐다. 용구라면 이럴 때 강자의 비위를 맞추고 알랑거리며 기꺼이 몸을 낮춰, 제가 가진 부드러움으로 결코 부러뜨릴 수 없는 견고한 성을 만들 것이다.

하지만 초만녕은?

생각할 필요도 없었다. 그가 어떻게 나올지 불 보듯 뻔했다. 그는 혼이 산산이 조각나 흩어지거나 제18층 지옥에 떨어진다고 해도 제 몸에 손도 못 대게 할 사람이었다.

흐르는 물은 부러지지 않는다. 부러지는 것은 오로지 강철로 만든 칼뿐이다.

펑!

그때 갑작스러운 굉음이 울렸다. 방 안에 있는 사람은 물론 지붕에 있는 사람까지 모골이 송연해졌다.

묵연은 창백하게 변한 얼굴로 고개를 들어 마당 쪽을 바라보았다.

병사 하나가 방금 전까지 격하게 저항하던 그 여인의 가슴을 찔러 구멍을 냈다. 그녀의 혼백이 점차 투명해졌고, 눈에서는 눈물이 흘러내렸다.

그러다 시간이 잠시 멈춘 듯하더니 돌연 알알이 부서져 먼지가 되었다.

혼백이 산산조각 나 뿔뿔이 흩어진 것이다.

그녀의 혼백을 소멸시킨 병사가 욕지거리를 내뱉으며 일어났다. 그의 얼굴에는 채찍 자국이 선명하게 나 있었는데, 아까 그 여인이 병사의 진혼 채찍을 빼앗아 휘갈긴 게 분명했다. 병사가 침을 뱉으며 욕을 했다.

“독한 것! 재수 없으려니까! 귀신이 되어서도 저리 꽉 막혀서야 어디. 퉤! 빌어먹을!”

묵연은 심장이 내려앉는 것만 같았다.

그는 방금 알지도 못하는 낯선 여인이 아닌 초만녕의 끝이 어떨지 본 것만 같았다.

용구는 아직도 음귀들과 뒹굴고 있었다. 이것이 그가 목숨을 부지하는 방법이자 특기였다. 저보다 강한 상대에게 기생하여 자신의 부드러움으로 촘촘한 거미줄을 만들어 상대를 옭아매는 것이 용구라는 인간이었다.

방 안에 있던 진상품들도 하나둘 굴복하기 시작했다. 코를 찌르는 썩은 내에 목울대가 매캐해지고 구역질이 몇 번이나 올라왔다.

시간이 얼마나 지났을까. 드디어 질펀한 놀음도 막바지에 이르렀다.

용구는 역시나 사람 홀리는 데는 천부적이었다. 관병이 옷을 입고 우두머리를 찾아가 등록을 마쳤다. 사왕의 허락이 떨어지면 관병은 용구를 데려갈 수 있게 된다.

이들은 모두 사왕이 부리는 귀신으로, 윤회에 들어가지 않는다. 용구가 그를 따라가면 사왕 옆에 있는 것보다 좋다고는 할 수 없겠지만, 적어도 수모당할 일 없이 편하게 살 수는 있었다.

이 생각에 용구는 흡족했다.

용구를 데려갈 병사가 그와 한바탕 시시덕거린 후에 교대 시간이 다 되어 먼저 자리를 떠났다. 악마 일행이 하나둘 떠나고 별채 안에는 서늘한 적막만이 남았다. 한바탕 떠들썩한 연회가 끝나고, 남은 술과 열기가 온 바닥에 흩뿌려진 채 서서히 식어

갔다.

용구가 느른하게 일어나 앉았다. 이곳에 남자는 그 하나뿐이지만, 이중 가장 여유롭고 태연했다.

단장을 마치고 구리거울에 제 얼굴을 비쳤다. 죽은 얼굴은 초췌했고 살아 있을 때와 같은 열은 홍조도 없었기에 요염함이 제 빛깔을 내지 못했다.

용구는 여전히 울고 넋 놓고 발발 떨고 있는 여자들에게 눈길도 주지 않은 채 싱글벙글한 얼굴로 의관을 정리하고 비단신을 신고는 천천히 별채를 나왔다.

지옥에도 분꽃이 폈다. 심지어 이승보다 더 붉고 화려했다. 그가 꽃가지를 통째로 꺾더니 가느다란 손가락으로 꽃물을 짜서 입술과 뺨에 발랐다.

사람마다 마음속에는 우선순위가 있다. 용구는 태어난 순간부터 고생스럽게 살았다. 그에게 정이란 배불리 먹는 것이었고, 돈과 지위를 가진 사람만이 누릴 수 있는 배부른 호사였다. 그는 진창에서 구르는 더러운 상놈이었기에 예의와 염치가 그리 중요하지 않았다. 그의 마음속에는 오로지 제 생사가 우선이었고, 이제는 죽었으니 혼백이 제일 중요했다.

누군가 꽃잎을 건드린 건지, 돌연 뒤에서 바스락거리는 소리가 어렴풋이 들렸다.

자신과 한바탕 뒹굴었던 그 병사가 돌아온 것일까? 용구는 제 눈동자에 춘심을 아낌없이 담았다. 세상 만물 중 비싸지 않은 게 없지만, 오로지 춘심만은 돈을 낼 필요가 없으니까.

그가 아리따운 미소를 지으며 고개를 돌렸다. 남자인지 여자인지 분간할 수 없을 만큼 용모와 자태가 무척 아름다웠다.

꽃밭에 냉담한 모습으로 서 있는 사람을 보았을 때, 용구는 저도 모르게 뒤로 주춤 물러났다. 휘둥그레진 눈에 입도 벌어진 모습이, 마치 벼락이라도 맞은 듯했다.

“당신이군요?”

“응, 나다.”

묵연이 대답했다.

용구의 고운 얼굴에 오만 가지 감정과 표정이 나타났다 사라졌다. 놀라움, 망설임, 고소함, 분노, 불안, 여유를 가장한 초조함…….

마지막으로 그의 얼굴에는 싸늘한 표정만 남아 있었다.

그가 습관처럼 미소를 지었다. 이렇게 잡아먹을 듯한 표정을 짓는 것도 부담스러운 데다 시선을 끄는 것도 싫었다.

“묵 공자, 어찌 이곳에 오셨나요?”

예전 만남이 결코 유쾌하지 않았던 터라 용구는 꼿꼿하게 선 채 냉담한 얼굴로 물었다.

묵연이 말했다.

“사람 찾으러.”

용구가 낮게 ‘풉’ 하고 비웃더니 말했다.

“묵 공자와 같은 풍류랑이 귀계까지 와서도 잊지 못하는 사람이 있을 줄은 몰랐네요.”

묵연은 그와 말을 섞고 싶지 않았기에 그림을 꺼내 용구에게 내밀며 말했다.

“이 사람은 본 적 있어?”

용구가 눈을 가늘게 뜨고 조신하게 그림을 힐끗 보더니 차갑게 웃었다.

"그리 대단한 미모는 아니네요. 얘는 또 어느 주점의 남창인가요?"

묵연이 인상을 구기며 말했다.

"누구더러 남창이래? 봤는지만 말해."

"없어요."

용구가 담백하게 말했다.

"있어도 말 안 해 줄 거고요."

"……."

"너무 피곤하네요. 돌아가서 쉬어야겠어요. 묵 공자도 갈 길 가세요. 그럼."

묵연이 소리쳐 불러 세웠다.

"용구!"

가냘픈 그림자가 멈칫했다. 용구가 아리따운 얼굴을 반쯤 돌린 채 우쭐한 목소리로 말했다.

"왜요?"

"난 이 사람을 구하러 갈 거다. 네가 원하면 너도 같이 구해 줄게. 여긴 포악무도한 곳이야. 저런 놈들과 끝까지 붙어먹을 거 없어."

묵연이 말했다.

"윤회하러 가야지."

용구가 고개를 조금 더 돌린 후 간드러진 목소리로 말했다.

"묵 공자가 말한 것처럼 이곳이 무도(無道)하다면, 도가 있는 곳은 대체 어디인가요? 이 용구는 팔자가 박복하여 고작 스무 해 살다가 저승에 왔어요. 이곳 역시 다를 게 뭐가 있어요. 그저 절 찾던 은객이 사람에서 귀신으로 바뀐 것뿐이죠. 윤회한다고 뭐가 다르겠어요?"

"……그럼 넌 이 살얼음판 같은 곳에서 계속 살겠다는 거냐?"

이번에는 용구가 진심으로 웃었다. 한바탕 웃더니 정신을 차리고는 묵연을 살폈다.

"제가 언제 살얼음판에서 살지 않은 적이 있나요? 저는 늘 도마 위의 생선 같은 존재였어요. 좋은 사람을 만나면 은량을 조금 더 받을 뿐이죠. 그러다가 묵 공자 같은 '아주 좋은 사람'을 만나면 은량을 받기는커녕 제 것까지 다 뜯기는 거죠. 그러고선 시치미까지 딱 떼시고요. 묵 공자, 저를 난도질한 당신이 이제는 내게 칼을 조심하라고 하네요. 참 친절하기도 하셔라."

110장 사존을 욕보일 순 없다

용구는 묵연이 다시 태어난 첫날, 복수를 위해 저지른 일들을 두고 하는 말이었다.

지금 생각해 보니, 전생에 용구는 상 공자와 공모하여 자신을 죽이려고 했으니 분명 자기한테 잘못을 저지른 것이 맞았다. 그러나 그건 엄연히 전생에서 벌어진 일이었다. 이번 생에서 용구는 상 공자와 먼저 도모한 일이 없으니, 묵연이 당시 그의 은량을 훔친 사실을 이해하지 못할 만도 했다.

"내가 잘못했다."

이런 상황에서 묵연은 괜한 입씨름은 피하고 싶었다.

"그때 훔친 돈은 나중에 갚아 주마."

"어떻게요?"

용구가 물었다.

"게다가 지금 제게 금은보화가 있다 한들 그게 다 무슨 소용이죠?"

"……."

"그때 훔쳐 간 진주와 팔찌들을 제게 돌려줄 수 있다면, 그럼 제 목숨은요?"

"뭐?"

묵연이 멈칫했다.

"네 목숨?"

"네, 제 목숨이요."

마음의 상처를 건드린 듯 용구의 얼굴이 조금씩 어두워졌다.

"제가 어떻게 죽었는지 알아요?"

"……."

너무 오랫동안 꾹꾹 눌러만 온 탓일까. 용구는 순간 뚜껑이 탁 열리고 그 안에 끓던 증기가 펑 터진 것만 같았다. 더 이상 감정을 억누를 수 없던 용구는 묵연의 대답을 듣기도 전에 안쓰럽게 말을 이어 갔다. 표정은 분노로 점차 일그러졌다.

"상가 그놈, 참 잔인한 사람이었어요. 당신이 절 좋아하지 않게 된 순간, 그에게 저는 이용 가치를 상실한 쓸모없는 사람이 되었어요. 그러면서 제게는 진심이라고 거짓말을 했죠. 상가 집안에서 제 출신이 더럽다고 반대한다면서, 앞으로 자주 왕래하기 힘들 것 같다고 했어요. 당시에 전 그놈한테 눈이 멀어 그 말이 진짜인 줄 알았어요. 단지 부모의 성화에 못 이겨 내린 결정이니, 그 사람 역시 어쩔 수 없었을 거라고……. 퉤! 제가 그 헛소리를 믿고 말았네요!"

묵연이 말했다.

"그럼 그 상가 놈을 원망할 것이지, 왜 나를?"

용구는 울컥 화가 치밀었다.

"어째서 원망스럽지 않겠어요? 공자께서 깡그리 훔쳐 간 그 돈은 제가 주점을 나오기 위해 모은 거였다고요. 당시에 너무 지치고 힘들어서 더는 주점에서 손님을 받고 싶지 않았어요. 하지만 돈이 없는 바람에 야반도주할 수밖에 없었죠. 그 돈만 빼앗기지 않았다면 제가 이런 고초를 겪지 않아도 됐다고요!"

"……도망쳤어?"

"네, 도망쳤어요. 그 사람 집으로요."

용구가 이를 갈며 말했다.

"하지만 상가 놈은 제게 문을 열어 주지 않았고, 때마침 뒤쫓아온 포주한테 잡혔어요. 제가 아무리 발버둥을 쳐 봐야 소용없었죠. 저는 끌려갔고 혹독한 매질을 당한 후에 다시 감금됐어요."

묵연이 나지막하게 말했다.

"하지만 상가 놈은 분명 네가 친척을 만나러 채접진에 갔다가 귀계의 천열에 휘말려 목숨을 잃었다고 했는데."

"하?"

용구가 중성적인 얼굴을 일그러뜨리며 조소를 흘렸다.

"낯짝도 두꺼워라. 친척? 제게 친척이 어딨어요?"

"……."

"살얼음판에서 살 거냐고 했죠? 진짜 살얼음판에서 사는 게 뭔지 알려 줄까요?"

용구는 말을 할수록 감정이 격해졌고 얼굴은 뒤틀리다시피 구겨졌다. 지금 그는 악귀와 닮아 있었다.

"어떻게 죽었는지 말해 줄게요! 당신들은 은객이니까! 하하하, 은객!"

용구가 이를 악물고 말했다.

"주점에 갇혀 한동안 밥도 못 먹고 계속 학대만 당했어요. 누구도 제 생사에 관심을 두지 않았죠. 며칠이 지났고 저는 거의 반포기 상태였어요. 그런데 그때 상가 놈이 또 저를 찾아왔어요. 그날은 부모님 때문에 문을 열어 주지 못했다면서 눈물을 질질 짜더군요. 혹여 절 들였다가 노발대발한 자기 부모가 하인을 시켜 절 때려죽이라고 할까 봐 겁이 났다고요!"

참으로 같잖은 거짓말이었다. 묵연이 고개를 가로저으며 말했다.

"믿지 않았겠지."

"아니요."

용구의 눈빛이 잔잔히 일렁였다.

"전 믿었어요."

"……."

"전 믿었다고요."

용구가 사무치는 원한을 애써 누르며 한 가닥 웃음을 짜냈다. 그가 입술 끝을 비틀며 말을 이었다.

"제가 왜 믿지 않았겠어요? 믿고 안 믿고는 탈출구가 있는 사람한테나 적합한 선택지죠. 전 뭐가 있는데요? 그저 몸이나 파는 남창이니 누가 뭐라 하면 고대로 믿을 수밖에요. 그거라도 없으면 희망 따윈 없을 테니까."

그가 천천히 말을 이어 나갔다.

"상가 그놈이 절 집안에 들이겠다는 약속을 지키겠다고 꼬드

기더군요. 하지만 지금 당장 부모님이 절 받아 줄 리 없으니, 주변에 있는 작은 마을에서 잠시 머물러 있기로 했어요."

"채접진?"

"네, 채접진이요."

묵연은 슬슬 드러나는 내막에 얼굴이 점차 굳어졌다.

용구가 말했다.

"저는 기쁜 마음으로 짐을 쌌어요. 아, 사실 쌀 짐도 없었죠. 제가 몸뚱이 팔아서 번 돈을 당신이 몽땅 털어 갔으니까. 하지만 그래도 상관없었어요. 그땐 저에게 상 공자가 있었으니까."

"……아."

묵연이 잠시 침묵하다가 입가를 씰룩거리며 웃더니, 굳게 다문 잇새로 이름을 되뇌었다.

"상 공자."

그러곤 용구에게 물었다.

"그놈이 널 속여 채접진으로 보낸 다음에 널 죽인 거냐?"

"……아니요."

용구가 원한 서린 눈빛으로 간교한 웃음을 흘렸다.

"그가 절 죽인 게 아니에요. 당신들이 날 궁지로 몰았기 때문이지. 그래서 할 수 없이 그놈과 잘못된 길로 빠진 거예요. 당신들이, 당신들이 날 죽인 거야."

용구가 숨을 들이마시고 계속 말했다.

"채접진에 도착한 저는 상가 놈을 따라 커다란 저택에 들어갔어요. 하지만 안에는 아무것도 없었죠. 하물며 일하는 사람도요. 당상 급할 게 없으니 서너러 좀 쉬라고 하면서 사기는 살 세 있다며 나갔어요. 거기서 그를 기다리고 있는데, 얼마 되지 않아 그가 어떤 사내와 함께 들어왔죠……."

여기까지 듣고 낯빛이 변한 묵연이 그에게 물었다.

"그 사내, 얼굴은 봤어?"

"아니요."

용구가 말했다.

"그 사람은 얼굴에 가면을 쓰고 장포를 입고 있었어요. 아무것도 보이지 않았죠……. 그런데 상가 놈이 갑자기 남자 앞에 무릎을 꿇더니, 제가 손님을 받을 때보다 더 비굴하게 웃는 게 아니겠어요? 그때 제 모습이 어땠는지 봐야 하는데. 구역질이 날 정도였거든요. 내 몸에 무슨 목령의 정화가 잔존해 있다는 둥, 제가 예전에 묵 공자와 친밀한 사이였다는 둥 하면서…… 저더러 좋은 제물이라더군요. 신선 수련을 하지도 않았고 하고 싶지도 않은 제가 그들이 무슨 말을 하는지 어떻게 알아듣겠어요?"

묵연은 머리카락이 곤두서는 것만 같았다.

묵연도 역시나 알고 있었다. 과거 그는 용구와 친밀한 관계여서 그때 용구의 몸에 목령의 정화가 남았던 것이다. 가짜 구진은 지금껏 적합한 대체품을 찾고 있었고, 용구 체내에 있는 영기가 비록 아주 적은 양이지만 어쨌든 순수한 것이었기에 주술을 펴기에 적합했을 터였다.

"이후의 일은 더 말할 게 없네요."

용구의 얼굴에 떠오른 헤픈 미소에서 뼈에 사무치는 냉기가 감돌았다.

"지금 보시다시피, 죽었으니까."

전생의 묵연이었다면, 혹은 방금 다시 태어난 묵연이었다면 코웃음을 치며 이렇게 비아냥댔을 것이다.

'네놈이 죽은 게 나와 무슨 상관이지?'

하지만 지금 이 순간 묵연은 웃을 수가 없었다.

묵연은 용구를 증오했다. 분명 용구는 자기 안위를 위해 수단과 방법을 가리지 않는 사람이었고, 심지어 전생에서는 자신을 죽일 계략까지 짰다. 하지만 그와 육체적인 관계를 맺는 동안 단 한 번도 마음을 터놓고 대화해 본 적이 없었다. 저승에 와서 용구의 독백 같은 과거사를 듣자 묵연은 만감이 교차했다.

묵연은 천 갈래, 만 갈래로 얽혀 모호해진 은원이라면 차라리 지금 푸는 게 나을 것 같았다.

그가 한숨을 내쉬고 말했다.

"용구, 그때 일은 사과할게. 미안해."

용구는 평생을 살면서 누군가에게 사과를 받아 본 적이 없었다. 그래서 순간 묵연이 생판 모르는 남처럼 느껴질 만큼 어안이 벙벙해졌다. 그가 눈을 커다랗게 뜨고 묵연을 한참 살펴본 후에 대답했다.

"당신이 이런다고 초상화 속 남자가 어딨는지 알려 줄 것 같아요?"

묵연이 말했다.

"초상화는 상관없어."

용구가 고개를 숙인 채 말없이 있다가 돌연 입을 열었다.

"묵 공자, 그거 알아요? 예전에 상 공자와 내가 당신을 죽여서 수련 성지를 빼앗으려고 했다는 거."

"알고 있어."

"아…… 알고 있다고요?"

묵연이 고개를 끄덕였다.

"그래, 알고 있었다."

용구는 당혹감에 멈칫하다가 이내 표독스럽게 소리쳤다.

"그 상가 놈이 말해 준 거죠?"

그가 당차게 고개를 들었다. 눈빛은 분노와 원망으로 번뜩였다.

"이렇게 될 줄 알았다면 그놈 말대로 당신을 죽일 걸 그랬어요. 그랬다면 조금은 더 행복하게 살았을 거고, 적어도 이렇게 비참하게 죽진 않았을 테니까."

묵연이 그를 보며 말했다.

"넌 누가 하란 대로 다 해?"

"그게 뭐 어때서요?"

용구가 말했다.

"전 그저 행복하게 살고 싶었을 뿐이에요. 제가 몸 파는 게 어때서요? 그게 잘못인가요? 생계를 위해 물고기나 고기를 파는 사람과 뭐가 다르죠? 당신 같은 공자님들은 저 같은 건 하찮게 보이겠죠. 알아요. 그리 보아도 상관없고요. 자존심, 체면, 그게 다 뭐라고. 전 그것보다 맛있는 술과 고기가 더 좋아요. 그러니 애초에 당신을 죽이고 내가 살 수 있다면, 당신을 못 죽일 이유가 있겠어요?"

묵연은 반박할 생각에 입을 달싹였지만, 불현듯 전생에 자신이 저지른 만행이 생각나 도로 입을 다물었다.

용구가 분노하며 말했다.

"살기 위해서 동물도 죽이는데, 사람이라고 못 죽이겠어요?"

묵연은 한숨을 흘리고는 중얼거리듯 물었다.

"그리 살면 무슨 의미가 있지?"

용구에게 묻는 듯했다.

세월을 넘어 전생에 옥좌에 앉았던 자신에게 묻는 듯도 했다.

"글쎄요, 의미 있다는 게 무엇인지 모르겠네요."

용구가 무감하게 내뱉었다.

"제 나이 열여섯에 주점에 팔려 와 손님을 받았어요. 첫 손님은 반백이 넘는 늙은 도사였죠. 제게 그리 살면 무슨 의미가 있냐고 물었죠? 전 모르겠어요. 살아생전 돈이 있으면 좋겠다고 생각했어요. 돈이 있으면 몸을 팔지 않아도 되고, 억지웃음을 지어 가며 남의 시중 따위 들지 않아도 될 테니까. 하지만 전 죽어서도 자유의 몸이 되지 못했고, 이건 모두 짐승 같은 당신들 탓이죠."

묵연은 한참 있다가 침묵을 깨고 물었다.

"네게 한 번의 기회가 더 주어진다면, 넌 그 상가 놈과 함께 날 죽이겠구나?"

"물론이죠."

묵연이 말했다.

"그래. 내게도 다시 예전으로 돌아갈 기회가 생긴다면, 그래도 난 네 은량을 모두 훔쳐 갈 거다. 네놈이 잘 사는 꼴 보기 싫거든."

"당신……!"

용구는 격분한 나머지 얼굴에 마른 눈꽃물이 더 붉어진 듯했다. 그가 잠시 온몸을 부들부들 떨다가 차츰 안정을 되찾았다.

잠시 뒤 그는 추태를 보였다는 생각에 손을 들어 옆에 빠져나온 머리카락을 정리하면서 화를 누그러뜨린 다음, 박제된 듯한 가식적인 미소를 띠었다. 그러나 눈빛만은 여전히 분노로 흉흉했다.

"마음대로 하세요. 이 용구는, 제 방식대로 살아갈 테니까."

"그래도 난 네가 귀계에서 자유롭게 살았으면 좋겠다."

용구가 눈을 가늘게 떴다.

"그럼요! 당연히 자유로울 거예요. 밤 시중만 잘 들면 윤회의 고통에서 영원히 벗어날 수도 있고 더는 힘들게 살지 않아도 된다고요. 별채 안에 있는 저 바보들보다 제가 더 확실히 깨닫고 있으니까. 저는 무척이나 여기서 살고 싶어요."

묵연이 웃으며 말했다.

"그런데 용구, 저들은 사왕의 수하야. 널 죽이고 살리는 거, 보내거나 남게 하는 거, 그거 사실 사왕의 한마디에 달려 있지."

용구가 흠칫 경계하더니 아름다운 눈으로 그를 노려보았다.

"무슨 말이죠?"

이런 상황만 아니라면 묵연 역시 말씨름은 하고 싶지 않았다. 하지만 용구가 유순한 성격이긴 해도 한번 화가 나면 무슨 말을 해도 듣지 않았기에 묵연은 노기를 가라앉히고 말을 이었다.

"초상화 속 그 사람, 네 눈에 대단한 미모가 아니라고 했지? 하지만 난 이 사람이 좋다. 사람마다 보는 눈이 다 달라. 다시 말하면, 귀왕이 그를 선택하지 않을 거라고 장담할 수 없단 얘기야."

"그런 차가운 얼굴을 누가 좋아한다고요?"

"그건 모르지."

묵연이 말했다.

"귀왕이 유순한 사람을 좋아했다면 어째서 널 고르지 않았을까?"

"……."

말문이 막힌 용구의 낯빛이 미세하게 바뀌었다.

묵연이 아예 쐐기를 박았다.

"이 사람, 성질이 불같아. 간택당하는 순간 귀계를 발칵 뒤집어 놓을 거다. 그때가 되면 책임 추궁이 이루어질 테고, 사왕 쪽도 무사하진 못할 거야. 병사들도 죽어 나가겠지. 기왕 기댈 나무를 찾으려면 튼튼하고 안정적인 걸로 찾아. 지금 그런 나무에 기댔다가 얼마 못 가 쓰러지기라도 하면, 고작 기댈 곳이 없어지는 거? 그건 그나마 감사한 일이 될 테니까. 괜히 너까지 휘말려 벗어날 수 없는 지경에 이르면, 혼백이 산산조각 나 흩어지는 결말을 맞게 되겠지."

원래도 하얗던 용구의 얼굴이 갈수록 창백해졌다.

그러나 그는 여전히 교태를 부리며 뾰족하게 대답했다.

"못 믿겠는데."

"……."

"묵 공자, 내 모든 걸 걸게요. 난 당신이 나보다 잘 사는 꼴, 못 봐."

잠깐의 침묵이 흐르다가 묵연이 돌연 용구의 얼굴을 매섭게 노려보았다.

"난 안 걸어. 용구, 이 사람은 반드시 내가 구해야 해. 정 그럼

게 나와 장난질을 칠 거라면 네놈 목숨부터 걸어야 할 거야."

용구가 고개를 들어 눈빛을 반짝이더니 뱀처럼 손을 뻗어 묵연의 가슴을 더듬었다.

"그 사람이 당신한테 뭔데 그래요? 사귄 지 오래됐어요? 나보다 더? 침상에서는요? 나보다 잘해요? 잠자리 기술도 더 좋고 신음도 더 듣기 좋아요?"

그가 말을 끊고는 천천히 눈을 내리깔았다.

"묵 공자, 당신은 남을 위해 생사를 거는 순정남이 아니잖아요. 원래 정이라는 걸 모르는 사람이니까. 날 속일 순 없어요."

말을 마치기도 전에 묵연이 그의 뺨을 세게 꼬집었다.

묵연은 그를 제게서 떨어뜨려 놓은 후 눈썹을 추켜세웠다. 눈동자에는 뜨거운 불꽃이 일렁였다.

"여태 없었는데, 이제 생겼어."

용구가 고개를 들어 묵연의 얼굴을 바라보았다. 뜨겁게 타는 눈빛을 보며 용구는 그가 퍽 낯설게 느껴졌다.

사람일 때 묵미우는 진지함이라고는 전혀 없었는데, 혼백일 때는 완전히 달랐다.

묵연을 보며 왠지 자신도 이 화마에 휩싸일 것만 같아 용구는 저도 모르게 흠칫 떨었다. 뒤돌아 가려는데 묵연이 그를 잡았다.

"그리고."

묵연이 말했다.

"지금 이 순간부터…… 그와 나는 깨끗한 사이다. 나는 그를 존경하고 사랑한다. 망령된 생각 따윈 하지 않아. 그러니 너도 이 사람을 모욕하지 마."

묵연이 용구를 밀쳤고, 기둥에 부딪친 용구는 믿기 힘든 얼굴로 묵연을 바라보았다. 당황스러운 마음에 '지금 이 순간부터 깨끗한 사이'라는 이상한 표현도, 그 안에 담긴 의미도 자세히 파악할 수 없었다. 그의 정신이 조금만 더 맑았다면 이 말에 담긴 미묘한 뜻을 알아차렸을 것이다.

'지금부터 깨끗하다'라는 말은, 바꿔 말하면 예전에는 애매하고 야릇한 감정이 있었다는 뜻이었다.

하지만 용구는 끝내 이해하지 못했다.

"그는 당신의…… 당신의……."

묵연이 말했다.

"아니, 이분은 내 사존이다."

용구는 말문이 막혔다. 그와 같은 사람은 말의 행간에서 미묘한 감정을 느낄 수 있었다. 그 미묘한 감정은 묵연 자신도 아마 몰랐겠지만, 용구만은 충분히 느끼고도 남았다.

그는 묵연이 그림 속 남자를 사랑하고 있다고 거의 확신했다. 이 생각은 지금껏 제대로 된 사랑 한번 받지 못한 용구에게 쓰디쓴 질투의 감정을 불러일으켰다.

천하의 풍류남인 묵 공자가 누군가를 위해 불구덩이를 감수한다?

용구는 문득 이런 생각이 들었다.

'애초에 내가 묵연을 진심으로 대했다면, 마음을 털어놓았다면, 이 사람도…… 조금은 나를 진심으로 대하지 않았을까?'

그가 생각을 바치기도 전에 묵연이 다시 입을 열었다. 목소리가 매섭고 차가운 것이 농담은 아닌 듯했다.

"용구, 내가 마지막으로 묻겠다. 그 사람 지금 어디 있어? 나는 도를 닦는 사람이야. 독을 쓰든 주술을 쓰든 사람의 마음 정도는 바꿀 수 있어. 네가 믿든 안 믿든, 난 무슨 일이 있어도 귀왕을 만나러 갈 거다."

이번에는 용구가 완전히 넋이 나갔다.

"당신……."

"나는 평생 온갖 나쁜 짓만 저질렀지만 지금은 제대로 살고 싶어. 하지만 아무도 날 도와주지 않으면 난 다시 묵미우가 되겠지."

그가 나지막하게 말했다.

"용구, 잘 생각해. 난 죽는 게 무섭지 않아. 혼백이 흩어지는 거? 그까짓 것도 내 알 바 아냐. 네가 이렇게 계속 말을 안 하고 버티면 나는 무슨 짓이든 할 거야."

두 사람은 더는 아무 말도 하지 않았다.

둘 사이에 시선만 오갔다. 강한 의지가 담긴 시선이 강한 증오의 시선과 부딪쳤고, 집착 어린 눈빛이 내키지 않는 눈빛에 닿았으며, 뜨거운 화염이 차가운 냉기와 부딪쳤다.

용구의 눈빛에 서린 냉기가 가셨다. 그는 화염과도 같은 묵연의 눈빛에 결국 무너져 내렸다. 그의 질투는 묵직했지만, 묵연의 집착 역시 가볍지 않았다. 죽어라 버틴다고 한들 그가 어찌 답선제군이 상대가 되겠는가?

결국 용구가 백기를 들었다. 분꽃으로 색을 더한 얼굴이지만 무너진 폐허와 같은 황폐함은 감출 수가 없었다.

"어째서 그 사람을 위해 이렇게까지 하는 거죠?"

"나를 가장 아껴 주셨거든. 그런데도 난 철천지원수처럼 그를 증오하고 괴롭혔어. 큰 빚을 졌지."

"……."

잠시 후 용구가 조용히 대답했다.

"정말 몰라요. 보지 못했어요."

그는 묵연의 표정을 보며 천천히 한마디를 덧붙였다.

"거짓말하는 거 아니에요. 하지만 새로 붙잡힌 귀신은 모두 동쪽에 있는 가장 큰 전각에 갇혀요. 한 사람에 작은 방 하나가 배정되는데 짐승 우리와 다를 바 없어요. 잠그기까지 하니까요. 보초 서는 경비가 수시로 순찰을 돌아요. 그쪽으로 가면 아마 찾을 수 있을 거예요."

묵연은 더는 지체하지 않고 곧장 몸을 돌려 어둠 속으로 사라졌다. 용구는 제자리에서 멍하니 그를 보며 알 수 없는 씁쓸함에 몸서리쳤다. 용구는 갑자기 감정에 북받쳐 묵연의 등을 향해 소리쳤다.

"묵미우…… 제대로 살아 보겠다고요? 그렇게 될 것 같아요? 우린 모두 진창을 뒤집어쓴 사람인데! 제대로 잘 살 수 있겠냐고!"

용구가 계속 악을 써 댔다.

"묵미우! 똑똑히 지켜봐요. 이 용구는 반드시 행복하게 살 테니까. 어떻게든 혼백만 지켜 내면 돼! 내 몸이 썩어 문드러지도록 몸 팔고 영혼도 팔아서 금은보화를 달고 살 거야! 똑똑히 지켜봐요! 당신은 뼛속까지 더러운 사람이야. 입가만 조금 닦는다고 악취가 안 나겠어? 꿈도 꾸지 마! 당신은 당신 갈 길이나 가! 나도 내 갈 길 갈 거니까! 누가 더 잘 사는지 두고 보자고, 묵미우!"

그는 묵연의 등이 보이지 않을 때까지 소리치고는 갑자기 손에 얼굴을 묻고 쪼그리고 앉아 흐느끼기 시작했다.

"어떻게 당신은 새로 시작할 수 있는데? 당신처럼 더러운 인간한테, 어째서 잘해 주는 사람이 있는 건데……. 당신이 뭐라고……."

111장 사존이 감금되었다

동쪽의 가장 큰 전각은 용구의 말대로 3층 높이에 층마다 방이 다닥다닥 붙어 있었다. 공간은 가장 넓었지만 가장 더럽고 복잡했다. 입구에는 오래된 나무가 쓰러질 듯 축 늘어져 있었고 그 위로 까마귀가 바글바글했다. 까마귀마다 눈알 하나를 문 채 미친 듯이 돌면서 아래를 굽어보고 있었다.

두 개의 소부대로 나뉜 병사들이 순찰을 돌면서 사왕에게 바칠 진상품을 지키고 있었다.

묵연은 몸을 틀어 모퉁이 뒤에 몸을 숨긴 후에 병사들이 출입하는 경로를 세어 가며 이곳의 사각지대를 살폈다.

격자 모양으로 배치된 작은 방들은 모두 불이 켜져 있었다. 안에서는 귀신의 울음소리, 한숨 소리, 웅성대는 소리가 뒤섞여 들려왔다. 밖의 장막을 배경으로 마치 예부터 들려온 장송곡처럼 머리털이 곤두서고 소름이 끼쳤다.

이곳 내부에는 어림잡아 300개 이상의 방이 있었다. 수하들은 십 분에 한 번씩 순찰을 돌았다. 묵연이 초만녕을 찾기에 어림없는 시간이었다. 게다가 층마다 계단 앞에는 채찍을 들고 경비 호루라기를 목에 건 병사가 보초를 섰다.

묵연의 속이 새까맣게 타들어 가던 그때, 멀리서 귀신 하나가 걸어왔다. 그는 검은 바탕에 빨간색 글자가 새겨진 영패를 허리춤에 차고, 경비병과 같은 차림을 하고 있었다. 묵연은 어둠 속으로 몸을 숨긴 채 그가 자신의 옆을 지나 계단 입구에 도착하는 모습을 지켜보았다.

귀신이 계단 옆에 서 있는 경비병에게 고개를 끄덕였다. 밤이라 주변이 조용했기에 묵연은 그들의 대화를 어렵지 않게 엿들을 수 있었다.

"형님, 셋째 형님과 교대하시죠?"

"응, 자네도 곧 교대하지?"

"저는 좀 더 기다려야 해요. 아직 사람이 오지 않았거든요. 오면 저도 쉬러 가야죠."

교대한 병사가 위층으로 올라갔다. 1층에 보초를 선 경비병이 심심한 듯 늘어지게 하품했다.

이 모습을 본 묵연은 다소 위험하지만 기막힌 생각 하나가 떠올랐다…….

멀리서 딱따기 소리가 '딱딱딱' 울려 퍼졌다.

나뭇가지에 앉은 까마귀가 이상 조짐을 포착한 듯 깍깍 울어댔다.

입구를 지키던 병사는 순간 잠이 달아나 주위를 두리번거렸다. 옅은 밤안개가 자욱한 가운데, 그림자 하나가 느릿느릿 걸어오고 있었다.

가까이 다가온 청년은 한 번도 본 적 없는 얼굴이라 병사는 경계심이 발동했다.

"누구냐?"

"교대하러 왔습니다."

청년이 말했다.

불그스름한 구름이 지나가고 어둠의 장막 사이로 달이 모습을 드러냈다. 달빛에 어렴풋하게 비친 청년의 얼굴은 무척이나 준수했다.

뚜렷하면서 단정한 이목구비에 눈썹과 눈매는 사근사근함이 묻어났다. 교대하러 온 이 '귀신'이 묵연 아니면 누구겠는가?

그는 어디서 구했는지 경비병의 갑주까지 걸치고 있었다. 허리에는 불그스름한 영패가 연신 덜렁거렸고, 가슴팍에는 경비 호루라기가 차가운 은광을 내뿜고 있었다.

경비병이 말했다.

"처음 본 얼굴인데?"

"새로 왔습니다."

그는 긴가민가한 얼굴로 손을 내밀었다.

"영패는?"

묵연이 영패를 건넸다. 표정 없는 얼굴과는 다르게 심장은 터질 듯 거세게 뛰고 있었다.

경비병은 영패를 요리조리 살펴봤지만 딱히 이상한 점을 발견하지 못했다. 더 캐묻기도 귀찮아 묵연의 어깨를 두드리며 말했다.

"그럼 수고해. 난 이만 간다."

"선배님, 살펴 가세요."

'선배'라는 말에 기분이 좋았는지, 귀신이 껄껄 웃으며 손을 휘휘 저었다.

"녀석도 참, 다음에 보자."

"아…… 선배님, 잠시만요!"

"왜?"

경비병이 고개를 돌렸다.

묵연이 웃으며 태연하게 물었다.

"진상품 중에 초씨 성을 가진 사람이 있나요?"

경비병이 조금 뾰족하게 반응했다.

"그건 왜 물어?"

"순풍루의 초 선생님이 물어보셔서요."

묵연이 말했다.

"그분께 먼 친척이 있는데 이번에 저승에 왔나 봐요. 한데 순풍루에서 찾지 못해서, 혹시 여기에 있냐고 물어보시네요."

과연 초순의 명성이 경비병을 긴장시켰다. 그가 잠시 머뭇거리더니 2층을 가리키며 말했다.

"제일 안쪽에 있는 방 세 개는 모두 초씨 성을 가진 사람이 갇혀 있어. 거기에 가 봐."

묵연이 밝게 웃으며 말했다.

"감사합니다, 선배님."

"뭘, 그런 걸로."

아둔하기 짝이 없는 선배였다.

경비병이 말을 마치고 콧노래를 흥얼거리며 휘적휘적 걸어갔다. 그는 모퉁이를 지나면서도 속박술에 걸려 도랑에 버려진 진짜 동료를 발견하지 못했다. 이 불쌍한 귀신은 갑옷까지 빼앗긴 채 얄팍한 단벌 차림이었고, 눈빛은 분노로 이글거렸다. 입이 완전히 틀어 막혀 약간의 소리도 새어 나가지 못했기에 분통이 터져 미칠 지경이었다.

묵연은 용구가 영 불안했다. 간택되지 못한 진상품들은 별채에 감금되어 있고 그들을 감시하는 사람도 없는 데다 바깥에 감금 결계까지 있었지만, 어쨌든 그곳에서도 순찰은 이루어졌다. 혹여 자신에 대한 악감정 때문에 순찰 중인 병사를 붙들어 자신의 잠입을 밀고할지 모를 일이었다.

한시도 지체할 수 없었고, 속전속결이 답이었다.

묵연은 제자리에 잠시 섰다가 오가는 병졸들이 지나간 것을 확인한 후에야 2층으로 훌쩍 뛰어올랐다. 2층에서 보초를 서고 있던 병사가 긴 창으로 묵연을 가로막았다.

"멈춰! 누구냐?"

"오늘 새로 온 신입입니다. 1층에서 보초를 서고 있어요."

경비병이 미간을 찌푸리며 말했다.

"그럼 1층이나 잘 지키고 있을 것이지 여긴 뭐 하러 올라와?"

묵연이 이번에도 '초순'의 패를 꺼내 들었다. 그러나 이 병사는 쉬이 속지 않을 뿐만 아니라 오히려 매섭게 반문했다.

"순풍루 초 선생이 뭔데? 행궁에 들어온 이상 모두 사왕야의 소유야. 그분이 정 친척을 구하고 싶거든 직접 사왕야를 뵈러 가라고 해. 나한테 이러지 말고!"

묵연은 속으로 한숨을 내쉬었다. 확실히 아래층 그놈보다 훨씬 영리한 놈이었다. 그래도 어쩔 수 없이 밀고 나가야만 했다.

"저도 지금 당장 데리고 나가겠다는 게 아니에요. 그저 사람이 맞는지만 좀 확인할 수 있을까요?"

"뭐, 그건 어렵지 않지. 이름을 말해. 내가 찾아 줄게. 굳이 들어갈 필요 없어."

묵연은 초조하고 답답한 마음에 울화통이 터졌지만, 애써 화를 억누르고 대답했다.

"초만녕, 초만녕이라고 해요."

명부를 꺼내 든 경비병이 묵연의 말을 듣자 뜻밖에도 명부를 다시 내려놓았다.

이 모습에 묵연은 순간 심장이 덜컹했다.

"왜요? 무슨 문제 있습니까?"

"무슨 문제가 있냐고?"

그가 냉소를 지으며 말했다.

"신입이라 그런지 세상 물정을 영 모르는구먼. 사왕야께서 미인을 감상하러 오늘 행궁에 오셨다가 초 선군을 고르셨다. 그런데 아직 이레가 다 지나지 않아 선군의 삼혼이 모두 모이지 않은 바람에 4층 지옥에 데려가지 못하셨어. 아마 오늘 밤에 사왕야께 넘겨질걸. 선군을 데려간다? 이제 뭐가 문제인지 알겠지?"

묵연의 얼굴은 그의 말을 반쯤 들었을 때부터 이미 사색이 되어 있었다. 경비병의 말이 끝나고 한참 만에 묵연이 물었다.

"사왕야께서 고르셨다고요?"

"그렇다니까, 왜 또 물어?"

"……아닙니다. 그럼 됐어요. 실례 많았습니다."

묵연이 조용히 뒤돌아 아래로 한두 걸음 걷다가, 상대가 반응하기도 전에 견귀를 소환해 재빠르게 몸을 돌려 경비병의 목을 휘감았다!

붉은빛이 번쩍 스치고 지나갔다.

신무는 귀신을 다치게 할 수도, 죽일 수도 있는 무기였다. 경비병은 눈앞에 날아오는 선홍색 버들잎을 마주한 채 청년의 분노에 찬 목소리를 들었다.

"내가 귀왕을 무서워할까 봐? 그 사람, 내가 빼앗아 오면 돼!"

그러고는 순식간에 정신을 잃고 쓰러졌다.

묵연은 주술로 그를 단단히 묶고 입도 틀어막은 후 발로 차 한쪽으로 밀어 넣었다. 그리고 황급히 복도 끝으로 달려갔다.

끝에 있는 방 세 개에는 각각 초씨 성을 가진 혼백이 있었다.

묵연은 왠지 모를 느낌에 홀리듯 한쪽 방 앞으로 다가갔다. 그러고는 이렇게 묘한 기분이 드는 이유를 깨닫기도 전에 문을 힘껏 열어젖혔다. 너무 급하게 뛰어와 숨이 가늘게 차올랐다. 그가 두 번째 작은 방에 들어갔다.

가쁜 숨을 몰아쉬는 묵연의 눈앞에 검고 긴 머리카락이 어지럽게 흐트러져 있었다. 그는 머리카락을 걷어 낼 생각도 하지 못한 채 방 안만 응시했다.

용구의 말이 맞았다.

이곳은 짐승 우리와 다름없이 비좁았고, 죽음이 연상되는 회백색 벽면은 무척이나 서늘했다.

오로지 그 안에 있는 사람만 아득한 설원에 피어난 불꽃처럼 훈기가 있었다.

진상품이라고 모두 꽁꽁 묶어 둔 것은 아니었다. 최소한 초만녕은 그랬다. 어쩌면 사왕의 눈에 들어 병사들이 함부로 대하지 못한 것일 수도 있었다. 심지어 그의 방바닥에는 한겨울에 갓 내린 눈처럼 새하얀 모피 융단이 포근하고 부드럽게 깔려 있었다.

초만녕은 융단 위에 누워 잠을 자고 있었다. 그는 겉보기에 강하고 대범해 보여도 사실 마음속으로 늘 불안을 안고 살았다. 특히 항상 몸을 웅크리고 아주 작게 말아 잠을 자는 모습에서 이런 불안감이 잘 드러났다.

제 몸의 온기를 지키려는 듯도 했고 다른 사람이 자리를 차지할까 봐 두려워하는 듯도 했다. 가느다란 몸이 어딘지 모르게 안쓰러워 보였다.

이 혼백은 인혼과 다르게 얼굴에 핏자국 하나 없이 말끔하고 준수한 모습이었다. 옷도 갈아입은 듯, 노을처럼 붉고 고운 빛깔의 비단옷을 걸치고 있었다. 장포나 소매의 통이 모두 크고 넉넉하여 선회하는 용이나 비상하는 봉황, 나풀대는 금빛 나비처럼 우아하고 아름다웠다.

묵연이 비틀대며 앞으로 걸어가더니 그의 옆에 털썩 주저앉아 덜덜 떨리는 손으로 초만녕의 얼굴을 쓰다듬었다.

"만녕……."

입에서 튀어나온 말은 '사존'이 아닌 전생의 마지막 한때에 부르던 이름이었다.

증오가 피의 바다를 이루고 골수에 사무치던 그 마지막 한때였다.

초만녕은 묵연의 품에 안겨 비몽사몽 몽롱해하다, 한참 뒤에야 잠에서 깼다.

눈을 떠 보니 묵연의 품속이었다. 아직 애티를 벗지 못한 이 얼굴이 이토록 다정했던 적이 있었던가? 꿈이라 생각한 초만녕은 미간을 좁혔고 잠시 한숨을 쉬더니 다시 눈을 감았다.

"사존!"

귓가에서 자신을 부르는 소리가 들렸다.

이번에는 '만녕'이 아니었다.

"사존! 사존!"

초만녕의 봉안이 번쩍 뜨였다. 표정은 거의 그대로였지만, 손끝은 의지와 다르게 가느다랗게 떨리기 시작했다.

순간 묵연이 그의 손을 잡고 자기 얼굴에 갖다 대고는 울며 웃었다. 이토록 말쑥한 얼굴이 정인 앞에서는 왜 이리 허둥대고 초라해지는지 알 수 없었다.

"사존."

울먹이던 그가 눈을 빤히 뜨고 초만녕을 바라보았다. 할 말을 찾지 못한 채 같은 말만 되뇌었다.

"사존……."

묵연이 그를 단단히 끌어안았다. 이제야 정신이 든 초만녕은 이래선 안 된다는 생각에 반사적으로 묵연을 밀치고 일어나 그를 노려보았다.

말없이 오랫동안 멍하니 있었다.

그러다 울컥 화가 치밀었다.

묵연이 아무 반응도 없자 초만녕은 손을 빼내어 묵연의 뺨을 때렸다. 검은 눈썹이 분노로 한껏 치켜 올라갔다.

"염치없는 놈! 너는 왜 죽은 거냐?"

묵연이 해명하려고 입을 여는데, 순간 흐릿한 달빛 아래에서 초만녕의 표정이 보였다. 화가 난 얼굴이었지만 기다란 눈썹에 가려진 눈동자에서 꾹 눌러 담은 슬픔이 엿보였다. 억울해 보이기도 하고, 살짝만 건드려도 금방 눈물을 쏟을 것 같기도 했다. 묵연을 꾸짖은 초만녕은 굴욕과 부끄러움에 터질 듯한 울분을 억누르려는 듯 아랫입술을 단단히 깨물었다.

어떤 사람은 자그마한 생채기라도 생기면, 눈에 잘 띄는 천으로 둘둘 감아 동네방네 자기가 아프다는 걸 알린다.

그러나 어떤 사람은 자존심이 강하고 지기 싫어해, 수모와 고통을 당하면 목구멍까지 차오른 피를 도로 삼키는 한이 있어도 절대 입을 열지 않는다.

예전에는 그가 말하지 않았으므로 묵연은 알지 못했다.

그러나 그것을 알아 버린 지금은 그저 마음만 아파 왔다.

묵연이 초만녕을 안으려고 다가갔다.

하지만 초만녕은 그를 밀치며 메마른 목소리로 말했다.

"썩 꺼져라!"

고개를 돌린 초만녕은 찢어지는 마음을 냉담함으로 감췄다.

"이리 어린 나이에 요절해 놓고 무슨 염치로 날 찾아와?"

"사존……"

"썩 꺼지래도!"

초만녕이 얼굴을 더 돌렸다.

"너는 이제 내 제자가 아니다. 이 옥형은 팔팔한 나이에 요절이나 하는 형편없는 제자는 필요 없다!"

팔팔한 나이에 요절…….

방금까지 괴로웠던 묵연은 엄한 꾸중을 듣자 오히려 봄 햇살에 녹은 물이 콸콸 흘러넘치듯 마음이 뜨끈해졌다. 그가 손을 들어 이마를 툭툭 치고는 눈을 가린 채 달콤 쌉싸름하고 시금털털한 웃음을 지어 보였다.

묵연의 가벼운 웃음에 초만녕은 더 화가 나 목소리를 높였다.

"뭐가 웃기냐, 이놈아……."

울화통이 치밀어 묵연의 뺨을 한 대 더 때리려고 손을 올렸는데, 그만 묵연에게 잡히고 말았다.

묵연은 부드러운 눈을 천천히 깜빡이며 말없이 그의 손을 끌어당겨 자기 가슴에 갖다 댔다.

112장 사존, 약속해 주세요

두근, 두근, 두근.

마음이 평온하고 따뜻해졌다.

초만녕도 묵연을 따라 눈을 깜빡였다. 그의 눈에 놀라움과 기쁨, 민망함과 불안감이 동시에 스쳤다. 하지만 옥형 장로는 확실히 옥형 장로다웠다. 십 년을 하루처럼 한결같이 냉담하게 살아온 초만녕인지라 누구보다 침착하게 표정을 갈무리하고 감정까지 금세 수습했다. 조금 전 묵연에게 실망하고 분노한 사람이 마치 자기가 아닌 것처럼 얼굴에는 아무것도 드러나 있지 않았다.

"죽지도 않았으면서 여긴 뭣 하러 왔느냐?"

초만녕은 이 말을 내뱉자마자 후회했다.

묵연의 모습은 누가 봐도 자신을 구하러 온 것이었다. 하지만 그의 입으로 직접 이 말을 듣게 된다면, 심장이 속절없이 뛰어댈 것 같았다.

긴장한 초만녕은 자신이 이미 죽었다는 사실조차 까맣게 잊고 있었다. 죽은 사람에게 빠르게 뛸 심장이 어디 있겠는가?

묵연은 오로지 초만녕만 바라보며 아무런 말도 하지 않았다. '사존을 구하러 왔어요'라고 말하는 순간, 당황할 초만녕의 모습이 눈에 선했다.

묵연은 잠시 망설이다가 결국 입술을 일그러뜨리고는 눈을 내리깔며 부드럽게 물었다.

"사존은 제가 왜 왔을 것 같으세요?"

"……고생거리를 찾으러 왔겠지."

"사존, 언제 이름을 '고생거리'로 바꾸셨어요?"

묵연이 웃었다.

"아무도 말 안 해 주던데."

초만녕은 지금껏 본 적 없는 묵연의 다정한 모습에 잡힌 손을 황급히 뺐다. 부끄러운 마음에 괜히 더 성질을 부렸다.

"또 허튼소릴 하는군. 버릇없이!"

묵연은 이제야 진짜 초만녕의 일면을 본 것 같았다.

그의 분노는 가면이었다. 이 별난 사람은 냉혹함이라는 가면을 자기 얼굴에 씌우고 다정함도, 기쁨도, 진심도, 부끄러움도, 슬픔도 모두 감췄던 것이다.

바보 같은 사람.

초만녕은 정말 바보다. 그런 가면을 한평생 쓰고 다니다니, 피곤하지도 않은가.

나도 정말 바보다. 두 번의 생을 살면서 이제야 깨닫다니.

어쨌든 싱거운 농담 덕에 분위기가 아까처럼 무겁게 가라앉지는 않았다. 초만녕의 혼을 전부 모았으니 환생할 희망이 생겼다.

이 생각에 기분이 좋아진 묵연은 초만녕의 손을 잡은 채 저승에 온 연유에 대해 구구절절 늘어놓기 시작했다. 회죄대사를 비롯하여 일련의 사건을 이야기하는데 자꾸만 목이 메어, 결국 중간에 말을 끊었다가 조금 진정이 된 다음에야 눈시울을 붉힌 채로 말을 계속 이어 나갔다. 그 이야기를 하는 동안 가장 많이 나온 말은 '죄송해요'였다.

초만녕은 무슨 말을 해야 할지 알 수 없었다.

그는 누군가에게 잘해 줄 때 단 한 번도 대가를 바란 적이 없었다. 심지어 잘해 주다가도 상대방이 부담스러워할까 봐 걱정할 때도 있었다.

사실 그는 피가 끓어올라 자신의 뜨거운 마음을 내보였다가 대수롭지 않은 것으로 치부당하는 게 두려웠다.

그래서 남을 도울 때면 죄지은 일이 아닌 데도 자신의 선의를 숨기곤 했다.

초만녕은 평생 가면을 쓰고 살았다.

그런데 마침내 좋아하는 사람이 제 얼굴에 박제된 분노의 가면을 벗겨 준 것이다. 자신을 둘러싼 두꺼운 껍질을 벗겨 주는 것 같았다.

그는 멍청하게 제자리에 서 있었다. 갑자기 어떻게 해야 좋을지 도통 알 수가 없었다.

넋이 나간 사이, 어느새 묵연이 그의 앞에 무릎을 꿇었다. 그가 사라질까 두려운 것처럼, 한 손으로는 계속 초만녕의 손을 단단히 잡고 있었다.

순간 초만녕의 머리에 황당하고 부끄러운 생각이 스쳤다.

묵연은 원래 겁이 없고 제멋대로인 데다 상식이 통하는 제자가 아니었다. 그런 그가 갑자기 자신의 손을 잡고 이토록 소중히 대하는 모습을 보자, 묵연에게 뭔가 기대감이 생겼던 것이다.

제가 한 생각에 초만녕은 흠칫했고, 그의 낯빛은 점차 어두워졌다. 어떤 표정으로 묵연을 대해야 할지 몰라 그는 예의 냉담한 표정을 유지했다.

그러나 묵연은 아무것도 하지 않았다. 다만 잃어버렸다가 다시 찾은 보물을 대하듯 그를 끌어당기기만 했다.

전생에 헌신짝처럼 버린 그를.

"사존."

모든 증오와 원망을 벗어 던진 묵연은 그의 앞에 무릎 꿇었다. 행동 하나하나에는 진심과 존경, 그리고 뜨거운 감정이 담겨 있었다.

"제가 그동안 다 잘못했어요. 앞으로는 동쪽으로 가라 하시면 동쪽으로 갈 것이고, 서쪽으로 가라 하시면 서쪽으로 갈게요. 사존만 무사하다면, 하라는 대로 다 할게요."

감정이 격해졌는지 그의 얼굴은 여전히 웃고 있었지만 눈시울은 촉촉하게 젖어 있었다.

"그러니까 저랑 돌아가요. 네?"

초만녕은 아무 대꾸도 하지 않았다. 얼굴은 호수처럼 고요했지만 가슴은 거센 불길로 타오르고 있었다.

"사존."

어딘지 소년 같은 느낌을 풍기는 묵연의 목소리가 따뜻하고 부드럽게 그의 귀에 감겨들었다.

묵연은 사람이 미워지면 진절머리를 냈다.

그러나 잘해 줄 때는 제 속마음을 다 내보일 만큼 잘했다.

그는 이렇게 편집증적인 데다 극단적이기까지 했다.

"저랑 돌아간다고 약속해요. 네?"

초만녕은 그저 표정 없는 얼굴과 담담한 눈으로 그를 바라볼 뿐 여전히 아무런 대꾸도 하지 않았다.

묵연은 혹여 그를 언짢게 할까 봐 속은 괴롭지만 겉으로는 미소를 유지했다. 괜히 슬퍼하는 모습을 보여 초만녕을 속상하게 만들고 싶지 않았다. 그가 초만녕의 손을 잡고 흔들면서 어르고 달랬다.

"사존, 약속하시는 거면 고개를 끄덕여 주세요."

"……."

그가 계속 고개를 끄덕이지 않을까 봐 덜컥 겁이 난 묵연은 생각 끝에 한마디 덧붙였다.

"제가 셋을 셀게요. 괜찮죠?"

"……."

"사존이 말씀 안 하시면, 약속하신 걸로 알 거예요."

묵연은 초조하면서도 부드러운 어조로 말한 다음 천천히 셋을 셌다.

"하나, 둘, 셋."

초만녕은 마치 오랜 시간 냉동된 사람처럼 막상 따듯한 물에 들어가자 아픔부터 느꼈다.

지금껏 자신을 좋아해 주는 사람이 없었기에 그동안 얼어 있어도 그리 아프지 않았다. 하지만 자신을 아끼고 따뜻하게 안아 주는 사람이 생기자 마침내 아플 권리가 생긴 것처럼 살점 하나 하나가 떨어져 나가듯 아파 왔다.

드디어 아픔을 느끼게 된 것이다.

그의 손끝이 갈수록 땀이 차오르는 묵연의 손바닥 안에서 미세하게 떨렸다.

묵연은 말 없는 그를 보며 점점 더 초조해졌다. 그가 상심하여 이승으로 돌아가지 않겠다고 버틸까 봐 두려웠다.

그렇다고 감히 움직일 수도 없었다. 조금이라도 움직이면 초만녕이 자기를 버리고 가 버릴 것만 같았다. 그는 온화한 미소를 유지한 채 말했다.

"방금 제가 너무 빨리 셌죠? 사존이 준비하실 시간도 안 드렸네요. 제가 다시 셀게요."

묵연이 숫자를 셌다.

"하나, 둘, 셋."

"……."

묵연의 목울대가 꿈틀거렸다. 그도 떨고 있었다. 묵연이 웃으며 애원하듯 말했다.

"사존, 들으셨어요?"

드디어 초만녕의 봉안에 초점이 돌아오기 시작했다. 하지만 여전히 멍한 얼굴로 묵연의 얼굴만 물끄러미 바라볼 뿐 아무런 의사 표시도 하지 않았다.

"제가 다시 천천히 세 볼게요. 못 들으셨을까 봐서요."

묵연이 다시 셋을 셌다.

"하나, 둘, 셋."

"……."

"마지막으로 한 번 더 셀게요……."

묵연은 또다시 수를 세었다.

"하나, 둘, 셋."

"……"

"진짜 마지막이에요."

"……."

"하나, 둘, 셋……."

초만녕은 제 앞에 무릎을 꿇은 채 바보처럼 하나, 둘, 셋만 반복하는 제자를 무심한 시선으로 바라보았다. 이 제자는 이렇게 한 번 세고 또 셀 때마다, 시간을 되돌려 마른 나무에 꽃을 피우고 죽은 사람을 다시 살게 할 수 있다고 믿는 듯했다.

묵연은 열심히 집요하게 셌다. 미련하고 고집스럽게 셌다. 자기가 지은 죄들을 세는 듯했고, 초만녕이 자신에게 잘해 준 순간순간을 세는 듯도 했다.

어느새 묵연의 목소리가 떨리고 있었다. 미소는 겁에 질려 있었다.

"사존."

고개를 든 묵연의 눈가는 발갛게 부어 있었다. 하지만 자기 때문에 이 지경이 된 초만녕이 이제 막 의식이 돌아온 상황에서 울고 싶지 않았다. 초만녕이 더는 자신 때문에 힘들어하길 원치 않았다.

그래서 터질 듯한 눈물을 내리누른 채 미소를 지으며 이야기하듯 편안한 말투로 말했다.

"다시 셀게요. 저 좀 보세요, 네?"

묵연의 이 같은 애원에 초만녕은 불쑥 심장을 도려내는 듯한 아픔을 느꼈다.

그가 두려운 나머지 묵연에게서 손을 빼내려 했다.

하지만 묵연은 다시 그를 꽉 잡고 놓지 않았다.

그는 꼿꼿한 얼굴로 천천히 눈을 깜빡이며 초만녕을 바라보았다. 충견이 주인을 따르듯 고집스럽고 우직했다.

"하나, 둘……."

이때 갑자기 밖에서 다급한 발소리와 함께 고함과 욕설이 들려왔다. 초만녕은 고개를 획 쳐들고 멀리 내다보았다. 등불이 바다를 이루며 엄청난 수의 병사들이 그들이 있는 곳으로 우르르 몰려들고 있었다.

결국 용구가 기회를 잡아 밀고한 것이다.

"저기에 있다! 거각 위다! 거각 위!"

"저 도둑놈 잡아라!"

"감히 예서 소란을 피우다니!"

행궁이 발칵 뒤집혔다. 저 멀리 횃불과 귀신 무리가 거친 밀물처럼 두 사람을 집어삼킬 듯 세차게 밀려왔다. 이 조수에 휩쓸렸다간 무간지옥에 떨어져 만 번을 죽어도 환생하지 못할 것만 같았다.

그러나 묵연은 고개도 돌리지 않았다. 초만녕의 손을 잡고 있는 이 순간, 그는 평온함을 느꼈다.

초만녕이 정인은 아니었지만, 자신이 사랑하고 존중하는 사람이자 자신을 사랑하고 아껴 준 사람이었다. 그를 보고 있는 묵연의 마음은 물처럼 고요했다.

초만녕이 호통쳤다.

"정신 나갔느냐? 계속 이렇게 있으면 어쩌겠다는 것이야?"

그가 묵연의 손을 잡아끌며 일으켜 세웠다. 우르르 밀려오는 불빛에 비쳐 그의 눈동자가 살아 있을 때처럼 형형하게 빛났다. 초만녕이 인상을 구기며 묵연을 재촉했다.

"가자!"

묵연이 어리둥절한 얼굴로 물었다.

"함께요?"

초만녕이 버럭 화를 냈다.

"그럼 함께지 무엇이겠느냐!"

묵연은 불안하게 떨면서 눈을 감았다가 다시 떴다. 돌연 환하게 미소 짓는 그의 눈에는 물기가 서려 있었다. 그 눈이 이슬 맺힌 꽃잎처럼 더없이 아름다웠다.

그는 그제야 안도의 한숨을 내쉬며 초만녕의 손을 꼭 잡았다.

그러고는 손가락을 하나하나 깍지를 끼듯 얽었다.

그가 초만녕의 이마에 대고 읊조리듯 말했다.

"셋."

"셋은 무슨 셋! 빨리 가자니까!"

"아!"

뒤를 돌아본 묵연은 짧은 신음을 흘렸다. 바깥에서 수많은 악귀가 몰려오고 있었다. 그가 다급한 얼굴로 말했다.

"사존, 먼저 결계를 치세요! 그다음 제가 초혼등으로 들어가게 해 드릴게요!"

"안 돼."

"……네?"

묵연이 넋 나간 표정으로 쳐다보았다.

초만녕의 냉담한 얼굴에는 약간의 민망함이 묻어 있었다. 그가 부끄러운 나머지 버럭 소리쳤다.

"나한테 법력이 있었다면 이 닭장 같은 곳에 잡혀 있었겠느냐?"

"……."

맞다.

초만녕의 혼백에 없는 것이 바로 '내공'이었다.

혼백을 초혼등에 넣으려면 아무 방해도 받지 않고 주문을 외워야 했다. 시간이 그리 오래 걸리진 않지만, 지금 이런 상황에서는 절대 불가능했다. 묵연은 어쩔 수 없이 초만녕을 잡고 냅다 뛰기 시작했다.

다행히 초만녕은 내공을 잃었을 뿐 몸놀림은 여전했기에 묵연에게 걸림돌이 되지 않았다. 두 사람은 밖으로 뛰쳐나갔고, 그 뒤를 병사들이 꼬리에 꼬리를 물고 추격해 왔다. 정전(正殿) 문 앞에 다다르자 초만녕이 물었다.

"길을 아느냐?"

묵연이 대답했다.

"아니요."

"……."

묵연은 전혀 기죽지 않고 높다란 궁벽을 가리켰다.

"저기로 올라가요. 위에서 보면 길이 잘 보일 거예요."

다행히 초만녕은 경공술 기본기가 탄탄하여 내공이 없어도 문제없이 지붕과 담벼락을 넘나들 수 있었다. 그가 민첩하게 처마 위로 올라가 고개를 숙이고 아래를 내려다보았다. 노기등등한 얼굴로 야수처럼 울부짖으며 죽일 듯이 쫓아오는 귀신 떼거지를 보며 묵연에게 말했다.

"견귀를 소환하거라!"

묵연은 즉시 그의 말에 따랐다. 손바닥을 문지르자 눈부시게 강렬한 선홍색 광채가 뱀의 날름거리는 혓바닥처럼 번쩍하고 나타났다. 새빨간 버들잎을 나풀거리며 버드나무 가지가 그의 발치에서 휘감겼다.

"영기가 오리혈을 지나 곡지혈에 들어가면, 상양혈에 응집시켜 내보내거라."

휙!

초만녕은 돌연 무엇이 생각났는지 말을 덧붙였다.

"영력은 조금만 주입해."

묵연은 순간 멍해졌다. 아무래도 수습하기엔 늦은 듯했다.

그 순간, 엄청난 굉음과 함께 화염이 폭발했다. 견귀가 불을 내뿜는 용처럼 포효하며 병사들을 향해 내리꽂혔고, 맹렬히 타오르는 불길은 회랑 전체를 거의 다 집어삼켰다. 거룡이 불을 안고 천하를 헤엄치며 구름을 타고 승천하는 듯했다. 거의 눈 깜짝할 사이에 맨 앞에 있던 수십의 병사가 기와, 초목과 함께 깨끗하게 불탔다!

초만녕이 말을 잃고 묵연을 바라봤다.

"……."

"……."

"영력을 조금만 주입하라고 하지 않았느냐!"

초만녕이 성을 냈다.

"말씀하실 때는 이미……."

불현듯 그를 공경하고 말대답도 하면 안 되겠다는 생각에 묵연은 씩씩거리며 입을 다물었다가 이렇게 말했다.

"네, 사존. 제 불찰이에요."

"됐다."

초만녕이 소매를 털며 말했다.

"내가 너무 늦게 말한 책임도 있다."

묵연은 흠칫했다. 초만녕이 자기 잘못을 인정하게 하려면, 내가 먼저 잘못을 떠안으면 되는 거였나?

그가 눈을 깜박이다 저도 모르게 미소 지었다.

초만녕이 그를 힐끗 보며 말했다.

"바보같이 실실거리고 뭐 하느냐, 빨리 가지 않고!"

113장 사존은 유부남이다

"가요, 가."

불현듯 스친 생각에 묵연의 낯빛이 어두워졌다.

"사존, 제가 저렇게 많은 병사를 죽였는데, 귀계에서 우릴 끝장내려고 할 것 같아요."

"염려 말거라."

초만녕이 말했다.

"방금 그 초식은 혼백을 사라지게 하는 게 아니야. 혼백이 잠시 부서진 것뿐이니 며칠만 지나면 다시 하나로 모일 게다."

이 말을 듣고 주변을 살피니 그의 말대로 타다 남은 재 위로 혼령의 파편이 마치 반딧불이처럼 떠다니는 게 보였다. 더 자세히 볼 틈도 없이 초만녕이 그를 잡아끌었다.

"뛰어."

묵연이 견귀로 쑥대밭을 만들자, 더욱 화가 난 관병들이 길길이 날뛰기 시작했다. 초만녕과 묵연은 기와지붕과 처마를 넘나들며 빠르게 달렸다. 묵연이 달리는 와중에 물었다.

"사존, 어차피 저들은 죽지 않아 귀계의 눈 밖에 날 일도 없는데 어째서 영력을 조금만 주입하라고 하셨어요? 더 많이 넣으면 저들을 격퇴할 수도 있었잖아요?"

초만녕이 차갑게 대답했다.

"방금 초식을 다시 해 보거라."

이유는 모르겠지만, 묵연은 그의 말대로 초식을 펼쳤다. 그런데 아까와는 달리 작은 불꽃만 반짝하고 말았다. 더욱이 방금까지 산천을 집어삼킬 듯 매서운 기세를 보였던 견귀는 무척이나 피곤해 보였다.

초만녕이 말했다.

"영력을 많이 넣을수록 신무가 회복되는 시간도 길어진다. 지나침은 부족함만 못 하다. 알겠느냐?"

"네, 사존."

잠시 말을 멈추고 묵연이 다시 물었다.

"사존, 갑자기 생각나는 일이 있는데요, 맞혀 보실래요?"

"무엇이냐?"

"예전에 도화원 환각 세계에서요, 그때도 사존이 지금처럼 채찍 쓰는 법을 알려 주셨어요. 그때 사존은 엄청 작았는데."

묵연이 헤실헤실 웃으며 손으로 키를 재더니 말했다.

"제 허리에도 못 미쳤다니까요."

그 말에 초만녕은 갑자기 발이 걸려 넘어질 뻔했다.

"조심하세요!"

"비켜라!"

살아 있는 몸이었다면 지금 초만녕의 귓불은 발갛게 익었을 것이다. 그가 창피한 마음에 괜히 화를 냈다.

"변변찮은 놈! 왜 하사역과 키를 비교하느냐? 나와 하지 않고?"

묵연은 웃었다. 당장 그와 키를 대 볼 생각은 없었다. 물론 지금 키가 많이 자라서 채접진에 있을 때처럼 초만녕과 키 차이가 엄청 나는 것은 아니지만, 그렇다고 더 큰 것도 아닌 엇비슷한 정도였다.

그는 곁눈질로 초만녕을 힐끔 보고는 속으로 다짐했다. 앞으로 몇 년 후에 키가 완전히 자라면 그때 초만녕을 제 옆에 세우고 키를 대 보겠다고.

답선제군이 잔머리를 굴리는 동안, 만야옥형은 내심 착잡한 마음이 들었다.

자기가 하사역이라는 사실을 묵연이 알고 있을 것이라고 짐작은 했다. 하지만 막상 그의 입에서 이런 말을 들으니 체면이 말이 아니라는 생각에, 어디에다 시선을 둬야 할지 알 수가 없었다.

그때…… 묵연을 올려다보며 상큼하게도 '사형'이라 부르지 않았던가.

생각할수록 민망하고 심통이 난 초만녕은 묵연을 앞질러 뛰어갔다.

묵연은 그가 무슨 생각을 하는지 잘 알고 있었다. 그래서 반 걸음 뒤로 떨어져서 그를 열심히 쫓아갔다. 두 사람은 거센 밤바람을 맞으며 달리고 또 달렸다. 묵연은 이 순간 바로 뒤에서 초만녕을 자세히 볼 수 있었다. 그의 선홍색 의복이 떨어지는 단풍잎과 잔잔한 저녁놀처럼 아름다웠고, 그 위로 수놓인 금빛 나비는 마치 살아 있는 것처럼 옷자락이 날릴 때마다 반짝반짝 빛을 발했다.

불현듯 달콤 쌉싸름한 흡족함이 치솟았다.

이 순간 그는 감사했다. 초만녕을 다시 만나서 감사했고, 예전처럼 그의 가르침을 받게 된 것에 감사했다.

앞으로 몇 년, 순탄하게 흘러간다면 그때 고개를 반쯤 내리고 방긋 웃으며 초만녕을 약 올릴 수 있을 것이다.

'사존, 저랑 키 대봐요. 저는 얌전히 서 있을 테니 사존은 까치발을 들어도 돼요.'

마음이 훈훈해진 그는 하늘이 정말 자신에게 관대하다는 생각을 했다.

모든 사람이 잘못을 저지르고 처음부터 다시 시작할 기회를 가질 수 있는 것은 아니며, 상처를 받고도 상대를 포용하고 용서할 수 있는 것도 아니다.

자신의 사존이 겉으로는 차갑지만 마음은 따뜻한 사람이라는 것을 이리 오랜 시간이 흐른 뒤에야 알게 된 그였다.

두 무리의 추격병이 쫓아왔다. 행궁 입구가 코앞이었다.

힐끗 돌아보니, 쫓아올 수 없을 만큼 관병들을 멀찍이 따돌린 듯했다. 묵연은 조용히 안도의 한숨을 내쉬었다. 그러나 그 한숨을 끝까지 뱉기도 전에 눈앞으로 굉음과 함께 벼락이 떨어졌다.

벼락으로 화염이 일렁이는 가운데, 거대한 가마가 모습을 드러냈다. 가마 아래에는 터질 듯한 근육을 자랑하는 장정 여덟이 무릎을 꿇은 채 가마를 받치고 있었다. 가마 위에는 살집이 두툼하고 게을러 보이는 남자가 하얀 모피를 걸치고 긴 머리칼을 늘어뜨린 채 반쯤 누워 있었다. 그의 양옆으로 미인이 있었는데, 한 명은 그의 어깨를 두드리며 안마를 했고 다른 한 사람은 앵두를 입에 넣어 주고 있었다.

이 배불뚝이 남자는 혼백이긴 했지만, 이미 수련으로 육체를 가졌기에 스쳐 지나가듯 맛만 보는 게 아닌 진짜 사람처럼 앵두를 삼켰다.

남자가 입술을 핥고는 미인의 아래턱을 잡고 끈적끈적하게 입을 맞췄다. 그러고는 느긋하게 눈을 들어 올려 초만녕과 묵연을 보더니 피식 코웃음을 쳤다.

"거참 공교롭군. 본왕이 낙점한 귀염둥이를 분수도 모르는 애송이가 빼앗으려고 하다니."

그가 침착하고 여유 있게 말을 이었다.

"선군, 대체 누굴 믿고 이런 대담한 짓을 저지른 거지?"

초만녕의 얼굴은 잿빛이 되었고, 표정은 심하게 일그러졌다.

묵연 앞에서 저 기름기 좔좔 흐르는 음란 마귀에게 '귀염둥이' 소리를 듣다니……. 법력이 있었다면 지금 당장 천문을 소환해 저 느끼한 놈을 단번에 갈아 버렸을 터였다.

묵연의 낯빛 역시 어두웠다. 지금 자신의 수련 수준으로 초만녕을 보호하면서 귀왕을 상대하기에는 무리가 있었다. 그는 어쩔 수 없이 대화를 나눠 보기로 했다.

묵연이 성큼 앞으로 나가 읍을 하며 말했다.

"왕야, 사죄드립니다. 본의 아니게 공을 망쳐 놓았습니다. 하지만 저는 이 사람을 꼭 데려가야겠습니다."

"아이고야, 네놈이 데려간다고 내가 보내 줄 성싶더냐?"

사왕이 웃으며 말했다.

"저자가 지금 무얼 입고 있는지 아느냐? 내 친히 가르쳐 주지. 저건 말이다, 바로 영혼결혼식에 입는 예복이다. 다시 말해 우리 귀계의 길복이지. 내 길복을 입었다는 건 내 귀신이 되었다는 뜻이다. 하여 행궁 밖으로는 한 걸음도 나갈 수 없어. 못 믿겠으면 시험해 보든가."

그가 잠시 말을 멈췄다가 한마디 덧붙였다.

"혹여 네놈이 강제로 저자를 데리고 나간다면, 행궁 입구에서 길복에 깃든 영력이 저자의 영혼을 산산조각 낼 것이다. 그러니 잘 생각해야 한다."

묵연은 이제야 정전 안의 다른 혼백들과 다르게 초만녕만 결박당하지 않은 이유를 알게 되었다. 그가 입고 있는 붉은색 옷이…….

그가 주먹을 말아 쥐며 말을 했다.

"저는 이 사람을 꼭 데리고 나가야 합니다. 하지만 절대 맨입으로 부탁드리는 건 아닙니다. 왕야께서 필요하신 걸 말씀해 주시면 제가 어떻게든 구해서 바치겠습니다."

"본왕이 원하는 건 딱 하나, 미인뿐이다. 게다가 요즘엔 말 잘 듣고 온순한 것들은 너무 식상해졌어. 본왕은 네 옆에 있는 그놈처럼 차가운 종자가 좋다. 그래야 재미가 좀 나거든."

"……."

묵연과 초만녕의 모습을 보며 사왕도 퍽 흥미가 생겼는지 느긋하게 일어나 앉아 말했다.

"그런데 말이다, 본왕이 이토록 오랜 세월 저승에 있어 봤지만 지금껏 감히 내 행궁에 잠입해 소란을 피운 놈은 없었거든. 그래서 좀 재미있고 궁금하기도 한데, 너희 둘 대체 무슨 사이냐?"

묵연이 말했다.

"제 사존입니다."

"고작 사존?"

귀왕이 손을 펴 보이며 웃었다.

"아, 난 또 둘이 죽고 못 사는 사이인 줄 알았지."

묵연이 말했다.

"……제 사존은 왕야를 좋아하지 않습니다. 그런데 억지로 이곳에 남겨 두는 게 무슨 의미가 있습니까?"

귀왕이 손을 휘휘 내저었다.

"유치하기는. 좋아하고 싫어하고 그게 뭐가 중요하냐? 본왕이 마음에 드는 건 저자의 육체일 뿐이다. 마음 따위 원하지도 않아."

"……."

"그리고."

귀왕이 이죽대며 말했다.

"분명 저자는 날 안 좋아해. 그렇다고 널 좋아하느냐? 저자가 네놈과 혼인한 사이라면 나도 흥미 없다. 본왕이 미인을 좋아하지만 혼인한 사람은 좋아하지 않아서 말이지. 저자가 고작 사존일 뿐이라니 안타깝구나."

이 말을 듣는 순간 묵연이 잠시 멈칫하더니 이내 방긋 미소를 지었다.

"왕야, 그 말씀 신심인가요?"

"본왕은 저승 4층의 주인이다. 너 같은 애송이를 뭐 하러 속이겠느냐?"

"그럼 하나만 더 여쭙겠습니다. 만약 사존이 오래전에 이미 혼인하셨다면 지금 입은 왕야의 길복이 효력이 있나요?"

"당연히 없지. 본왕은 지금껏 다른 사람의 부군이나 부인을 탐한 적이 없다."

사왕이 미간을 찌푸리며 물었다.

"한데 그건 왜 묻느냐? 저자가 이미 혼인했느냐?"

뻔뻔하지 못한 초만녕이 말했다.

"아니."

누구보다 뻔뻔한 묵연이 말했다.

"네."

"……."

초만녕이 더 말하기 전에 묵연이 그의 손을 잡아끌고 궐문 쪽으로 걸어갔다. 그가 고개를 돌려 사왕에게 말했다.

"왕야, 제 사존은 신경 쓰지 마십시오. 기억력이 워낙 별로라서요. 방금 말씀하셨죠? 사존이 이미 혼인했다면 이 길복이 효력을 발휘하지 못할 거라고요. 그러니 이 말 저 말 할 것 없이 제가 직접 사존을 데리고 나가 보겠습니다. 만약 저희가 무사히 나간다면 왕야께서는 저희에게 살길을 터 주십시오. 하나 제 말이 거짓이라면 죽어도 원망하지 않겠습니다."

초만녕이 말했다.

"묵연, 너 미쳤느냐? 그때 채접진에서 한 것은 그저 연기일 뿐이었다. 혼인이라고 할 수 없어."

"왜요?"

묵연이 단호한 어투로 말했다.

"합환주도 마셨고 삼배도 올렸어요. 천신과 지신이 굽어보는 가운데 혼례를 올렸는데 왜 아니라는 거예요?"

"묵연……!"

귀왕은 백 년 천 년이 하루 같은, 매일 똑같은 저승의 일상이 지겹고 무료했다. 이런 가운데 마주한 뜻밖의 언쟁이 오히려 무척 재밌고 즐거웠다. 그는 얼굴을 받친 채 이 광경을 흥미롭게 바라보다가 옆에 있는 미인의 허벅지를 툭툭 쳐서 말린 과일을 받아먹으며 말했다.

"알겠다, 한번 해 보거라. 무사히 나간다면 내 더는 너희를 막지 않을 것이야. 하나 죽으면 그건 너희가 자초한 일이다."

묵연이 말했다.

"알겠습니다."

행궁 정문에는 은은한 자줏빛 결계가 반짝이고 있었다. 아무리 봐도 멍청한 귀신을 위한 용도인 듯했다. 초만녕은 결계에 가까워질수록 점점 더 내키지 않았다. 그 어설픈 영혼결혼식이 여기서 유효할 리가 있겠는가…….

그때 묵연이 그에게 바짝 다가와 낮은 목소리로 말했다.

"사존, 걱정하지 마세요. 우리가 했던 그 혼약, 분명 효과가 있을 거니까."

"그게 말이 되느냐?"

"한 번만 제 말을 들어주세요. 이번 일은 저도 생각이 있어요."

그가 말하면서 초만녕의 손에 찍지를 끼웠다. 손바닥은 식은

땀으로 축축했다.

“혹여 일이 잘못돼도 제가 사존과 함께할게요.”

초만녕은 충격으로 봉안을 동그랗게 떴다. 온몸이 떨려 오면서 이제까지 자신이 묵연을 제대로 보지 않았던 것이 아닐까 하는 생각이 들었다.

묵연이 그를 보며 미소 지었다. 그의 볼에 수려한 보조개가 패었다.

“사존께 너무 많은 빚을 졌어요. 이번에는 절대 혼자 두지 않을 거예요.”

“…….”

한참 뒤 초만녕이 읊조리듯 말했다.

“굳이 그럴 것까지야.”

“그럼 사존은요? 왜 굳이 그러셨나요.”

초만녕은 눈을 내리깔며 낮게 탄식하고는 더는 반대하지 않았다. 두 사람은 손을 잡은 채 자줏빛으로 번쩍이는 결계 앞에 섰다. 그들 뒤에는 느긋하게 앉아 재미난 구경거리를 보는 잡귀신들로 득시글했다.

“갈까요?”

“그래.”

누가 먼저 손을 잡았을까. 차가운 손이 뜨거운 손과 겹쳐지고, 축축한 손이 마른 손을 감싸고, 창백한 손이 구릿빛 손에 닿았다.

천불이 세차게 치솟고 천둥 번개가 굉음을 내며 내리쳤다.

결계는 거대한 폭포수 같았다. 두 사람이 거의 동시에 발을 내딛자 번갯불이 산천을 몽땅 불태울 듯한 기세로 내리꽂혔다. 감히 생사문을 밟고 나간 두 사람을 부서뜨리고 조각내어 재로 만들 것만 같았다.

번갯불이 폭발하며 눈부신 빛을 발했다. 눈앞이 하얘질 정도로 강렬한 빛이었다.

묵연은 이제부터 사존을 존경하고 사랑하며 매사에 순종하고 더욱이 불손한 생각으로 사존을 더럽히지 않으리라 다짐했었다.

하지만 생사의 갈림길에 선 순간, 갑자기 초만녕의 얼굴을 한 번 더 보고 싶다는 생각에 홱 고개를 돌렸다.

놀랍게도 결계로 만들어진 거센 폭포수 가운데 초만녕의 시선도 자신을 향해 있었다.

그의 봉안에 서린 것은 과거의 매서움도, 단호함도, 안타까움도, 증오도, 인내도 아닌…… 모든 것이 사라지기 직전의 고요였다.

그리고 착각인지 모르겠지만,

깊은 애정도 서려 있었다.

묵연은 지금까지 초만녕의 이러한 눈빛을 본 적이 없었다. 머릿속이 쿵 하고 울렸다. 성곽이 단숨에 무너지듯 세찬 감정이 들끓었고 검고 단단한 암석 아래의 뜨거운 무언가가 땅을 뚫고 터져 나올 것만 같았다. 이 감정이 어떤 감정인지 정의 내리기도 전에 심장이 뜨겁게 타오르고 피가 들끓었다.

천둥 번개가 번쩍 내리치는 사이, 묵연은 생각할 필요도 없이 초만녕을 품에 안았다.

미친 듯이 뛰는 심장이 피그르 띠는 영혼과 부딪쳤다.

가슴과 가슴이 맞닿았다.

귀계에 오기 전만 해도 묵연은 초만녕과 함께 죽겠다는 생각을 단 한 번도 해 본 적이 없었다. 제가 좋아하는 사람은 줄곧 사매였으니까, 누군가와 함께 생사를 같이해야 한다면 그 상대는 사매일 것이라 생각했다.

하지만 정말 그런 순간이 다가오자 그는 깊이 생각할 틈도 없이 초만녕을 품에 안았다. 초만녕의 피와 살을 제 몸에 집어넣을 듯, 그의 영혼을 제 영혼 안에 숨기려는 듯, 묵연은 그렇게 그를 품었다.

초만녕.

내가 당신과 함께하겠어.

나는…….

"오호, 기구한 한 쌍이 맞았네."

귓가에 얄궂은 목소리가 들려왔다.

"본왕이 이런 실수를 하다니? 저자가 정말 혼인한 선군이었다고?"

묵연이 눈을 번쩍 떴다.

그들을 갈기갈기 찢을 듯한 천둥과 번개는 언제 그랬냐는 듯 수천수만 개의 민들레가 되어 눈꽃송이처럼 그들 주위를 맴돌고 있었다.

사왕이 빙그레 웃으며 일어나 궐문과 멀지 않은 곳에 서서 여유롭게 손뼉을 쳤다.

"몇백 년 동안 심심해 죽는 줄 알았는데, 오늘 이런 재미난 구경을 다 하다니."

초만녕은 말이 없었다.

"……."

정신이 여전히 가출 상태인 묵연은 머리가 묵직하고 흐리멍덩했다. 그는 사왕을 봤다가 다시 고개를 돌려 품속의 사람을 보았다. 사존을 안고 있는 자신에게 깜짝 놀란 묵연이 황급히 손을 거두었다. 초만녕도 멍한 상태에서 깨어나 고개를 옆으로 돌렸다. 어떤 표정을 지었는지는 알 수 없었다.

잠시 후, 그가 의관을 정리하고 아무 말 없이 옆에 섰다.

묵연은 이 어색한 상황을 모면하기 위해 고개를 들어 사왕을 바라보았다.

"어떻습니까? 제가 왕야를 속이지 않았지요."

"그래, 그래."

사왕이 웃는 듯 마는 듯 한 얼굴로 고개를 저었다.

"매일 똑같은 일상이었는데 오랜만에 이런 재미난 구경을 했구나. 좋다, 너희가 내 유흥거리가 되어 주었으니 이제 가도 좋아. 본왕에겐 이미 미인이 많아서 혼인한 혼백이 아쉽진 않구나."

묵연은 기뻐하며 생각했다.

'저 사왕이라는 자는 초순이 만났던 구왕보다 더 호탕하군그래. 색마이긴 하지만, 말한 건 지키는 걸 보니 왕야다운 면모도 있고.'

그는 초만녕을 데리고 떠나려 했다.

그런데 그때, 하늘의 구름이 흩어지더니 달빛이 묵연을 담담히 비추며 그의 발아래에 검은 그림자를 드리웠다.

처음에는 사왕도 인지하지 못한 채 기분 좋은 웃음만 흘리고 있었다. 그는 보기 드문 구경거리에 흡족해하며, 고개를 돌려 옆에 있는 미인에게 포도를 달라고 눈짓했다.

미인은 손끝으로 자줏빛 껍질을 벗긴 후 신선하고 달콤한 알맹이를 꺼내 사왕의 입가에 가져갔다. 이때 이상함을 인지한 사왕이 급히 고개를 돌리며 매섭게 소리쳤다.

"거기 서라!"

그의 눈길이 땅에 드리운 그림자에 진득하게 닿았다가 점차 위로 올라가더니 묵연의 얼굴에서 멈췄다.

"……아래를 보거라. 거기 있는 게 무엇이냐?"

묵연이 고개를 아래로 떨구었다. 그제야 제 발아래 희미한 그림자가 눈에 들어왔다!

사왕의 장난기 어린 표정이 단숨에 지워졌다. 가느다랗게 뜬 좁고 긴 눈은 먹잇감을 눈앞에 둔 매의 눈처럼 잔인하게 번뜩였다.

"살아 있는 놈이 어찌 지옥까지 왔더냐?"

二哈和他的白猫師尊

바보 허스키와 그의 흰 고양이 사존 4

1판 1쇄 발행 2021년 10월 8일
1판 2쇄 발행 2023년 4월 20일
지은이 육포부흘육 **옮긴이** 어썸스토리 **감수** 치치
펴낸이 신현호
편집부장 김승신 **편집** 원서은
본문조판 양우연 **마케팅** 김민원
펴낸곳 (주)디앤씨미디어 **출판등록** 2002년 4월 25일 제20-260호
주소 서울시 구로구 디지털로 26길 111 제이앤케이디지털타워 503호
전화번호 02.333.2513
B-Lab 공식 트위터 twitter.com/B_lab_BL/

ISBN 979-11-278-6156-8 04820
ISBN 979-11-278-6152-0 (세트)

정가 13,000원